YR
ARGRAFF
GYNTAF

YR ARGRAFF GYNTAF

IFAN MORGAN JONES

y Lolfa

I Llinos

Hoffwn ddiolch i Alun Jones a Meleri Wyn James
am eu gwaith caled wrth olygu'r nofel hon.

Diolch hefyd i Gyngor Llyfrau Cymru
am eu cefnogaeth ariannol.

Argraffiad cyntaf: 2010

℗ Hawlfraint Ifan Morgan Jones a'r Lolfa Cyf., 2010

*Mae hawlfraint ar gynnwys y llyfr hwn ac mae'n anghyfreithlon i
lungopïo neu atgynhyrchu unrhyw ran ohono trwy unrhyw ddull ac
at unrhyw bwrpas (ar wahân i adolygu) heb gytundeb ysgrifenedig y
cyhoeddwyr ymlaen llaw*

Dymuna'r cyhoeddwyr gydnabod cymorth ariannol
Cyngor Llyfrau Cymru

Cynllun y clawr: Matthew Tyson

Rhif Llyfr Rhyngwladol: 978-1-84771-267-7

Cyhoeddwyd ac argraffwyd yng Nghymru
gan Y Lolfa Cyf., Talybont, Ceredigion SY24 5HE
gwefan www.ylolfa.com
e-bost ylolfa@ylolfa.com
ffôn 01970 832 304
ffacs 832 782

I

'ATALIWCH Y WASG!'
Rhwygodd y peiriannydd y lifer seimllyd yn ôl a safodd y peiriant yn stond mewn cwmwl myglyd o ager poeth. Tawelodd chwyrndroi'r olwynion argraffu a byrlymu'r inc a'r dŵr – a hefyd sŵn atgas metel yn malu asgwrn.

'Jiw, be ddiawl o'dd hwnna?' gofynnodd y fforman yn y tawelwch sydyn, a'i lais crynedig yn atsain o un wal i'r llall yn islawr yr adeilad. Tynnodd ei het a chroesi'r stafell argraffu gan chwalu'r ager o bobtu iddo â'i law. 'Cymer bip yn y mashîn wnei di, Lloyd?'

Archwiliodd y peiriannydd y lifer i wneud yn siŵr bod y peiriant yn gwbwl ddisymud cyn dringo'n ochelgar i ganol yr olwynion haearn.

Aeth hanner munud heibio. 'Ho!' galwodd.

'Be sy'n bod?'

Ymddangosodd wyneb y peiriannydd o dop y peiriant, y gogls ar ei dalcen a'i lygaid fel dwy soser syn.

'Mae 'na gorff yn y wasg!' meddai, gan flincio fel tylluan.

'Paid whare. Corff beth?'

Mae newyddion yn teithio'n gyflym mewn swyddfa bapur newydd, ac o fewn munudau roedd hanes y corff yn y wasg brint wedi cyrraedd llawr ucha'r adeilad. Yno roedd golygydd y shifft nos, Cynog Price, yn ei swyddfa yn bwrw golwg dros doriadau'r diwrnod hwnnw â'i bensil yn ei law, yn creu'r papur fel jig-so o'r darnau o'i flaen.

'Ti wedi codi'n gynnar prynhawn 'ma – wedi glwchu dy wely 'to?'

Rhythodd Cynog dros ei sbectol gron a gweld wyneb

5

cyfarwydd y gohebydd Daniel Lewis yn pipo arno drwy ddrws y swyddfa.

'Wy newydd orfod golygu'r papur a'i yrru i'r wasg,' atebodd Cynog. 'Do's neb wedi gweld y golygydd drwy'r dydd.' Clustfeiniodd a sylweddoli nad oedd yn gallu clywed murmur cyfarwydd y wasg yng nghrombil yr adeilad. 'Pam bod y peiriant argraffu ar stop?'

'Damwain, mae'n debyg.'

Dylyfu gên. 'Fforman wedi colli'i botel yn y mashîn 'to?'

'Gwell i ti ddod i lawr i weld.'

Llifodd yr hanes yn ôl i'r islawr gan gronni mewn tyrfa o newyddiadurwyr disgwylgar o gwmpas y peiriant argraffu. Roedd y wasg yn un anferth ac yn llenwi hanner yr ystafell, yn gymysgedd o roleri a phistonau peryglus yr olwg, fel injan stêm ansymudol. Erbyn hyn roedd y peiriannydd a'r fforman wedi llwyddo i ddatgysylltu darn ohoni a datgelu'r llanast gwaedlyd y tu mewn. Roedd y corff wedi'i fathru rhwng dwy olwyn argraffu, ben i waered, a'i groen yn frith o inc du. Adnabu rhai o'r newyddiadurwyr ei ddillad a'i sgidiau – roedd nodweddion ei wyneb wedi'u gwasgu i mewn i'w benglog.

Estynnodd Cynog law ochelgar i ganol y gyflafan a llusgo copi gwaedlyd o'r papur newydd oddi yno. Cymerodd gip ar dudalen flaen y bore canlynol – *Cronicl Caerdydd*, Dydd Mawrth, Ebrill 19, 1927.

'Newidiwch y prif bennawd!' meddai. '"Golygydd y *Cronicl* wedi'i Lofruddio". Isbennawd: "Tynoro Davies wedi'i Ddarganfod wedi'i Falu'n Fân mewn Gwasg Argraffu".'

'Oes yna dystiolaeth mai cael ei lofruddio wnaeth e?' gofynnodd Daniel yn syn.

'Dim. Ond rhaid cael pennawd i hoelio sylw'r darllenwyr!'

'Bydd yn rhaid ailosod pob tudalen, Mr Price!' meddai'r fforman, gan droelli ei het yn ei ddwylo.

'Daliwch ati i argraffu gweddill y papur fel ag oedd e,' meddai'r golygydd nos. 'Ond peidiwch â chyffwrdd â'r dudalen flaen nes i fi gal cyfle i sgrifennu un newydd.'

'Cael gwared â'r dudalen flaen?' gofynnodd un o'r newyddiadurwyr eraill. 'Oedd yna unrhyw beth o werth arni?'

'Rhyw stori ddiflas am yr Amgueddfa Genedlaethol newydd yn agor ddydd Iau. Geith honna fynd ar y sbeic.'

'Ond mae'n chwarter i saith nawr. Os yden ni'n dechre newid tudalennau nawr fydd y papur yn cyrraedd y siopau'n hwyr bore fory,' meddai'r fforman.

'Sdim ots, unwaith y bydd yn glanio bydd yn gwerthu fel slecs...'

'Ond bydd pobol sy wedi cyrraedd yn gynnar i'w brynu yn gadael gyda chopi o'r *Mail*, a dyna ni wedi colli cwsmer...'

'Be am y corff?' gofynnodd y peiriannydd ar draws y trafod, gan sychu'i dalcen â chadach. 'Bydd 'na waed dros bob tudalen.'

Edrychodd Cynog draw at Daniel. 'Gwell na lluniau lliw 'sen i'n meddwl?' Plygodd y papur gwaedlyd a'i osod dan ei gesail. 'Tynnwch y corff o 'na'n gynta 'te. A rhoi sgwriad go lew i'r peiriant. Ond bydd angen llun o'r corff fel y mae e, i'r dudalen flaen a hefyd i'r heddlu.'

Amneidiodd Cynog ar lanc ifanc o'r dyrfa a chamodd yntau ymlaen yn betrus gan godi'r camera mawr trwsgl o'i frest. Anelodd ef at gorff y diweddar olygydd, ac agor y caead. Goleuodd y fflach yr olygfa erchyll am ennyd.

Tynnodd y peiriannydd y cadach o'i dalcen a'i roi dros ei geg. 'Myn diawl!' meddai.

'Rhywun i lanhau'r mès 'ma,' meddai Cynog, gan gamu

rhwng y dafnau o inc a'r gwaed dan draed tuag at y grisiau haearn a arweiniai allan o'r islawr. 'A galw'r heddlu. Diolch byth, roedd e'n ddiwrnod newyddion uffernol cyn hyn ta beth.'

'Ddyle rhywun fynd draw i siarad â'i wraig e?' galwodd Daniel ar ei ôl. 'Mae hi'n byw draw yn Riverside.'

'Diolch am gynnig gwneud y gnoc gelain, Daniel,' meddai Cynog gan ddringo'r grisiau.

Syrthiodd gwep y gohebydd. Roedd e wedi rhoi ei droed ynddi. Chwarddodd rhai o'r newyddiadurwyr eraill dan eu hetiau.

'Cofia – lle mae 'na farwolaeth mae 'na rywun yn galaru,' ychwanegodd Cynog. 'Dwy stori dda am bris un! Cer â'r ffotograffydd 'na 'da ti,' ychwanegodd.

Roedd hwnnw'n dal i dynnu lluniau o'r diweddar olygydd wrth iddo gael ei godi o ganol y wasg. Daeth i'r amlwg bod llaw Tynoro Davies wedi'i dal rhwng y ddau roler mawr oedd yn gwasgu'r teip ar y dudalen, ac fe gymerodd sawl hyrddiad iddyn nhw ei dynnu oddi yno. Gwasgarodd y dyrfa wrth i'w gorff gael ei gludo tuag at y grisiau, â'i freichiau toredig yn siglo'n llipa bob ochor iddo fel pendiliau cloc.

'Dewch 'mla'n bobol, does dim amser i alaru. Mae 'da ni bapur i'w sgrifennu,' cyfarthodd Cynog, cyn dringo o'u golwg a chau drws yr islawr yn glep ar ei ôl.

II

GWYLIODD ENOCH JONES o falconi ei westy wrth i'r
llong arian stemio o berfedd y bae a saethu winc tuag
ato yn llafn olaf heulwen y dydd. Trodd y llong, gan wasgaru
rubanau o darth myglyd y ddinas ar ei hôl, a dianc am y
môr.

Gwyliodd Enoch hi'n pellhau ar y gorwel â chalon drom.
Gwyddai y byddai llongau'n cludo nwyddau anghyfreithlon i
mewn ac allan o'r ddinas. Byddai llawer ohonynt yn cyrraedd
glannau Patagonia, gan greu gwaith i siryfion fel ef. Ond yn
waeth na hynny... dyna'r llong olaf adre.

Edrychodd i lawr o falconi'r Cairo Hotel ar y ddinas
lwgr o'i flaen, a honno wedi ymledu fel ffwng am filltiroedd
i bob cyfeiriad. Dyma Gaerdydd, felly. Ymwthiai penrhyn
Tre Biwt i'r bae o ganol y ddinas fel tafod hir, a'i ddwy
ystlys yn rhwydwaith o borthladdoedd, camlesi a rheilffyrdd.
I'r gorllewin roedd yr afon Taf yn chwydu i'r gweunydd
ar lannau Grangetown, a'r tu hwnt i hynny gallai weld
dociau Penarth. I'r dwyrain, y tu draw i'r rheilffordd, roedd
simneiau'r ffatrïoedd a llongau'r porthladdoedd wedi'u hasio'n
un goedwig ddu, drwchus.

'Y'ch chi wedi teithio'n bell?' gofynnodd porthor y gwesty
wrth ollwng ei siwtces ar lawr yr ystafell.

'O'r Ariannin,' atebodd, a'i lais cryg yn atseinio drwy'r
ystafell. 'Fe gymerodd hi bythefnos i fi ddod draw yng
nghrombil stemar. Mae'n rhaid 'mod i'n drewi fel sardîn o
dun.'

'Sut y'ch chi'n siarad Cymraeg 'te?'

'Roedd fy mam a 'nhad yn dod o Gymru. Rydw i wedi
bod eisiau ymweld â'r wlad erioed.'

'Rhaid 'ych bod chi wedi ymddeol i allu teithio mor bell?'

'Na, na. Dydw i ddim mor hen â hynny. Mae teithio'n waith caled. Dwi wedi bod yn cadw peth arian wrth gefn dros y blynyddoedd i gael treulio ychydig wythnosau yma unwaith yn fy oes.'

Y gwirionedd oedd, nawr ei fod e wedi cyrraedd, roedd e'n dechrau difaru dod. Hen wlad ei dadau, wir – roedd wedi eistedd ar lin ei fam yn blentyn lawer tro yn ei chlywed hi'n siarad am wlad werdd a ffrwythlon. Ac yna, ar ôl ei dyddiau hi, clywed hanesion gan y morwyr a fu yng Nghaerdydd wrth iddynt fynd a dod drwy Borth Madryn. Y porthladd mwya yn y byd, medden nhw, a'r mwya llewyrchus. Y strydoedd yn aur. A llygaid pob un yn sgleinio wrth iddyn nhw awchu am fod yn ôl yno.

Ni welai dystiolaeth o strydoedd aur fan hyn – dim ond tir anial o sorod a llwch. Trawodd fatsien ar ei lawes a chynnau sigarét yn ei geg, gan adael i'w blas olchi'r budreddi o'i ysgyfaint.

'Ydych chi eisiau sigarét?' gofynnodd i'r porthor.

Manteisiodd hwnnw er mwyn cael esgus i dindroi am ychydig funudau drwy ymuno ag Enoch ar y balconi. 'Oes 'da chi deulu yng Nghaerdydd 'te?' gofynnodd.

'Dim hyd y gwn i, ond fe fyddwn i'n hoffi gwneud ychydig o waith ymchwil tra 'mod i yma. Chefais i ddim llawer o'r hanes gan fy mam tra oedd hi'n fyw, ac roeddwn i'n rhy ifanc i falio bryd hynny.'

Roedd e wedi disgwyl clywed tipyn o Gymraeg wrth gamu o grombil y llong i'r lan. Ond roedd yr awyr yn llawn lleisiau mewn amrywiol ieithoedd wrth i'r morwyr lwytho a dadlwytho'r llongau, a dim un o'r rheiny'n gyfarwydd iddo. Cerdded o'r llong i'r gwesty wedyn, gan aros bob hyn a hyn i ofyn am gyfarwyddiadau, a theimlo fel mochyn mewn marchnad, yn gwthio'i ffordd drwy'r cyrff, y ceffylau, y ceir a'r baw dan draed. Roedd e'n teimlo'n fwy penysgafn erbyn iddo gyrraedd y gwesty nag ydoedd ar y llong hyd yn oed. Roedd pawb ar wib i bobman, âi'r mwrllwch i fyny ei drwyn ac roedd yr awyr yn gwynto'n rhyfedd.

Pipodd dros ei ysgwydd. 'Lle mae'r siwtces arall?' gofynnodd.

Edrychodd y porthor o amgylch y stafell a gwgu. 'Dim ond un siwtces wnaethoch chi ei roi i fi.'

'Wnes i ei roi o i'r porthor pen moel 'na.'

'Fi yw'r unig borthor yn y gwesty yma, syr,' meddai'r dyn, a cherdded allan i'r landin i chwilio. 'Mae'n rhaid bod rhyw gythrel wedi'i ddwgyd e.'

Ochneidiodd Enoch. Dim ond am eiliad roedd wedi troi ei gefn arno, hen recsyn glas heb ddim ynddo ond tywod ac atgofion, wedi'i lusgo o'r Ariannin rhag ofn y byddai yna ryw swfenîr rhad i fynd yn ôl gydag ef. Roedd rhywun yn amlwg wedi gweld yr hen ddyn heulfelyn o dramor oedd yn edrych yn ansicr i bob cyfeiriad cyn croesi'r lôn ac wedi gweld ei gyfle.

'Unrhyw siawns o'i gael o nôl?'

'Sai'n credu 'ny. Mae angen i chi fod yn ofalus o'ch eiddo ffor hyn.'

'Wel, rydw i wedi dysgu rhywbeth heddiw,' meddai Enoch, a thôn ei lais yn arwydd bod y drafodaeth ar ben.

Tynnodd ar ei sigarét eilwaith cyn cau'r drws yn ofalus y tu ôl i'r porthor. Dadbaciodd y siwtces oedd yn dal ganddo. Byddai bob amser yn teithio heb gario fawr o ddillad felly doedd yna ddim cymaint â hynny ynddo, dim ond un newid dillad, arian ar gyfer yr wythnosau nesa a'r daith adre, a sawl tun o laeth, pysgod a ffrwythau yr oedd wedi dod â nhw rhag ofn y byddai'n llwgu. Stwffiodd rywfaint o'r arian yn ei boced a chuddio'r gweddill o dan ei fatres, gan gadw ei afael ar ei fathodyn. Rhwbiodd hwnnw ar ei frest er mwyn cael gwared ar lwch du Caerdydd, gan ddatgelu hen grystyn o faw yr Ariannin, a'i osod yn ei boced. Gwyddai na fyddai ei fathodyn o'r paith yn werth cachiad asyn yn y cwr yma o'r byd, ond efallai y câi dipyn o barch gan y siryf lleol. Yna edrychodd ar ei hun yn y drych.

Roedd yn ei bumdegau cynnar erbyn hyn, ond roedd yr union flwyddyn wedi mynd yn angof ganddo. Roedd ei groen yr un lliw â thywod gwlyb ac yn frith o frychni du, a'i ben yn foel heblaw am sofl o wallt arian y tu ôl i'w glustiau. Hoffai feddwl bod rhywbeth caled yn ei lygaid brown tywyll, ond fan hyn, ymhell o'i diriogaeth, roedd ei awdurdod wedi diflannu i rywle – gyda'i siwtces, efallai.

Aeth yn ôl allan i'r balconi gan chwifio'i het o'i flaen i gynhyrfu'r awyr. Hen arfer yn fwy na dim, a hithau'n fis Ebrill ac awel fain min nos yn cyniwair. Roedd golwg gynnes, gartrefol a threuliedig ar yr het o'i chymharu â'i siaced a'i drowser du, a brynwyd yn newydd sbon ar gyfer yr hinsawdd oerach.

Edrychodd i lawr o'r balconi ar y stryd oddi tano. Ei gartre newydd yn ystod yr wythnosau nesa. Stryd Biwt. Rhedai ar hyd y penrhyn fel un o'r ceunentydd adre yn yr Ariannin, wedi'i naddu nid gan afon ond gan y ffrwd o bobol a cheir a threnau a redai ar hyd iddi. Ar un ochor i'r stryd safai rhes o adeiladau uchel, ac ar yr ochor arall pedair lein reilffordd lydan. Wrth iddo sefyll yno'n rholio sigarét arall iddo'i hun rhuodd trên heibio, ei sŵn yn boddi rhialtwch y stryd oddi tano a'i frêciau'n gwichian wrth iddo agosáu at yr orsaf ym mhen draw'r lein. Chwifiodd Enoch ei hen het lychlyd o flaen ei drwyn unwaith eto wrth i don o ager drewllyd godi.

'Cyffordd rhwng Sodom a Gomorra,' meddai wrtho'i hun. Gadawodd yr ystafell a chloi'r drws ar ei ôl.

'Dwi'n mynd allan,' meddai wrth y dyn y tu ôl i'r ddesg flaen. 'Fydda i'n medru dod yn ôl i mewn?'

'Dy'n ni ddim yn cloi'r drysau tan hanner nos.'

'Beth yw'r amser rŵan?'

'Pum munud i saith.'

Penderfynodd Enoch drio'i lwc.

'Welsoch chi'r dyn yna oedd yma gynna fach, rhyw awr yn ôl pan gyrhaeddais i? Dyn pen moel, ychydig yn gloff yn ei goes dde.'

Cododd aeliau'r dyn. 'O ie, y bachan 'na. Sai'n gwbod beth yw 'i enw fe ond bydd yn galw 'ma'n weddol aml. Wedi 'i weld e'n yfed yn nhafarn yr Anglesey Arms ambell dro.'

'Ble mae honno?'

'Lawr y stryd, ar y chwith.'

'Diolch i chi.'

Roedd Enoch yn siryf hen ffasiwn. Os oedd e'n gadael i bobol ddwyn ei eiddo fe pa obaith oedd i unrhyw un arall? Dyna lle roedd cymdeithas yn dechrau colli ei ffordd. Roedd Enoch Jones yn ddyn o egwyddor, ac roedd rhywun ar fin dysgu'r ffaith honno yn y ffordd galeta bosib.

III

'BETH YW'R GNOC gelain 'te?'
'Y fraint ddigroeso o orfod cyfweld â theulu'r person sy wedi marw.'

'Felly ry'n ni'n mynd i orfod siarad â'i wraig e?' gofynnodd y ffotograffydd ifanc.

'Ydyn, yn anffodus,' meddai Daniel, gan dynnu ei got law gabardîn amdano. 'Wel, bydd rhaid i fi – dim ond tynnu lluniau fydd eisie i ti neud.'

Gorfod cyfweld perthnasau rhywun oedd wedi marw oedd yr un dasg roedd pob newyddiadurwr yn ceisio ei hosgoi, waeth pa mor galongaled ydoedd.

'Damo – byddwn ni'n brin o staff am ddyddie nawr a fi fydd yn ysgwyddo'r baich, siŵr o fod,' meddai. 'Welest ti'r fath gawlach erio'd?'

Ymlwybrodd y ddau i lawr grisiau cefn swyddfa papur newydd *Cronicl Caerdydd* ac allan i balmant Stryd y Porth. Roedd hi'n saith o'r gloch a'r machlud yn taflu ei lwch coch ar hyd topiau'r adeiladau a strydoedd canol y ddinas.

Roedd nifer o'r adeiladau ar y stryd wedi'u codi ym mlynyddoedd llewyrchus troad y ganrif. Erbyn hyn roedd y rhan fwya ohonyn nhw'n wag a budr, y waliau fu'n wyn bellach wedi'u staenio'n felyn fel lliw pisio gan fwrllwch y ddinas. Edrychai swyddfa'r *Cronicl* fel corrach yn eu canol, ond roedd yn fwrlwm o brysurdeb. Yr unig beth a werthai'n dda y dyddiau hyn oedd newyddion drwg, a phawb am wybod pob hanesyn gwael wrth i'r dirwasgiad gau ei gethrau amdanynt.

Ond doedd dim angen darllen y papur i weld beth aeth o'i le – roedd y wythïen o gledrau trên a gariai holl gyfoeth du'r

Cymoedd drwy ganol y ddinas wedi ceulo a'r cerbydau'n rhydu'n wag ar ymyl y traciau. Roedd diwydiannau'r dociau ar drai, diweithdra'n uchel a Chaerdydd yn diodde. Codai drewdod y dadfeilio o'r afon Taf a'r strydoedd o'i hamgylch.

'Beth fydd yn digwydd i'r papur nawr bod y golygydd wedi marw?' holodd y bachgen.

'Sai'n gwbod – cynnal *seance* i weld beth mae e moyn ar y dudalen flaen bob bore? Ti'n gofyn lot o gwestiyne 'yn dwyt ti?'

'Dyma 'niwrnod cynta i yn y swydd,' meddai'r ffotograffydd, gan frysio ar ôl camau breision Daniel. Roedd tua ugain oed, rhyw bum mlynedd yn iau na Daniel, a chanddo wyneb eiddil, tenau a sbeciai allan o dan het cantel llydan. Roedd y got a wisgai yn llawer rhy fawr iddo, a'r llewys hir wedi'u llusgo'n ôl yn glymau tew am bob penelin. Ond roedd ei lygaid yn pefrio ac edrychai'n beth bach digon gwydn yng ngolwg Daniel, er gwaetha'r croen gwelw a thyn oedd yn awgrymu mai plât gwag fyddai'n ei ddisgwyl adre yn amlach na pheidio.

Fe allai Daniel, mewn gwrthgyferbyniad, fforddio colli dipyn o fol. Roedd yn chwysu ar ôl cerdded canllath o'r swyddfa. Gormod o gwrw a sigaréts, dyna oedd ar fai. 'Ddrwg 'da fi am swnio'n ddigywilydd,' meddai. 'Wy 'di bod ar y shifft nos ers dros flwyddyn felly prin bydda i'n gweld yr un dyn byw.'

Fe gerddodd y ddau heibio ceffyl a chert yn llawn sachau siwgwr oedd yn ymlwybro i lawr y stryd o'r bae i gyfeiriad siopau Stryd y Frenhines ac ambell gar oedd yn segura ar ymyl y ffordd.

'Beth yw dy enw di?'

'John Smith.'

'Wedodd neb wrtha i bod rhywun newydd yn dechre.'

'O'dd Dad yn arfer gweithio i'r *Cronicl*, meddai Dad-cu, ac ro'dd e'n mynnu ei bod hi'n yrfa onest. Wel, heb fod yn erbyn y gyfraith, beth bynnag.'

'Beth yw enw dy dad?'

'George Smith. Mae e wedi marw nawr.'

Ysgydwodd y gohebydd ei ben. 'Cyn f'amser i mae'n siŵr i ti. Dim ond blwyddyn a hanner odw i wedi bod yn y ddinas fowr... ond mae'n teimlo fel canrif. Wy o Ddyffryn Teifi'n wreiddiol. Gest ti dy fagu yng Nghaerdydd?'

'Do, gan Dad-cu. Glöwr oedd e. Daeth e lawr o Groesyceiliog gyda 'nhad.'

Gan adael adeiladau gwag a siopau canol y ddinas, aethant heibio waliau'r castell, oedd yn wyrdd o iorwg, a chroesi'r bont i gyfeiriad y tai teras llwm yr olwg a safai'n rhesi yr ochr draw i afon Taf. Ar gopa pob to llechi roedd pedwar corn simnai, ambell un yn smygu'n hamddenol. Ond allan yn y strydoedd doedd dim arwydd o fywyd, heblaw am ambell i blentyn llwglyd yr olwg neu gi'n chwarae yn y baw. Doedd rhai o'r plant a yrrwyd allan o'r tai bychain rhag bod o dan draed eu rhieni ddim yn edrych yn hŷn na thair blwydd oed.

'Wedodd y golygydd wrtha i nad oedd swydd i gal yn ystod y dydd ond eu bod nhw'n brin o bobol i weithio'r nos,' meddai John. Roedd rhaid iddo gymryd dau gam am bob un oherwydd coesau hirion Daniel.

'Ffotograffydd yn gweithio'r nos? Gobeithio bod yffarn o fflash 'da ti i fynd gyda'r camera 'na.'

'Dim ffotograffydd ydw i, newyddiadurwr. Hen gamera Dad yw hwn. Roedd yn well ganddo dynnu'i luniau ei hun yn lle gorfod disgwyl am y ffotograffydd.'

Safodd Daniel yn ei unfan a bu bron i John daro i mewn iddo.

'A!' meddai, a theimlo rhyddhad mawr. 'Pam na wedest ti hynny wrtha i 'te? Mae'n gas 'da fi wneud y gnoc gelain.' Gosododd law ar ysgwydd eiddil John a phlygu i lawr i siarad wyneb yn wyneb ag e. 'Ti'n gweld y tŷ draw fan 'na?' Pwyntiodd at ddrws mawr du ar un o'r tai ar ochor draw'r stryd. Beddfaen o ddrws. 'Fan 'na mae gweddw'r golygydd yn byw, yn rhif 21, Tudor Street. Dyna shwd wyt ti'n mynd i ennill dy grystyn yn y swydd 'ma.'

Gwelodd Daniel lygaid y crwt yn llenwi mewn braw. 'Chi moyn i fi gyfweld â gwraig y dyn sy wedi marw?'

Petrusodd Daniel am ennyd. Efallai na ddylai fod mor galed ar y bachgen. 'Ocê 'te, mi ro i ychydig o help llaw i ti, gan mai hwn yw dy dro cynta di.' Bachodd sigarét o boced ei got a'i rhwyllo rhwng ei wefusau. 'Dyna i gyd sy rhaid i ti gofio wrth wneud y gnoc gelain yw'r chwe "c" – cuddio, cnoc, caniatâd, cyfweld, cipio, camarwain… a… ym… a… copi.'

'Saith "c"?'

'Wedyn, ca dy ben. Dyna'r wythfed i ti. I ddechrau, cuddia dy lyfr nodiadau, mae e'n codi ofan ar bobol. A dy gamera. Diawl, ti ddim mewn rasys ceffyle.'

Trodd John ei gefn arno a gwthio'r camera o dan ei got, ac yna cuddio ei lyfr nodiadau o dan ei het wrth i Daniel fanylu ar weddill y rhestr.

'Wel, sdim angen athrylith i ddeall arwyddocâd cnoc, nago's e? Caniatâd, wedyn. Dwed pwy wyt ti, esbonia pam wyt ti yno a gofyn am ganiatâd i fynd i mewn i'r tŷ. Mae'n amhosib dal pen rheswm 'da rhai pobol, a weithie cei di air cas neu'r drws yn cau yn dy wyneb di. Ond cofia fod galar yn neud pethe rhyfedd i bobol, a dim dy fai di yw hynny.

Ond unwaith y byddi di dros y trothwy fydd dim i dy stopo di wedyn.'

Edrychodd John ar draws y stryd ac ar y tri gris bach oedd yn arwain at y drws. Safai rhes o blanhigion wedi gwywo mewn potiau bob ochor iddo.

'Damo, wnes i anghofio un peth,' meddai Daniel, gan gyfri ar ei fysedd. 'Cot! Paid gwisgo dy got, yn enwedig os yw hi'n bwrw. Os wyt ti'n edrych yn oer mi fyddan nhw'n fwy tebygol o dy wahodd di miwn.'

'Ond...'

'Ond, os wyt ti moyn cael y stori ore bosib mae'n rhaid i ti gofio ambell i beth arall. Cipio, nawr. Mae'n rhaid i ti gael gafael ar y llunie i gyd, neu bydd y *Mail* neu ryw bapur dwy a dime ddiawl arall wedi'u bachu nhw. *Sweep the mantlepiece*, fel maen nhw'n dweud yn Saesneg.'

'Iawn, ond...'

'Wedyn... camarwain. *Poison the well*. Rhybuddia hi i beidio â siarad â'r un o'r papure erill. Dyw hi ddim yn anodd darbwyllo pobol fod gan newyddiadurwr fwy o fotyme ar ei got nag o foese. A chofia, fyddi di ddim yn gwisgo cot.'

Croesodd y ddau y stryd at y drws.

'Wedyn yn ola, copi. Dere nôl i'r swyddfa, ffeindia deipiadur a sgrifenna'r blydi stori. Ac wedyn rho hi i fi. Unrhyw gwestiyne?'

'Beth yw eich enw chi?' gofynnodd John.

'Daniel Lewis. A gydag unrhyw lwc, golygydd newydd y shifft nos,' meddai. 'O's tân 'da ti?' Cymerodd fatsien o flwch y gohebydd ifanc a chynnau'r sigarét. 'Nawr, wy am wneud y rhan anodd yn dy le di, y rhan sy'n dod anodda i newyddiadurwr, gan taw hwn yw dy dro cynta di,' meddai, a chnocio'n blismonaidd ar y drws. 'Dyna fi wedi gwneud rhif un – cnoc. Ma'r gweddill lan i ti.'

Trodd ar ei sawdl a cherdded yn ôl yn frysiog i gyfeiriad canol y ddinas, gan dynnu'n fodlon braf ar ei sigarét. 'Wy'n *casáu* gwneud y gnoc gelain,' meddai wrtho'i hun.

Safai John o flaen y drws mawr du yn ansicr beth i'w wneud nesa. Chwarae teg i'r gohebydd am adael iddo wneud cyfweliad mor bwysig yn syth, meddyliodd. Roedd e'n benderfynol o ad-dalu'r ffydd a gwneud jobyn da ohoni, ond yn llai sicr beth yn union oedd yn ei ddisgwyl y tu hwnt i'r porth.

O fewn eiliadau gallai glywed cyfarth ci y tu mewn i'r tŷ teras, a sŵn crafiadau yn erbyn y drws. Gwelodd y bwlyn yn troi.

Cuddio, cnoc, cot… rwy wedi cnocio heb dynnu 'nghot! Roedd wedi dechrau ei thynnu pan agorodd cil y drws. Rhedodd ci bychan allan drwy goesau John nes bron â'i faglu. Edrychodd i fyny, ond nid yr hen wreigen a ddisgwyliai oedd yno, ond corff mawr du heddwas yn ymrithio drosto fel ystlum. Roedd bathodyn arian ar ei het uchel ac o dan honno fwstash coch trwchus a dau lygad tywyll yn rhythu ar John.

'Yes?' cyfarthodd hwnnw.

'I've… I've come to interview the wife of the man who died.'

Edrychodd yr heddwas arno'n ddrwgdybus. 'We're conducting inquiries at the moment.' Oedodd. 'Ti'n siarad Cwmrâg?'

'Odw glei.'

'O bwy bapur wyt ti'n dod?'

'Y *Cronicl*,' atebodd John.

'O, wy ar fy ffordd draw atoch chi,' meddai'r heddwas. 'Ffoniodd rhywun i ddweud beth o'dd wedi digwydd, ond o'n i'n meddwl y byddwn i'n taro heibio fan hyn gynta gan ei fod e mor agos i'r tŷ 'co. Y golygydd wedi'i ddal yn y wasg, ife? Beth ddigwyddodd? Ei lewys e aeth yn sownd yn y peirianne neu beth?'

'Sneb yn siŵr 'to,' meddai John yn swil.

Gwgodd yr heddwas. 'Gofynna i iddi nawr fydd hi'n fodlon i ti siarad â hi, gan mai ar eich papur chi roedd e'n olygydd. Bydde fe'n moyn cael gwybod am ei farwolaeth ei hun, siŵr o fod.'

Trodd yr heddwas tal ar ei sawdl a chael ei lyncu gan dywyllwch y stafell fyw, gan adael John yn crynu yn yr oerfel ar stepen y drws. Wedi dwy funud daeth yn ei ôl ac amneidio ar John i'w ddilyn.

'Gobeithio y cei di well lwc na fi yn ei holi 'ddi,' meddai. 'Sai'n meddwl bod hi llawn llathen erbyn hyn, rhyngot ti a fi a'r wal, a wy'n ofni na fydd hi'n cofio dim o'r hyn wedes i wrthi am beth ddigwyddodd i'w gŵr. Fe o'dd yn edrych ar ei hôl hi shwd. Paid â sôn gormod wrthi hi am shwt y cafodd ei ladd. Tan bod y ffeithiau i gyd gyda ni, yntyfe?'

Dilynodd John ef drwodd i'r ystafell flaen. Syllai hen wreigen fregus yr olwg arno o gadair yn y gornel, a chi bach blewog arall yn ei chôl. Rhedai cath sinsir mewn cylchoedd o gwmpas ei figyrnau.

''Machan i?' gofynnodd yn bryderus gan rythu'n ddall arno.

'Mae'n ddrwg 'da fi ddweud bod eich gŵr chi wedi... croesi drosodd i'r ochor arall.'

'Beth? Wedi mynd yn Rhyddfrydwr?'

'Na, wedi... marw.' Caniatâd, cofiodd John yn frysiog. 'Wy 'ma ar ran y papur newydd. Ga i ofyn ambell i gwestiwn, plîs?'

'O'r papur newydd, ife?' gofynnodd yr hen wreigen yn ffwndrus. 'Fe fydda i'n mwynhau'r *Mail*! Lot gwell na'r rhecsyn arall 'na. Dere i eistedd fan hyn 'y mach i.'

Edrychodd John ar yr heddwas ac ysgydwodd hwnnw ei ben a'i wefusau'n ffurfio'r geiriau 'Dim llawn llathen'. Ac yna'n uwch, 'Gyda llaw, os wyt ti'n clywed rhywbeth am y farwolaeth y dylen ni gael gwybod amdano, galwa heibio'r orsaf a gofyn am y Ditectif Arolygydd Owen Owens.'

Aeth am y drws, gan adael John yng nghwmni'r hen wreigen, a'r sawl 'c' oedd yn weddill yn troelli yn ei feddwl.

IV

ROEDD GALLU'R DDYNOLIAETH i addasu i'w hamgylchiadau yn syndod bythol i Enoch. Roedd y genhedlaeth ddaeth i'r Ariannin wedi brwydro drwy eu hoes i ymdopi â'r bywyd caled yno ac ymgartrefu mewn byd cwbwl estron i'r un ro'n nhw wedi'i adael. A nawr dyma yntau, yr ail genhedlaeth, yn dychwelyd i'r wlad yr ymfudon nhw ohoni ac ar goll yn llwyr. Oedd hynny'n golygu eu bod nhw'n bethau gwydn allai ymdopi ag unrhyw sefyllfa, neu a gawson nhw eu hystumio fel clai hydrin gan y tir o'u hamgylch?

Cerddodd ar hyd Stryd Biwt â'i ben i lawr, yn camu i'r naill ochor o dro i dro er mwyn osgoi ambell forwr mwy peryglus neu feddw'r olwg. Roedd hi'n nosi, a llifai'r bobol ac ambell gar heibio fel inc du dan oleuadau'r adeiladau. Uwch eu pennau rhedai rhwydwaith o geblau yn groesymgroes o do i do gan bweru'r tramiau gorlawn a ymlwybrai i fyny ac i lawr yr hewl. Rhwng y rheiny gwibiai'r beicwyr yn eu dillad gwaith a'u capiau fflat, â'u sanau uchel wedi'u clymu dros eu trowseri â darnau o gortyn.

Yn cerdded yn brysur ar draws y ffordd roedd nifer o ddynion busnes, yn amlwg yn y dyrfa, mewn hetiau ffelt Homburg a throwseri cul a chadwyni arian yn hongian o boced eu siacedi. Ond roedd mwyafrif y dyrfa yn llongwyr o bob lliw a llun yn sefyll yn segur ar gorneli'r strydoedd gan smygu a gamblo, tra diflannai ambell un drwy ddrysau wedi'u goleuo gan lusern goch unig. Allan o bron bob drws arall llifai aroglau a cherddoriaeth egsotig dros y dyrfa, gan sgubo i fyny'r stryd yn awelon hallt y môr.

I un oedd wedi arfer â diffeithwch agored yr Ariannin, codai'r wasgfa o gyrff bob ochor iddo fraw ar Enoch. Yn blentyn, roedd ei fam wedi dysgu iddo rywfaint o gredoau pobol frodorol Patagonia. Cred pobol y paith oedd bod eu duw, yr Awyr, yn hwylio dros eu pennau yn y dydd cyn plymio dros y gorwel gorllewinol i fyd y meirw gyda'r nos. Byddai'r Awyr yn brwydro drwy dyrfaoedd y meirwon cyn dianc o'u gafael er mwyn codi eto yn y bore. Teimlai Enoch fel pe bai'n gwneud taith debyg i'r duw hwnnw nawr − yn brwydro ei ffordd trwy isfyd blêr o dwrw a thrais.

Aeth drwy'r miri, heb syniad i ba gyfeiriad yr âi, ei glustiau wedi'u parlysu gan y clebran diddiwedd a brefiadau cyrn y ceir. Roedd moduron yn parhau'n bethau anghyffredin yn Nyffryn Camwy, gan fod pawb bron yn teithio ar gefn ceffyl. Hyd yn oed pan fyddai un o swyddogion llywodraeth yr Ariannin yn codi llwch drwy'r dre roedd cerbydau i ganu corn arnynt yn brinnach byth. Ond fan hyn roedd y wasgfa o geir, tramiau, pobol ac ambell geffyl a chert yn creu corws o glebran a gweiddi, fel pe bai fflamau uffern wrth gwt pob un.

Wedi cerdded cryn bellter ar hyd y stryd daeth o'r diwedd at y lle y bu'n chwilio amdano − yr Anglesey Arms. Roedd tu blaen yr adeilad wedi'i addurno â phob math o faneri ac arfbeisiau morwrol. Yn pwyso yn erbyn y ffenestri blaen roedd lluniau wedi'u fframio yn hysbysebu Lager Beer, Black Beer a Strong Beer am ddimai y peint. Ond ni allai weld yn bellach na hynny oherwydd y cwmwl o fwg sigaréts a lenwai'r dafarn. Sychodd dwll yn y budreddi ar y ffenestr â'i lawes a gwasgodd ei drwyn yn erbyn y gwydr. Ymhlith y trueiniaid a eisteddai wrth y bar â'u cefnau tuag ato gallai weld pen moel y gŵr cloff yn sgleinio'n welw yn y caddug.

Doedd dechrau ymladd mewn tafarn ddim yn syniad da. Pwy a ŵyr faint o ffrindiau oedd gan y dihiryn yno o'i amgylch. Amynedd piau hi a disgwyl nes bod ei darged wedi baglu oddi yno, yn hanner meddw gobeithio.

O flaen y dafarn safai dau blentyn mewn capiau stabl yn pwyso'n erbyn y rheilen ar y palmant. Ymunodd Enoch â nhw am funud i wylio'r twr o bobol yn brysio heibio. Doedden nhw ddim i'w gweld yn sylwi arno, nac yn malio.

'Fyddwch chi'n chwarae fan hyn yn aml?' gofynnodd iddyn nhw o'r diwedd.

Edrychodd y plant arno ac yna ar ei gilydd yn swil. 'Y'n ni'n dod 'ma cyn mynd gatre fel arfer,' meddai un ohonyn nhw. 'Dyw Mam ddim eisiau ni nôl cyn i ewyrth Jameel fynd i'w wely. Ond y'n ni fel arfer yn chwarae ar bwys y gamlas.'

'Gwelon ni gi marw bore 'ma,' meddai'r ieuenga o'r ddau yn frwdfrydig. 'O'dd e'n symud ar wyneb y dŵr.'

'Welsoch chi ddyn moel yn mynd i mewn i'r dafarn yma gynnau?'

'Y dyn moel, moel?' gofynnodd y bachgen. Ac roedd yn iawn, roedd y dyn yn fwy na moel. Edrychai fel pe bai rhywun wedi plicio pob blewyn o'i ben. 'Mae e'n ein dychryn ni. Collodd ei goes yn y rhyfel medden nhw. Mae ganddo goes bren, a weithie mae e'n ei thynnu hi bant ac yn ein taro ni â hi.'

Gwenodd Enoch Jones arnyn nhw. 'A pam fyddai o'n gneud hynny?'

'Weithie y'n ni'n pipo drwy'r drws arno fe. Ac yn 'i alw fe'n ben moelyn mawr. Ond mae'n ffaelu rhedeg yn gloi heb 'i goes.' Chwarddodd y plant gyda'i gilydd.

'Welsoch chi os oedd o'n cario unrhyw beth heddiw?'

'Na, welon ni mohono fe'n mynd i mewn. Ond fydd e ddim yn aros yn hir iawn yno fel arfer. Siarad â'r barman mae e.'

'Hanner bach o *black*,' dynwaredodd yr ieuenga.

Wrth iddyn nhw siarad canodd y gloch uwchben drws y dafarn a chamodd y dyn moel allan. Roedd ganddo'r siwtces glas yn ei law chwith. Sylwodd e ddim ar Enoch yn ei wylio a cherddodd yn ei flaen ar hyd y palmant.

'Pen moelyn mawr!'

'Hoi!' meddai gan droi, ac anelu cic tuag at y plant oedd wedi gollwng eu gafael ar y rheilen yn barod i ddianc. Chwarddon nhw'n ddireidus a rhedeg bant.

Poerodd y dyn moel ar eu hôl cyn parhau ar ei ffordd. Wedi cyrraedd pen draw'r stryd fawr trodd i'r dde i mewn i ale fach droellog a redai y tu cefn i ddwy res o adeiladau brics uchel. Dilynodd Enoch ef yn ysgafndroed. Roedd y stryd goblau a'r waliau wedi'u gorchuddio â llysnafedd mwsoglyd, a phob un o'r ffenestri'n ddall o dan gaeadau pren.

O'r diwedd daeth y dyn moel at iard agored a chnocio'n ysgafn ar un o'r drysau. Wedi ychydig eiliadau agorodd cil y drws. Gwelodd Enoch wyneb creithiog dan het ddu cantel llydan yn pwyso drwyddo.

'Y cyfrinair?'

'Fi ydi o, y penci.'

'So ti'n edrych fel cyfrinair i fi,' meddai'r cysgod wrth y drws. 'Rheol yw rheol.'

'Fydd yr Arglwydd wir ddim yn malio tatan am hynny pan fyddi di'n dod yn ôl yn waglaw â 'nghoes bren i fyny dy din di.'

Ochneidiodd y cysgod. 'Odi'r hyn ma'r Arglwydd isie 'da ti ta beth?'

'Yn y siwtces,' meddai'r dyn moel. Gwelodd Enoch ef yn ei osod e ar lawr ac yn agor y clasbiau.

'Hei, paid agor e mas fan hyn.'

'Pam lai? Does neb yn mynd i wybod beth ydi o.'

Agorodd y cês a thynnu rhywbeth bychan allan ohono. Cymerodd y dyn arall ef a'i archwilio yn y golau gwan.

'Hen beth salw on'd yw e?' meddai'n wenwynllyd. 'Edrych

fel y sothach sy'n llenwi siopau'r Tsieineaid. I beth mae'r bòs isie fe?'

'Ti wedi bod yn 'i blasty fo erioed? Yn llawn o rwtsh fel hyn o'r top i'r gwaelod. Tydi o ddim yn ei iawn bwyll – meddwl 'i fod o'n mynd i fyw am byth neu rywbeth.' Gosododd y peth yn ôl yn y siwtces, cau'r clasbiau ac estyn y cês i'r dyn yn y drws. 'Gyda llaw, sut mae'r busnes golchi dillad yn mynd?'

'Cer i ganu.'

Chwarddodd y dyn moel, rhyw sŵn gyddfol fel ci'n cyfogi ei fwyd, a cherdded yn ôl i gyfeiriad Enoch. Trodd hwnnw i wynebu'r wal ac agor ei falog a gwylio'i biso'n cymysgu â'r sbwriel oedd ar wasgar hyd y coblau o dan draed. Mwmiodd y dyn moel rywbeth am 'blydi pobol dduon yn piso yn y stryd' wrth fynd heibio.

Edrychodd Enoch Jones ar yr oriawr yn ei boced. Roedd yn dal i ddangos yr amser adre – dim ond hanner awr wedi tri y prynhawn oedd hi ym Mhorth Madryn. Roedd yn dyfalu ei bod hi'n hanner awr wedi saith fan hyn, ond byddai'n rhaid iddo ddod o hyd i gloc i wneud yn siŵr. Wedi i'r dyn moel fynd ychydig gamau heibio iddo caeodd ei falog drachefn a cherdded ar ei ôl. Roedd yn ffyddiog nad oedd y llall wedi clywed ei gamau ysgafn a gosododd law fawr ar ei ysgwydd.

'Wedi blino ar fod yn borthor?' gofynnodd iddo.

Cawsai Enoch Jones ei daro lawer gwaith yn ystod ei oes. A phe bai wedi cael eiliad i ystyried y dwrn a laniodd ar ei ên byddai wedi gwerthfawrogi cywirdeb yr ergyd. Efallai y byddai wedi dyfalu bod y dyn moel yn baffiwr proffesiynol. Ond roedd yn swp ar ei gefn cyn cael amser i feddwl am yr un o'r pethau hynny, ac yna aeth hi'n nos arno.

V

'DOEDD HI DDIM yn cofio ei fod e wedi marw?'
'Mae'n rhaid ei bod hi erbyn hyn − torres i'r newyddion iddi dair gwaith,' meddai John.

'Wel, cofia ddweud hynny wrth Cynog.' Ymestynnodd Daniel ei goesau hir lan ar ei ddesg anniben, mwgyn yn un llaw a mwgaid o de du, trwchus yn y llall. 'Dyle fe gyfri fel tair cnoc gelain, 'yn dyle fe, tro nesa daw dy dro di.'

O amgylch John roedd ystafell newyddion y *Cronicl* yn grwnian â sŵn clecian teipiaduron wrth i'r papur newydd nesa ymffurfio ym mherfedd yr adeilad. Roedd darnau papur yn gorchuddio pob desg a'r llawr fel dail yr hydref ar ôl storm, a'r gwyntyllau a droellai ar y nenfwd yn aflonyddu arnynt o dro i dro.

'Ta beth, sai'n credu 'mod i wedi elwa lot o fynd i'w gweld,' meddai John yn flinedig. Eisteddai wrth yr unig ddesg weddol daclus y cawsai hyd iddi yn y swyddfa, gan wasgu bysellau ei deipiadur, un bys gofalus ar y tro, a rhimyn o dafod i'w weld rhwng ei wefusau.

'Wel, os oedd hi hanner mor llegach â'i gŵr sai'n disgwyl y byddet ti. Roedd e fel gelain hanner yr amser,' meddai Daniel, cyn edrych yn anesmwyth i gyfeiriad swyddfa'r diweddar olygydd, lle'r oedd ei gorff wedi'i osod ar ei ddesg â lliain drosto. 'Dim lot o newid fan 'ny.'

'Dy'ch chi ddim yn gwybod beth ddigwyddodd iddo fe 'to?'

Cymerodd Daniel ddracht o'i de. Roedd ambell i lwmp amheus yr olwg yn arnofio ynddo. 'Wedi ysgrifennu rhywbeth am y person anghywir, mae'n rhaid.' Teimlodd John ias oer drosto. 'Na, paid poeni. Jocan. Damwain oedd hi siŵr o fod. Wedi colli ei sbectol yn y wasg, dringo i mewn i'w nôl hi, a... sblat.'

Ymrithiodd newyddiadurwr arall o'r tu ôl i bentwr o bapurau gerllaw. Simsanodd yn ei unfan am ychydig eiliadau cyn estyn am ei got. 'Ti'n dod am beint bach i'r Blue Bell, Daniel?' gofynnodd.

'Fe ddo i mewn munud,' atebodd Daniel.

Ymlwybrodd y newyddiadurwr heibio ac estyn llaw dew i John ei hysgwyd. Roedd gan yr hen ddyn blonegog fresys rhy fyr yn dynn am ei ysgwyddau.

'Helô, 'machan i,' meddai. 'Beth yw dy enw di, grwt?'

'John Smith,' atebodd y llanc. Gallai wynto'r whisgi'n gryf ar anadl y dyn.

'Dere i gael un nogin bach cyn mynd adre, John. Cadw cwmpeini i hen ddyn.'

'Na, dim diolch,' meddai John, gan geisio rhyddhau ei law eiddil o'r bawen enfawr.

'O! Chi bobol ifenc. Yn yr armi byddech chi wedi cael eich gwneud am *insubordination*! Peidio ymuno â'r *commanding officer* am ddrinc. Eich saethu gyda'r wawr, ie wir.' Gwisgodd ei got a'i het gan chwerthin ar ei ffraethineb ei hun a hercian tuag at y drws am allan.

Ysgydwodd Daniel ei ben ar ei ôl. 'Meddwyn,' sibrydodd o gornel ei geg.

Neidiodd John yn ei sedd wrth i ddrws y swyddfa glecian ar agor ac i Cynog Price gamu i mewn, â golwg loerig ar ei wyneb.

'Sdim gobaith caneri! Dy'n ni'n ceisio rhedeg papur fan hyn, syr, sy'n beth digon anodd heb i'r heddlu ymyrryd ym mhopeth,' meddai.

Dilynwyd ef i'r ystafell gan yr heddwas mwstashog a welsai John yn nhŷ'r hen wraig, a'i glogyn du yn nofio ar ei ôl.

'Ond dim ond am ddiwrnod y byddai'n rhaid cau'r wasg i lawr. Mae'n rhaid inni ymchwilio i'r llofruddiaeth,' meddai Owen Owens.

'Pwy sy'n dweud mai llofruddiaeth oedd hi? Digon posib bod y bastad alcoholig wedi taflu'i hunan i mewn i'r wasg.'

'Eich papur chi!' meddai'r heddwas gan godi rhifyn bore trannoeth o'r bwrdd. '"Golygydd y *Cronicl* wedi'i Lofruddio",' darllenodd. '"Tynoro Davies wedi'i Ddarganfod wedi'i Falu'n Fân mewn Gwasg Argraffu". Eich geiriau chi yw'r rhain, Mr Price?'

Cipiodd Cynog y papur newydd o'i law. 'Ma 'da ni hawl i ddyfalu, nes bydd yr heddlu'n dweud yn wahanol. Allwn ni ddim peidio ag argraffu'r papur am ddiwrnod! Bydd ein cwsmeriaid i gyd wedi'n gadael a phrynu'r *Mail*!'

'Pe bai unrhyw synnwyr gyda nhw fe fydden nhw wedi gwneud hynny'n barod,' meddai'r heddwas yn swta. 'Mae'r wraig yn meddwl 'i fod e'n llawer gwell papur! Nawr, o's 'da chi ffôn i fi gal galw'r stesion?'

'Yn swyddfa'r golygydd.'

Camodd yr heddwas heibio a safodd Cynog yn ei unfan am ennyd yn grwgnach a rhegi ar ei ôl, cyn croesi'r swyddfa i gyfeiriad John. Suddodd hwnnw i mewn i'w gadair.

'Y'n ni i gyd yn cael diwrnod bant o'r gwaith, felly?' gofynnodd Daniel yn hanner gobeithiol.

'I'r diawl â hynny! Fe wnaeth yr hen grinc ddigon o niwed i'r papur 'ma pan oedd e'n fyw – dyw e ddim am ei lusgo e i'r bedd gyda fe,' meddai Cynog.

Dyfalodd John fod y golygydd nos yn ei dridegau. Roedd ganddo wallt golau yn ymylu ar fod yn wyn, a llygaid glas treiddgar. Doedd e ddim mor dal â Daniel, a edrychai tua chwe throedfedd o leia, ond roedd yn fwy cadarn o gorff. Gwisgai wasgod a thei bô ac roedd ei lewys wedi'u rholio i fyny, fel pe bai golygu'r shifft nos yn gamp gorfforol lafurus.

Edrychodd yn ddryslyd ar John drwy ei sbectol gron. 'Daniel, wy'n credu i ti gymryd theorem Émile Borel am fwncïod a theipiaduron ormod o ddifri,' meddai Cynog.

'Wel, newyddiadurwr ma fe'n moyn bod, dim ffotograffydd. Fe gafodd swydd gan y golygydd... hynny yw, yr hybarch ddiweddar olygydd, ar y shifft nos. Mae'n fab i George Smith, medde fe.'

'Wel, wel,' meddai Cynog gan gilwenu. 'Yr hen Silver Tongue Smith, ife? Fe oedd y golygydd wnaeth roi fy swydd gynta i fi. Trueni beth ddigwyddodd iddo, wrth gwrs. O'n i ddim yn gwbod bod 'da fe fab.' Llusgodd y darn papur o deipiadur John a'i ddarllen yn frysiog. Astudiodd y newyddiadurwr ifanc ei wyneb difynegiant am unrhyw arwydd o gerydd neu ganmoliaeth.

'Wel, roeddwn i'n hoffi'r llinell ola,' meddai Cynog. 'Am mai dyna lle daeth yr artaith i ben. Wyt ti erioed 'di darllen papur newydd, grwt? Brawddege byr, bachog, y manylion pwysica ar y dechre. Mae hwn yn darllen fel stori i blant... "Ganwyd Gerwyn Vaughan Davies mewn fferm ger y Bontnewydd ar Wy",' darllenodd yn uchel.

'Ro'n i'n meddwl mai Tynoro oedd 'i enw?' gofynnodd Daniel, gan gnoi ar ei bensil.

'Ie, 'i dad e o'dd Gerwyn. Mae hwn 'di mynd i bisio lan ei goeden deuluol e. "Roedd ei fam yn fenyw lem iawn..." Be ddiawl yw'r nonsens 'ma?'

Tynnodd y pensil o geg Daniel a dechrau sgriblan dros gopi John.

'Fydd y pethau wnaeth hi i'w mab ddim hanner cynddrwg â beth wna i i ti os na fydd 'na fwy o siâp ar hwn. Bydda i'n dy hongian di o gloc Neuadd y Ddinas gerfydd dy geillie os bydd hwn yn llygru 'mhapur i! Pa stori arall wyt ti'n gweithio arni nawr?'

Edrychodd John yn syn. 'Dim byd,' meddai.

'Sdim byd yn digwydd yn Sir Forgannwg gyfan, oes e?' Agorodd Cynog gopi o bapur newydd oedd ar y ddesg a bodio'n gyflym drwy'r tudalennau. 'Os wyt ti'n brin o storïau lleol mae yna bob tro, bob tro, rywbeth yn yr adran cyhoeddiadau personol.' Cyrhaeddodd y dudalen honno a rhedeg ei fys i lawr y golofn gynta. 'O! 'Drych ar hwn.' Trodd y dudalen i John gael golwg arni: '"Er cof am ddiweddar blentyn Tomos ac Emma Rees, a fu farw yn ddwyflwydd oed." Babi marw!' meddai yn fuddugoliaethus. 'Ar ôl darllen rhywbeth fel 'na dylet ti fod yn gwneud dawns fach hapus o gwmpas y swyddfa. Dyna dy stori di.'

Syllodd John yn syn arno.

'Meddylia di am y pyramidiau yn nhrefedigaethau Prydain yn Affrica,' meddai Cynog. 'Wyt ti wedi gweld llun ohonyn nhw? Ma'n nhw'n llydan ar y gwaelod ac yn codi'n bigyn main, on'd y'n nhw? Yn yr un ffordd, mewn newyddiaduraeth, mae yna byramid o farwolaethau. Ar y gwaelod mae hen bobol sydd wedi marw o'r diciâu ac estroniaid anhysbys a gafwyd yn arnofio wyneb i lawr yn nyfroedd camlas Tre Biwt. Dyna fwyafrif y marwolaethau, pobol sneb yn becso taten amdanyn nhw. Ar frig y pyramid mae'r trasiedïau – cyplau ifainc, heddweision wedi'u lladd wrth erlid troseddwyr, merched beichiog, pobol y gall y darllenydd uniaethu â nhw! Ac ar dop y pentwr mae'r baban marw. Dyna'r stori sy'n mynd i gael dy enw di yn y papur!'

Gallai John weld bod rhai o newyddiadurwyr eraill y swyddfa yn clustfeinio ac yn cilwenu arno. Roedd hi'n amlwg fod sawl un ohonyn nhw wedi cael yr un araith o'r blaen.

'A chofia, unwaith rwyt ti'n gwneud stori am fabi marw, rho nodyn yn dy ddyddiadur i fynd nôl mewn blwyddyn. Mae yna siawns dda y bydd y rhieni wedi cael babi arall – babi gwyrthiol! Ail stori i ti!'

Canodd ffôn yn rhywle gan dorri ar draws llif geiriol Cynog. Stwffiodd y pensil yn ôl i geg Daniel a brysio i'w ateb.

Edrychodd John yn betrus ar Daniel.

'Paid â phoeni. Rwyt ti wedi gwirfoddoli am y shifft nos yn barod,' meddai Daniel. 'Sdim lot gwaeth alle fe'i wneud i ti.'

''Blaw am roi'r sac i fi?'

'Alli di ond gobeithio,' meddai Daniel.

Edrychodd John ar y papur yn ei law. Dim ond rhyw ddau baragraff oedd heb eu gorchuddio â llawysgrifen anniben y golygydd nos.

'Wnei di ddysgu lot fawr gan Cynog,' meddai Daniel. 'Y newyddiadurwr mwya profiadol ar y papur, heb os, nawr bod yr hen rech 'na wedi cico'r bwced. Wedi bod yn olygydd ar y shifft nos ers blynyddoedd. A paid poeni, mae e'r un mor ddeifiol 'i dafod pan wyt ti'n gwneud rhywbeth yn iawn.'

Gosododd John ddalen newydd yn ei deipiadur a dechrau ailysgrifennu'r stori, gan ddilyn y nodiadau ar y darn papur. 'Wyt ti'n mwynhau bod yn newyddiadurwr?' gofynnodd wedyn i Daniel.

'Mae'n swydd. Ac mae'n talu'n dda, unwaith mae 'da ti bach o brofiad. Pam, beth wyt ti'n anelu bod?'

Gwenodd John arno'n freuddwydiol. 'Mae'n gyffrous, on'd yw e? Cael cwrdd â phobol newydd a gweld llefydd newydd. Roedd fy nhad yn arfer adrodd straeon wrtha i am yr holl bobol roedd e wedi cwrdd â nhw a'r llefydd roedd e wedi mynd. Sai erioed wedi bod y tu fas i Gaerdydd. Erioed wedi bod ar drên hyd yn oed.'

Gwelodd dalcen Daniel yn crychu. 'Sdim byd tu fas i Gaerdydd ond cefn gwlad. Heblaw dy fod ti'n mynd dros y ffin i Loegr, a dyw cyllid y *Cronicl* ddim yn ymestyn mor bell â hynny. Dy'n nhw ddim hyd yn oed wedi gadael i fi fynd i Lundain i wylio'r pêl-droed!'

'Byddwn i'n hoffi mynd dramor i weithio rhywbryd. Cael hedfan ar awyren. Oes 'da ti gar?'

'Nag oes, dim ond rownd y gornel wy'n byw.'

Roedd y newyddiadurwyr a weithiai yn ystod y dydd yn dechrau casglu eu cotiau a'i throi hi am adre.

'Fe wna i brynu beic modur pan fydd 'da fi ddigon o arian,' meddai John wedyn. 'Cael gadael y ddinas ar 'y mhen 'yn hunan rhyw ddydd, a mynd i le bynnag wy eisie.'

Torrwyd ar draws y drafodaeth gan Cynog, a gerddodd i ganol y swyddfa â gwên lydan ar ei wyneb.

'Foneddigion!' meddai. Cododd ddau blât haearn o'r wasg oedd yn gorwedd yn segur ar y bwrdd gyferbyn a'u taro yn erbyn ei gilydd fel symbalau. Tawodd clecian cyson y teipiaduron a throdd pob pen i'w gyfeiriad.

'Fy annwyl newyddiadurwyr… os ydych chi'n haeddu'r enw,' meddai Cynog. 'Rwy newydd gael galwad ffôn gan yr hybarch berchennog ac mae bwrdd y llywodraethwyr wedi cytuno y dylwn i fod yn cymryd yr awenau dros dro, o leia hyd nes iddyn nhw ganfod cyfaill arall o'r clwb ceidwadol i gymryd lle ein diweddar olygydd.'

Clywodd John rai o'r newyddiadurwyr hŷn yn grwgnach. Disgwyliodd Cynog i'r murmur ddistewi.

'Ydyn nhw ddim yn hoffi Cynog?' sibrydodd John wrth Daniel.

'Ma rhai ohonyn nhw'n edrych i lawr eu trwynau arnon ni ar y shifft nos,' atebodd. 'Ma'n nhw'n meddwl y dyle rhywun o shifft y dydd olynu Tynoro.'

Fe aeth Cynog yn ei flaen heb gymryd sylw. 'Mae 'da fi weledigaeth unigryw ar gyfer papur newydd fydd yn cynrychioli llais y bobol, nid llais eu harglwyddi. Sai eisie straeon sych am undebau na marwolaethau ymysg y bonedd, dim ond profiadau go iawn y dyn ar y stryd.'

'Ond pobol yw'r undebau llafur,' meddai llais o blith y newyddiadurwyr.

'Ie, ond os yw'r papur yn adrodd bod mil o weithwyr y dociau wedi cael eu rhoi ar y clwt dyw hynny ddim mwy na rhif i'r darllenydd. Rhaid cloddio o dan yr wyneb ac adrodd stori go iawn y bobol hynny, a'r diodde sydd wedi dod yn sgil y colli gwaith, y frwydr feunyddiol am ddigon o arian i fwydo eu teuluoedd, yr euogrwydd wrth iddyn nhw eistedd yn segur a gwylio'u gwragedd yn gwneud mwy i ddarparu ar gyfer eu teuluoedd na nhw eu hunain. Dylai'r papur fod yn ddrych i'r hyn sy'n digwydd mewn gwirionedd yng Nghaerdydd a'r cyffiniau heddiw.'

'Wneith y perchennog ddim caniatáu hynny,' meddai un o'r newyddiadurwyr hŷn gan ysgwyd ei ben. 'Po fwya o lais sy gan y gweithwyr po fwya maen nhw'n gofyn amdano. Dyna pam mae'r *Mail* wedi condemnio'r streiciau.'

'Wel, fe gawn ni weld,' meddai Cynog. 'Dyn busnes yw'r perchennog. Mae e eisie gwerthu papurau, nid defnyddio'r tudalennau fel ceg offeryn. Ac os cewn ni'r bobol ar ein hochor ac os bydd digon ohonyn nhw'n prynu'r papur, efallai na fydd angen perchnogion arnon ni. Cofiwch hynny wrth weithio eich shifftiau heno ac yfory. Rwy eisie esgyrn y ddinas yma wedi'u pigo'n lân o straeon.'

Edrychodd rhai o'r newyddiadurwyr yn bur amheus ar ei gilydd.

'Mae'n swnio fel ryw fath o Bolsiefic i fi,' meddai un wrth gamu heibio i ddesg John, cyn nôl ei got a gadael gyda'r rhai oedd wedi gorffen eu shifftiau ac yn anelu i ymuno â'r newyddiadurwyr eraill oedd eisoes yn llymeitian yn y Blue Bell.

'Bydd angen golygydd newydd ar y shifft nos, wy'n cymryd?' gofynnodd Daniel wrth Cynog wedi i'r olaf ohonyn nhw droi am y drws.

'Dim gobeth caneri, Daniel Lewis,' meddai Cynog. 'Fyddwn i ddim yn ymddiried ynot ti i ddylifro'r papur heb sôn am ei olygu. Bydd yn rhaid i fi olygu'r ddwy shifft, am y tro.' Gwelodd yr olwg amheus ar wyneb y gohebydd. 'Wel, fe lwyddodd Tynoro i olygu'r papur yn ei gwsg, felly fe alla i drio heb ddim cwsg.'

Cyn i John a Daniel adael ar eu shifftiau'r noson honno galwodd Cynog nhw i mewn i swyddfa'r diweddar olygydd. Roedd y ditectif Owen Owens yn dal yno yn archwilio'r corff ac yn gwneud nodiadau manwl ynglŷn â'i anafiadau.

'Bydd angen help arna i i gario'r corff lawr at y drws ffrynt mewn munud,' meddai Owen. 'Wy wedi ffono'r stesion a bydd yna fan yma ymhen rhyw hanner awr i'w gasglu. Yn anffodus, dyw amser ddim yn golygu lot i weithwyr y marwdy.'

Roedd wedi tynnu'r lliain oedd yn gorchuddio'r corff i lawr at ei ganol a gwelodd John fod y wasg argraffu wedi gadael patrymau o inc ar hyd croen gwelw'r diweddar olygydd. Roedd ei frest wedi'i gwasgu dan rym y peiriant a'i wyneb yn un clais mawr dulas, chwyddedig.

'Bydd y corff yn cael ei gadw yn y marwdy tra bod yr ymchwiliad yn parhau,' meddai'r ditectif. 'Ac rwy newydd ffono i ofyn i'r ymchwilwyr gael golwg ar y peiriant argraffu nos fory.'

'Bendigedig,' meddai Cynog. 'Mwy o aflonyddwch.'

'Ein blaenoriaeth ni fydd penderfynu beth achosodd farwolaeth Tynoro Davies ac, os yw'r amgylchiade'n amheus, bydd yr ymchwiliad yn symud yn ei flaen, aflonyddwch ai peidio,' meddai Owen Owens. 'Yn amlwg bydd yn rhaid holi sawl aelod o'r staff fan hyn.'

'Wel, os mai wedi'i ladd mae e, bydd y llofrudd wrth ei fodd, mae'n siŵr,' meddai Cynog. 'Dyna fe wedi llwyddo i gau ein cege ni.'

Tynnodd Owen Owens y lliain yn ôl dros wyneb Tynoro Davies ac eistedd i lawr ar gadair gyferbyn â'r ddesg. Edrychodd ar y tri arall.

'Oeddech chi'n ymwybodol fod gan Tynoro unrhyw elynion?' gofynnodd.

Edrychodd John ar y ddau arall ond codi gwar wnaethon nhw ac ysgwyd eu pennau.

'Mae golygydd papur newydd yn gwneud gelynion bob dydd,' meddai Cynog. 'Alla i feddwl am gannoedd o bobol fyddai'n dal dig tuag ato am hyn a'r llall, ond does neb yn fwy amlwg na'i gilydd.'

'Pwy ddaeth o hyd i'r corff?'

'Y peiriannydd sy'n rhedeg y wasg, a'r fforman. Roedden nhw newydd droi'r peiriannau ymlaen er mwyn dechrau argraffu papur newydd bore fory pan glywon nhw sŵn.'

'Bydd angen i fi gyfweld y ddau ohonyn nhw. Pryd gafodd y peiriannau eu troi i ffwrdd neithiwr?'

Edrychodd Cynog ar Daniel. 'Oeddet ti dal yma bryd hynny?'

'O'n,' meddai Daniel. 'Cafon nhw eu troi bant tua naw o'r gloch. Ond do'n i ddim ar gyfyl y stafell argraffu, ro'n i lan fan hyn,' ychwanegodd yn sydyn, fel pe bai'n ofni cael ei gyhuddo o rywbeth. 'Clywed y sŵn crynu wnes i.'

'A dyw hi ddim yn bosib bod y corff wedi bod yn y peiriant argraffu cyn hynny?'

'Nag yw, byddai'r peiriannydd wedi sylwi ar rywbeth fel 'na,' atebodd Cynog.

'Ond welodd neb e heddi?'

'Naddo,' meddai Cynog. 'Daeth rhywun i gnocio ar ddrws fy nghartre i tua hanner dydd heddiw yn dweud nad oedd e wedi cyrraedd y gwaith a bod angen rhywun i olygu'r papur.'

'On'd yw hi'n anghyffredin nad oedd neb yn gwybod ble'r oedd e?' gofynnodd Owen Owens. 'Doedd neb wedi meddwl mynd i chwilio amdano fe?'

Petrusodd Cynog. 'Anghyffredin, falle. Ond roedd e'n amal mas o'r swyddfa am gyfnode hir. Roedd e'n tueddu i gyrradd ben bore i roi pawb ar waith ac wedyn dod yn ôl i mewn yn hwyr i sicrhau bod popeth yn ei le.'

'Oedd e fel arfer yn aros yn eitha hwyr?'

'Mae'n dibynnu. Roedd e yma tan oriau mân y bore ambell dro. Weithiau roedd e'n gadel yn syth ar ôl i'r papur fynd i'r wasg.'

'Beth oedd e'n ei wneud ar ôl gadael y swyddfa ganol dydd?'

Edrychodd Cynog a Daniel ar ei gilydd eto. 'Roedd golwg... 'di cael ambell i ddiferyn bach arno fe o dro i dro,' meddai Cynog.

Amneidiodd yr heddwas. 'Rhowch syniad i fi pryd bydd pobol yn mynd a dod o'r swyddfa.'

'Wel, ma pobol yn mynd a dod drwy'r dydd a'r nos,' meddai Cynog. 'Ond bydd y rhan fwya yn ôl yn y swyddfa erbyn tua tri o'r gloch er mwyn ysgrifennu y straeon sy 'da nhw fel bod y golygydd yn cael ystyried beth sy ar gael i'w roi yn y papur.'

'Beth am y bobol sy'n delio'n benodol â'r peiriannau?'

'Bydd y fforman a'r peiriannydd i mewn tua dau o'r gloch y pnawn fel arfer er mwyn dechrau rhoi popeth ar waith, yna maen nhw'n cael y papur tua pump, neu chwech os bydd pethe'n hwyr. Ma'n nhw'n gadael tua deg ar ôl gorffen clirio.'

'A beth am y shifft nos?' gofynnodd Owen Owens gan lygadu'r tri.

'I mewn tua chwech neu saith y nos, a mewn a mas wedyn fel y gweithwyr yn ystod y shifft ddydd.'

'A pryd oeddech chi mewn a mas neithiwr?' gofynnodd Owen, â thôn ei lais yn awgrymu mwy na'r cwestiwn.

'Fel y dywedais i,' meddai Cynog, 'gadawais i tua wyth y nos, a do'n i ddim yn ôl tan ar ôl hanner dydd heddiw. Bues i'n cyfweld rhywun, ac wedyn fe es i gartref ac ysgrifennu sawl stori yno.'

'Do'n i ddim yma rhwng deg a phump y bore,' meddai Daniel.

'A beth amdanoch chi?' gofynnodd yr heddwas gan syllu ar John.

'Dyma fy noson gynta i yn y swydd,' atebodd, gan deimlo ei hun yn cochi. Osgôdd lygaid yr heddwas ac edrych allan drwy'r ffenestr, gan deimlo'n euog heb allu esbonio pam.

'Reit, bydd angen rhestr lawn arna i'n manylu pwy roeddech chi'n ei gyfweld a phryd yn union ro'ch chi mas o'r swyddfa,' meddai Owen.

'Allwn ni ddim gwneud hynny,' meddai Cynog. 'Mae'n rhaid i ni amddiffyn ein ffynonellau.'

Ochneidiodd Owen Owens. 'Rhyngddoch chi a'ch pethau, ond efallai y bydd rhaid i chi benderfynu a ydi eich ffynonellau yn bwysicach nag alibi o flaen llys.' Llyfnhaodd ei fwstash â'i fysedd. 'Wela i ddim pwynt holi ymhellach tan ein bod ni'n siŵr a gafodd Tynoro Davies ei lofruddio ai peidio. Dim ond un peth arall. Oes 'da unrhyw un ohonoch chi reswm gwirioneddol dros feddwl mai llofruddiaeth oedd hon, heblaw am yr amgylchiadau amheus?'

'Mae llofruddiaeth yn gwerthu mwy o bapurau newydd na damwain,' meddai Cynog.

'Diolch am eich gonestrwydd,' meddai'r heddwas. 'Nawr, bydda i angen cyfweld â'r fforman a'r peiriannydd.'

'Fe fyddan nhw'n hwyr yn gorffen heno, dan yr amgylchiadau. Tua hanner awr wedi deg byddan nhw ar gael, mae'n siŵr.'

Cododd y ditectif arolygydd. 'Sai'n mynd i adael y corff 'ma i bydru fan hyn tan hynny. Bydd rhaid cael gair 'da nhw bore yfory ryw ben.' Cymerodd gip drwy'r ffenestr. Roedd hi wedi nosi dros adeiladau canol Caerdydd, ac yng ngolau'r lampau ar waelod y stryd gallai John weld fan ddu'r marwdy yn powlio i fyny Stryd y Porth. ''Na ni,' meddai'r heddwas. 'Awn ni â fe i lawr at y prif ddrws.'

Cydiodd John yn un o'r breichiau oer ac anystwyth a chododd y pedwar ohonyn nhw gorff Tynoro Davies a'i gario ar draws y swyddfa ac i lawr y grisiau tuag at ystafell yr ysgrifenyddes.

'Un o le y'ch chi, Mr Lewis?' gofynnodd Owen Owens wrth lywio'r corff trwm i lawr y grisiau troellog. 'Ma'ch acen chi'n swno'n debyg iawn i un ochre Dyffryn Teifi 'co.'

'Ie, un o Bontyweli ydw i,' meddai Daniel.

'Ers faint y'ch chi'n byw yng Nghaerdydd 'te?' gofynnodd yr heddwas.

'Rhyw flwyddyn a hanner nawr.'

Cyrhaeddon nhw waelod y grisiau a gosod y corff yn ofalus ar ddesg yr ysgrifenyddes er mwyn dal eu gwynt.

'Wy'n byw yn y ddinas ers pymtheg mlynedd ond mae 'ngwraig i'n dal yn hiraethu am Landysul,' meddai'r heddwas.

'O, ie? Ble'r ro'ch chi'n byw?'

'Top y pentre. Gadawais i toc cyn y rhyfel, a sai 'di cal cyfle i fynd nôl ers 'ny. Ond sai wedi colli dim o'r acen! I bwy y'ch chi'n perthyn 'te?'

Gwelodd John ansicrwydd yn llygaid Daniel am eiliad. Ond yna fe aeth yn ei flaen. 'Oeddech chi'n nabod Edward Adda Goch?'

'Mae'r enw'n canu cloch. Dwy funud, wy'n siŵr bod cefnither y wraig wedi priodi rhywun o Adda Goch. Oeddech chi'n nabod Leusa Davies?'

'Ie, hi oedd fy mam!' meddai Daniel.

'Wel wir, on'd yw'r byd 'ma'n fach?' meddai Owen Owens, yn amlwg wrth ei fodd.

'Ydi wir,' meddai Cynog yn goeglyd. 'Dewch i ni gael symud y corff 'ma i'r fan 'te.'

Gan anadlu'n drwm cododd y pedwar y corff unwaith eto a'i gario i'r fan ar y stryd y tu allan i'r swyddfa. Llwythwyd y corff i'r cefn a dringodd Owen Owens i mewn ar ei ôl. Oedodd cyn cau'r drws.

'Wy'n siŵr y byddai'r wraig wrth ei bodd yn eich cael chi draw i'ch holi chi'n dwll am fywyd nôl yn Llandysul,' meddai wrth Daniel. 'Beth am swper dydd Sadwrn nesa?'

Gallai John weld Daniel yn meddwl yn gyflym iawn. 'Wy ddim yn credu bydda i ar gal dydd Sadwrn.'

'Reit.' Pendronodd Owen Owens. 'Wel, beth am nos fory 'te, os nad yw hynny'n rhybudd rhy fyr? Tua chwech? Ry'n ni'n byw yn rhif 23, Stryd Eisteddfod yn Temperance Town.'

'Fe fyddai'n bleser.'

'Y'ch chi'n briod?'

'Ydw, ond ddaw'r wraig ddim,' meddai Daniel, heb gynnig esboniad.

'Reit, wel 'na ni 'te,' meddai Owen. 'Rwy'n edrych

ymlaen yn barod,' meddai, gan gau'r drysau metel yn glep. Cychwynnodd y gyrrwr yr injan a phrysurodd y fan yn ôl i lawr y stryd i gyfeiriad gorsaf yr heddlu.

Gwyliodd y newyddiadurwyr hi'n troi'r gornel.

'Do'n i ddim yn gwybod dy fod ti'n gweithio nos Sadwrn, Daniel,' meddai Cynog gyda winc.

'Na, ond mae ffeinal y Cwpan FA ymlaen! Ti'n meddwl mai mwrdwr oedd e?' gofynnodd.

'Sai'n gwbod. Mae'r gweisg print yna'n bethau peryglus uffernol. Ac fe alla i gredu bod Tynoro'n ddigon dwl i gael ei lusgo i mewn i un,' atebodd Cynog. 'Ac os yw'r heddlu'n mynd i fod yn dringo fel morgrug dros y swyddfa 'ma am ddyddie falle bod hi'n well gobeithio mai damwain oedd hi.'

'Ydi e'n meddwl mai un ohonon ni sy 'di gneud?' gofynnodd John.

'Paid poeni, 'machgen i, mae dy alibi di'n dal dŵr,' meddai Cynog gan roi llaw ar ei ysgwydd. 'Ac mae Daniel ar dir sych, gan eu bod nhw'n perthyn.'

Aeth y tri newyddiadurwr yn ôl i fyny'r grisiau i'r swyddfa. Cododd Daniel ei het a'i got oddi ar ei gadair.

'Reit, amser i ni siapio ein stwmps, 'machgen i,' meddai. 'Mae pawb yn gweithio ei ardal ei hun o'r ddinas. Mae ardaloedd y shifft nos dipyn yn fwy, gan mai dim ond ni'n tri sy wrthi.'

'Dim ond ni'n tri?' gofynnodd John yn syn.

'Ie, wel, do's dim angen cyment o bobol i weitho'r nos, o's e? Dim cyment yn digwydd pan ma'r rhan fwya o bobol yn eu gwelye. Ble bydd John yn gweithio, Cynog?'

Cododd hwnnw ei ben o'i ddesg a gwenu'n ddrygionus. 'Mab George Smith? Tafla fe i mewn i'r pen dwfwn. Y docs.'

'Yn gwneud beth?' gofynnodd John, gan dynnu'i got yn dynnach amdano a stwffio'r llyfr brys dan ei het.

'Llofruddiaethau, damweiniau, ac yn y blaen,' meddai Daniel. 'Unrhyw beth sy angen i ti fod yno ar frys i adrodd beth sy'n digwydd.'

'Saf di ar gornel stryd lawr fan 'na'n ddigon hir a bydd rhywbeth yn siŵr o ddigwydd,' galwodd Cynog arno. 'Dim ond gobeithio nad yw e'n digwydd i ti!'

VI

'GOT THE TIME, mate?' Daeth y llais o dywyllwch yr ale gerllaw. Yn y golau egwan gwelai Enoch Jones gysgod dyn yn llusgo tuag ato, a llewyrch cyllell yn y gwyll. 'Could I have a closer look at that watch?'

Cododd Enoch ei law yn araf a chyffwrdd yn dringar â'i ên boenus. Roedd e'n gwaedu, a theimlai'r gwaed yn rhedeg i lawr heibio ei wddw ac yn gynnes, ludiog o dan ei ben. Tipyn o ergyd, chwarae teg. Ers faint roedd e allan ohoni? Ychydig funudau o leia. Pwy bynnag oedd y dyn moel yna, doedd e ddim yn ddyn i'w groesi eto ar frys.

'Hey mate,' meddai'r dyn â'r gyllell. 'I said, could I get a closer look at that watch?'

'Mae hi wedi torri, edrycha,' meddai Enoch gan godi'i arddwrn i'r dyn weld y wats. Wrth i'r dyn blygu drosto â'i lygaid yn sgleinio'n farus trodd llaw Enoch yn ddwrn cyn rhoi clec iddo yn ei drwyn. Cwympodd y dyn yn glewt ar lawr wrth ymyl Enoch a theimlodd hwnnw ddafnau o waed yn tasgu dros ei grys.

Damia. Cododd y siryf ar ei draed yn araf a phoenus, gan rwbio cefn ei ben lle trawodd y llawr. Doedd dim angen iddo fod wedi taro'r dyn druan. Ond roedd arno awydd taro rhywun. Ar ôl cael ergyd i'w wyneb fyddai e byth yn hapus nes iddo gael cyfle i blannu ergyd yn wyneb rhywun arall. Yr un wyneb os yn bosib, ond byddai unrhyw un yn gwneud y tro. Llygad am lygad, fel y dysgodd ei fam iddo – pa lygad bynnag oedd hwnnw.

Rhaid nad oedd trigolion y tai o gwmpas wedi clywed dim, neu efallai nad oeddent yn poeni am yr ymosodiad, felly arhosodd Enoch yno am funud nes i'r dyn ddechrau ystwyrian. Roedd yn gwisgo siwt fu unwaith yn un smart ond roedd honno nawr yn dreuliedig, a'i wallt a'i farf wedi tyfu'n glymau hir. Tipyn o newyddian ym myd troseddu, dyfalai Enoch. Heb ddysgu sut i ddewis ei darged, na sut i wneud heb ei farbwr. Efallai iddo fod yn gyfrifydd neu'n gasglwr trethi, cyn i bethau fynd ar chwâl. Neu'n gyn-filwr wedi dychwelyd i fyd gwahanol i'r un a adawsai.

Cyn gadael tynnodd Enoch y gyllell o law'r dihiryn a'i gosod yn ei boced. 'Er mwyn dy ddiogelwch di gymaint â neb arall,' pregethodd wrth y corff anymwybodol.

Trodd o'r ale ac ailymuno â stêm a gweiddi'r stryd, a'r wasgfa a âi'n fwy gormesol wrth i'r nos gau am y ddinas. Roedd y siopau a'r bwytai wedi cynnau eu goleuadau nwy erbyn hyn, a bellach doedd dim yn cuddio gwir natur rhai o'r busnesau – safai'r merched hanner noeth yn y ffenestri tal wedi'u goleuo fel coed Nadolig. Aeth Enoch ati i gyfri'r drysau nes ei fod yn ffyddiog iddo gyrraedd tu blaen yr adeilad y gwelsai ei siwtces yn diflannu i mewn iddo ryw chwarter awr ynghynt.

Golchdy oedd yr adeilad, ac ysgrifen o'r Dwyrain Pell yn frith drosto. Yng ngolau'r lamp nwy edrychodd ar y smotiau gwaedlyd ar ei unig grys, oedd yn esgus cystal â'r un i ymweld â'r lle, ac agorodd y drws pren trwm. Wrth ei gau y tu ôl iddo sylwodd ar nifer o folltau ar ei gefn. 'Pwy fyddai eisiau dwyn dillad isa budron?' gofynnodd iddo'i hun.

Y tu ôl i'r cownter, dan y golau trydanol gwan, safai dyn gwelw'r olwg o dras Tsieineaidd.

'You clean clothes?' gofynnodd Enoch gan wneud defnydd o'r ychydig Saesneg a wyddai.

Ymatebodd y dyn trwy besychu'n doreithiog. Cododd ei aeliau wrth i Enoch dynnu ei siaced cyn diosg ei grys a'i osod ar y cownter. Ond gafaelodd ynddo'n ddigwestiwn a'i gario i gefn yr adeilad trwy agoriad oedd wedi'i orchuddio gan len ysgarlad.

'Thank you,' meddai Enoch, ac eistedd ar gadair wiail yng nghornel yr ystafell. Tynnodd ei siaced yn dynnach amdano dros ei frest noeth. Roedd yn un da am ddisgwyl. Dyna un o'i brif rinweddau fel siryf yn y Wladfa. Y gallu i ddisgwyl, am ddyddiau os oedd rhaid. Mewn clwt o wair, ar frig ceunant â'i ddryll yn ei law, fyddai ei benderfyniad byth yn gwywo. Ac roedd cadair wiail yn dipyn mwy cyfforddus na thomen o bridd.

Mae'n rhaid bod yr ergyd i'w ben wedi'i flino oherwydd roedd yn pendwmpian pan ddaeth twrw mawr o'r tu allan i'r drws pren.

'Open this door! Ciardiff police!'

Ddisgwylion nhw ddim am ateb. Daeth sawl clec a chyn pen dim roedd y drws wedi'i wthio'n llydan agored yn erbyn y wal. Ysgubwyd Enoch o'i sedd gan don ddu o heddweision, eu pastynau yn ffustio o'u blaen. Taflwyd ef i'r llawr, a llwyddodd i gropian o dan y cownter ac allan o'u gafael. O'r tu draw i'r llen ysgarlad clywodd glebran cyffrous annealladwy wrth i'r perchnogion adael pa weithgaredd anghyfreithlon bynnag oedd yn mynd rhagddo ac ymroi i ddianc.

Brysiodd Enoch yn ei flaen ar ei bedwar, gan synhwyro nad dyma'r amgylchiadau gorau i gyflwyno'i hun i heddlu'r ddinas.

'Take them all through to the back room,' meddai un o'r heddweision.

Gwthiodd Enoch drwy'r llen i'r ystafell gefn fyglyd. Yno roedd matiau a gwelyau wedi'u gosod ar lawr ac arnynt ambell un yn lolian, mewn anwybodaeth braf o ddyfodiad yr heddlu, ac yn parhau i sugno'n fodlon ar y pibellau opiwm wedi'u dal dros lampau olew. Roedd y Tsieinead, ac ambell i un arall oedd mewn llai o freuddwyd, wedi codi ac yn ceisio cropian yn ansicr drwy dwnnel y tu ôl i hen gyrten â staeniau drosto yng nghefn yr ystafell.

Ond roedd hi'n rhy hwyr i Enoch ddianc gyda nhw. Gafaelodd dau bâr o ddwylo ynddo a'i wthio i'r llawr. Gwasgwyd ei drwyn yn boenus i mewn i'r estyll.

'Hold them, men!' bloeddiodd un o'r heddweision, a llusgwyd y ffoaduriaid gerfydd eu coesau o'r twll ym mhen draw'r stafell. Doedd neb wedi ffwdanu gafael yn y rhai oedd yn hepian ar y matresi, ymhell i ffwrdd yn eu bydoedd bach eu hunain.

O fewn munudau roedd y mwyafrif o'r ysmygwyr opiwm, ac Enoch, mewn cyffion a dechreuodd yr heddweision eu cludo allan drwy'r drws blaen i'r stryd. Daeth heddweision eraill o'r aliau bob ochor i'r adeilad wedi dal ambell un arall, a'u llwytho gydag Enoch i gefn y fan ddu oedd yn disgwyl y tu allan.

'Carrier pigeons on the roof,' meddai un. 'It must be how they were sending word to Liverpool.'

'Did we get everyone?' gofynnodd yr arweinydd.

'I think so. They've got so many escape routes you need an officer in every street to make a catch.'

Caewyd drysau'r fan â chlec fetelaidd a theimlodd Enoch y cerbyd yn dechrau siglo. Eisteddai ar y llawr yn rhynnu yn ei siaced gyda rhyw bump o garcharorion eraill yn gwasgu arno ar bob ochor. Nid oedd erioed wedi bod mewn fan o'r blaen ac ni wyddai ai hynny, ynteu'r pryder o gael ei arestio, ynteu gwynt anadl afiach llawn opiwm y carcharorion eraill oedd yn gwneud iddo deimlo'n sâl. Cwympodd pen un o'r ysmygwyr yn feddw ar ei ysgwydd wrth iddyn nhw blymio'n ddyfnach i'r nos.

VII

FEL BRODOR O Dre Biwt roedd John eisoes yn ddigon cyfarwydd ag ardal y bae – ar ei gorau ac ar ei gwaetha. Yn ystod yr amseroedd da, flynyddoedd yn ôl bellach, fe fyddai'n treulio dyddiau yn chwarae i lawr yn y dociau ac ar lan y gamlas lwyd. Cyn gynted ag roedd e'n ddigon hen i redeg ar ôl y plant eraill cawsai ei yrru allan o'r tŷ i dyfu i fyny ar strydoedd y ddinas ac i lawr yn y dociau. Roedd dyddiau hir o haf yn chwipio heibio wrth iddo anturio ymysg dryswch diddiwedd y rhaffau a'r craeniau. Â'r ieithoedd dieithr yn llenwi'r awyr, a'r crefftau a'r ffrwythau, o dyn a ŵyr ble, yn cael eu dadlwytho o'r llongau, doedd hi ddim yn anodd dychmygu ei hun ar ryw berwyl mewn gwlad bell egsotig. A'r anifeiliaid wedyn, yn baglu ar y cei wedi'u dallu gan yr heulwen ar ôl wythnosau yng nghrombil llong, yn cario'u haroglau myglyd gyda nhw o lannau eraill.

Wrth edrych yn ôl gwenai John wrth feddwl am y peryg y bu ynddo weithiau, yn nofio yn y gamlas wrth i fadau hyrddio'n ddall i fyny ac i lawr, ac yn neidio o fwrdd un cwch bychan i'r llall ar draws y dyfroedd. O dro i dro fe fyddai ef a rhai o'r plant eraill yn magu hyder i fentro o dan y bwrdd ac archwilio crombil rhai o'r llongau mawrion. Roedd hi'n syndod i John nad oedd yr un wedi codi angor a morio draw i America neu Singapore, a gwerthu ef a'i fêts yn gaethweision ar ôl cyrraedd.

Fel roedd hi, bonclust neu ffon ar draws y pen-ôl oedd y gwaetha roedd ef a'i ffrindiau wedi'i gael, fel arfer o ganlyniad i geisio llenwi eu pocedi ag orenau neu gnepynnau o lo. Bryd hynny, cyn y rhyfel mawr, roedd y porthladd yn gorlifo gan lo a gweithwyr. Roedd Tre Biwt yn gymdogaeth ddigon parchus hefyd, a thai newydd o safon wedi'u hadeiladu ar gyfer y morwyr cefnog a ymgartrefai yn un o borthladdoedd mwya a phrysura'r byd. Roedd Sgwâr Loudoun, heb fod ymhell o'i gartre, yn ardal ddigon cefnog, a'r mwyafrif yno'n siarad Cymraeg. Âi John i'r ysgol Sul yn y capel Cymraeg ar y sgwâr er mwyn dechrau dysgu darllen ac ysgrifennu.

Efallai fod gweld y cwbwl drwy lygaid ifanc wedi'i ddallu rhag gweld effeithiau gwaetha'r caledi o'i amgylch, ond daeth adfyd i hanes y dociau mor gyflym fel na allai ond edrych yn ôl yn hiraethus ar y dyddiau a fu.

Newidiodd ei fywyd ar 4 Awst 1914. Cyn pen dim roedd y dociau wedi'u gwarchod gan filwyr a'r heddlu, a diflannodd y rhyddid i chwarae. Diflannodd nifer o gyn-weithwyr y porthladdoedd hefyd, naill ai i ymuno â'r fyddin neu am eu bod nhw'n dod o un o wledydd 'y gelyn'. Roedd cymdogaeth fregus Tre Biwt, oedd mor ddibynnol ar y cydweithio a'r gyd-ddealltwriaeth rhwng gwahanol hiliau a alwai'r lle'n gartre, wedi'i chwalu. I'r bobol hynny nad oeddent erioed wedi gweld Almaenwr, heb gael benthyg torth neu gwpanaid o siwgr ganddyn nhw, a heb weld eu plant yn chwarae gyda'u plant hwythau yn y strydoedd, efallai fod yr elyniaeth newydd yn haws ei llyncu. Ond roedd John yn methu deall y peth. Cofiai weld Almaenwyr Tre Biwt yn cael eu martsio i lawr drwy'r glaw i gyfeiriad y Seamen's Institute ar Stryd Biwt, a holodd ei dad beth yn union roedd yr 'Huns' wedi'i wneud o'i le.

'Dim byd,' meddai ei dad yn rhwystredig. 'Dim byd o gwbwl. Bai y Ffrancwyr yw e, am ein llusgo ni i mewn i'r rhyfel.'

Wedi hynny roedd y dociau yn llawn cychod y Llynges Frenhinol yn ciwio'n farus i gael eu llenwi â glo. Roedd y rheiny'n cael blaenoriaeth dros longau'r masnachwyr – ac oherwydd y peryg o gael eu suddo gan yr Almaenwyr doedd dim llawer o ddiben i'r masnachwyr fynd a dod o'r doc. Serch hynny cafodd dros 200 o longau Caerdydd eu suddo, a nifer o drigolion Tre Biwt gyda nhw.

Doedd y creithiau ddim wedi gwella, ac i'r milwyr ddaeth yn ôl roedd canfod eu gwaith, eu tai a'u merched yn nwylo pobol o bant yn halen ar y briw. Welodd John ddim y rhan helaeth o'r terfysg a ddilynodd, wrth i dros fil o bobol ymosod ar fwytai a thai llety ar Stryd Biwt, a'r cwbwl wedi'i danio gan un ergyd gwn. Doedd ei dad-cu ddim wedi caniatáu iddo adael yr ystafell wely, ond llwyddodd i ddianc allan i weld gan guddio o dan ei flanced a chlywodd y casineb yn fflamio drwy'r strydoedd.

Gwastraff oedd hynny i gyd – o fewn pum mlynedd daeth hi'n amlwg nad oedd rhyw lawer o waith i neb yn y dociau, yn wyn nac yn ddu. Doedd y milwyr ddim wedi dychwelyd i'r un byd ag roedden nhw wedi'i adael cyn y rhyfel, byd pan oedd glo yn frenin. Olew oedd yn teyrnasu erbyn hyn. Peidiodd pyls y wythïen ddu a lifai lawr o'r Cymoedd guro, ac araf bydru y bu'r bae ers hynny. Ac roedd bae Caerdydd yn rhy frwnt i ddenu teithwyr, yr unig ddiwydiant arall o bwys. Trodd trigolion Tre Biwt at grafu bywoliaeth ac at droseddu, ac wedi hynny, i nifer, doedd dim dianc o gethrau Tiger Bay.

Wrth gerdded heibio ffenestri'r tai gamblo a'r puteindai, gwyddai John y gallai ef yn hawdd iawn fod wedi mynd lawr yr un hewl i golledigaeth. Ond wrth gael swydd gan y papur newydd câi gyfle i gadw ei ben uwchlaw'r dŵr, am y tro.

Trodd i lawr ale a dod at ddrws ochor simsan un o'r adeiladau. Gwthiodd ef ar agor. Wrth gamu i mewn o awyr hallt y nos gallai wynto drewdod llaith yr adeilad, drewdod degau o gyrff yn closio at ei gilydd fel llygod i rannu ystafelloedd a gwelyau. Dringodd y grisiau tuag at y llawr cynta, a datgloi drws y fflat a oedd yn gartre iddo ef a'i dad-cu.

Eisteddai hwnnw yn y gornel ble'r oedd John wedi'i adael ychydig oriau ynghynt. Arnofiai ei ben fel penglog sgerbwd yn y tywyllwch, yn syllu allan ar ddim. Yr unig arwydd o fywyd oedd y peswch rheolaidd bob ychydig funudau, sŵn tamp y diciâu yn ceulo ei ysgyfaint.

'Pwy sy 'na? Elliw?' gwaeddodd yn gryg.

'Bydd dawel am funud.' Cyneuodd John gannwyll ar y bwrdd teircoes ynghanol yr ystafell. Yna cymerodd glwtyn tamp a sychu'r chwys oddi ar dalcen ei dad-cu.

'Ddylet ti ddim bod yn gweithio gyda'r nos fel hyn,' meddai hwnnw. 'Lle rwyt ti'n mynd yr adeg yma o'r nos? I weithio yn nhai'r puteiniaid?'

'Rhaid i un ohonon ni wneud ychydig bach o arian, Dad-cu,' meddai John.

'Fyddai'n well 'da fi beidio â chael yr un ddimai goch na dy weld ti'n ymhél â phobol felly. Ro'n ni'n deulu da o'dd yn mynychu'r capel ar un adeg.'

'Sai'n ymhél â'r bobol anghywir, Dad-cu. Wy am fod yn newyddiadurwr, fel dad.'

'Dy dad yw'r rheswm pam y'n ni yn y twll 'ma. Pan fydda i'n well fe wnawn ni symud yn ôl i'r wlad,' meddai'r hen ddyn gan geisio gwenu'n gysurlon. Hyd yn oed yn y llygaid hanner marw roedd rhyw damed o gynhesrwydd yr hen dad-cu yn dal i befrio. 'Ddylet ti byth fod wedi cael dy fagu ynghanol y llwch a'r baw 'ma. Wneith tipyn bach o awyr iach fyd o les i'r ddau ohonon ni, hmm?'

'Sai'n gwbod wir, Dad-cu. Bydda i nôl mewn cwpwl o orie, ta beth,' meddai John.

Stwffiodd gamera mawr ei dad yn ddiogel o dan y gwely, ac yna aeth allan a chau'r drws yn ddistaw ar ei ôl. Weithiau byddai'n clywed ei dad-cu yn dal i siarad o'r tu hwnt i'r drws, fel pe na bai'n gwybod a oedd yno ai peidio. Ond roedd wedi derbyn erbyn hyn na allai wneud dim byd am hynny. Fe fyddai ei dad-cu yn marw yn araf bach, yn ei amser ei hun. Roedd John wedi gweld digon o farwolaethau dros y blynyddoedd diwethaf i wybod bod dau fath yn bod. Deuai'r cynta'n gyflym fel hebog am ei brae, fel mellten sy'n fflachio am eiliad ond sy'n gadael pawb yn fud gan sioc ganwaith yn hirach. Roedd y llall yn crafu fel ewinedd ar lun, tan nad oedd neb yn cofio beth oedd y darlun gwreiddiol. Marwolaeth araf fyddai'n llawer mwy erchyll i'w gwylio ond yn haws dod i delerau â hi yn y pen draw.

Collodd John ei dad yn ddisymwth ond gwyddai y byddai ei dad-cu yn marw'n araf. Roedd wedi derbyn ers tro bod ei dad-cu wedi'i adael. Plisgyn gwag oedd yn ei ddisgwyl gartre erbyn hyn. Camodd i lawr y grisiau a gallai glywed y peswch croch yn atseinio ar ei ôl.

Caeodd ddrws yr adeilad, yn falch o gael gwneud, a cherdded i lawr i waelod Stryd Biwt, heibio'r dyrfa swnllyd, a thuag at y bae. Wrth iddo groesi'r bont i'r dwyrain ar draws ceg y cynta o'r dociau tawelodd sŵn y ddinas yn y pellter.

Heb wybod pa ffordd i droi, ymgollodd John yn ei feddyliau wrth iddo grwydro hyd ymyl y porthladd, heb glywed dim ond siffrwd ambell i lygoden ymysg rhaffau'r cychod a churiad aflonydd adenydd y gwylanod ar ben toeau'r ystorfeydd. Fe'i suwyd i fyfyrdod dwfn gan grensian cyrff y llongau wrth iddynt nofio ar y llanw, gan sugno'r môr yn erbyn waliau'r porthladd. Teimlai y gallai fod wedi cerdded yno tan iddi wawrio, yn rhydd o'i gyfrifoldebau, mewn trwmgwsg byw.

Roedd yn adnabod y bae, pob twll a chornel ohono. Y Roath Dock a'r Queen Alexandra. Adeilad y Pierhead, pencadlys Cwmni Dociau Biwt, a safai fel ploryn coch rhwng y ddau Ddoc Biwt.

Ond er ei gynefindra, yr hyn a hoffai fwya am fae Caerdydd oedd ei fod yn newid yn barhaus – tre symudol o gychod yn tyrru at y porthladd. Amrywiaeth oedd rhinwedd y bae, dyna a ddenai'r llongau a'r morwyr yno gymaint â'r cyfoeth anferth oedd wedi'i gladdu o dan y ddaear ac a gyrhaeddai bob yn dipyn o'r pyllau glo.

Dyna pam na fyddai byth yn dychwelyd i gefn gwlad gyda'i dad-cu, pa galedi bynnag a wynebai fan hyn. Roedd e'n breuddwydio am deithio'r byd, ond fan hyn roedd ei gartre. Roedd mor glyd yma â'r llygod bach ymysg sacheidiau gwenith yr ystorfeydd.

Yn sydyn teimlodd John wres yn goglais cefn ei wddf, a gwelodd ei gysgod ei hun yn ymffurfio yn y tywyllwch o'i flaen. Caledodd ei amlinell a dawnsio o ochor i ochor fel yng ngolau cannwyll.

Trodd a gweld colofn o olau tanllyd yr ochor draw i'r doc, yn codi i'r awyr ond hefyd yn ymestyn bysedd coch tuag ato ar hyd düwch y dŵr. Rhyw chwarter milltir oddi yno roedd rhywbeth yn llosgi – ni allai weld beth yn union o'r pellter yma. Ond roedd yn ei ddenu yn y gobaith o fachu stori dda. Roedd ysfa newyddiadurol yn dechrau cydio ynddo.

Rhedodd nerth ei draed hyd ymyl yr harbwr, gan faglu dros draciau trên a phontydd a'i got yn fflapian fel adenydd. Wrth agosáu o ben arall cronfa hirsgwar Doc Dwyreiniol Biwt gwelodd mai hen warws oedd yn llosgi, ei nenfwd wedi ffrwydro'n gyfan gwbwl gan ffyrnigrwydd y tân. Ehedai ysborion i'r awyr, troelli'n araf i lawr a gorffwys am eiliad ar wyneb y dyfroedd, cyn diffodd a suddo.

Yna sylwodd John fod rhywun arall yno – safai cysgod du â'i gefn ato ar ymyl y lanfa yn gwylio'r warws yn llosgi'n ulw. Wrth i John agosáu, trodd y dyn a chilwenu yn y golau egwan.

'Ti'n gallu gwynto hwnna?' gofynnodd, gan ffroeni'r awyr fel mochyn. 'Ti bob tro'n gallu gwynto stori dda.'

'Sut dechreuodd e?' gofynnodd John, gan gysgodi ei hun rhag y gwres tanbaid â'i fraich.

'Dylwn i ofyn yr un peth i ti – wedi'r cwbwl, onid dyma dy batsh di o'r ddinas?' gofynnodd Cynog yn goeglyd. 'Ond roedd 'da fi amser i weld y tân o ffenest fy nhŷ, agor y ffenest a gwynto'r alcohol yn llosgi, rhedeg i lawr y stâr, neidio ar 'y meic a seiclo draw 'ma... hyn i gyd cyn i ti gyrraedd.'

'Alcohol?' gofynnodd John yn ddiddeall.

'Ie, wedi'i smyglo'n anghyfreithlon ddywedwn i,' meddai Cynog. 'Wedi hwylio am America'n wreiddiol, ond wedi mynd i drafferthion gyda'r awdurdodau ac wedi troi'n ôl. Bydd gan yr heddlu gwestiynau anodd i'w hateb.'

Diawliodd John ei hun, ond yna diawliodd Cynog Price. Sut y gallai e fod ym mhob rhan o'r porthladd ar yr un pryd? Roedd ei batsh yn y bae yn ymestyn tua saith milltir ar ei draws.

'Ond, chwarae teg, rwyt ti wedi cyrraedd cyn yr heddlu a'r frigâd dân,' meddai Cynog, fel pe bai'n darllen ei feddwl. 'Er nad yw hynny'n llawer o gamp. Clyw, dyma nhw o'r diwedd.'

Dros sŵn a chlecian corff y warws yn sigo yn y gwres clywodd John wich seiren yn atseinio yn erbyn waliau'r ffatrïoedd cyfagos.

'Paid â dweud gair,' sibrydodd Cynog. 'Fe wna i ddelio â hyn.'

Hwyliodd tair fan heddlu ddu o amgylch y gornel. Safodd y gynta'n stond o fewn tair llathen i Cynog, a gwasgodd heddwas pwysig yr olwg ei gorff cnawdol drwy'r drws cefn.

'Yffarn dân!' meddai gan rythu ar y difrod.

'Ie, dyna yw e.'

'Be ddigwyddodd fan hyn?' gofynnodd wrth godi ei olygon at y tŵr uchel o fwg a godai o do'r adeilad. Crychodd ei ffroenau wrth glywed yr arogleuon.

'Oeddech chi'n gwybod bod yna lond warws o wirod anghyfreithlon yn nociau'r ddinas, Sarjant?' holodd Cynog. 'Bydden nhw wedi'u cludo o'ma fory, o dan eich trwyne chi.'

'Sut gwyddoch chi nad newydd gyrraedd maen nhw?' gofynnodd y rhingyll yn flin. 'Weloch chi unrhyw un arall o gwmpas yr adeilad?'

'Dim 'yn lle i yw gwneud eich gwaith drosoch chi, Sarjant.'

'Wel, gan eich bod chi i weld yn denu trwbwl fel gwybed at gannwyll, falle dylech chi fod yn fwy gwyliadwrus o hyn mas, er lles y cyhoedd.'

Tynnodd Cynog lyfr brys a phensil o'i boced. 'Sarjant, ydi hyn yn brawf bod y troseddwyr yn brwydro ymysg ei gilydd am reolaeth ar y fasnach smyglo?'

'Wel, os yw'r smyglwyr yma am wneud ein gwaith droson ni, wy'n ddigon hapus. Ond peidiwch â sgrifennu hynna!' meddai wrth weld Cynog yn rhoi pensil ar bapur. 'Gwrandwch, os y'ch chi'n dechre reiot arall yn Tiger Bay gyda'ch blydi papur newydd bydda i'n 'ych beio chi am eu pryfocio nhw. Do's dim prawf bod hyn yn ddim byd ond damwain, a sai'n meddwl bod gwynt gwirod cryf yn Tiger Bay yn brawf o ddim byd chwaith.' Edrychodd i gyfeiriad John. 'Beth yw hwnna?'

'Ein gohebydd newydd. Fe fydd yn cadw llygad ar ardal y dociau o hyn ymlaen. Bachgen lleol, adnabod ei filltir sgwâr.'

'Dy'ch chi'r newyddiadurwyr yn bridio'n gyflymach na'r duon 'ma,' meddai'r rhingyll. 'Wy'n clirio'r ardal 'ma nawr. Ewch chi'ch dau bant i chwilio am y math o newyddion mae pobol eisiau ei ddarllen gyda'u brecwast, yn lle'r sothach sy'n glanio ar fy nesg i bob bore. Dysgwch wers gan y *Mail*.'

'Fe fydden i'n printio'r gwir, ond mae 'na siawns y bydden i'n glanio mewn cell erbyn diwedd y dydd,' meddai Cynog wrth droi ar ei sawdl.

Rhythodd y rhingyll yn flin arno a gwthio'i fol tew o'i flaen. 'Wy'n deall bod eich golygydd chi wedi'i ganfod yn farw bnawn 'ma, Cynog Price.'

'A beth am hynny? Fe gafodd e 'i ddal yn y wasg argraffu.'

'Dim tystion, rwy'n deall.'

'Damwain oedd hi.'

'Ydych chi'n hollol siŵr o hynny?'

'Ydych chi'n 'y mygwth i?'

'Ydw, nawr caewch eich pen a rhowch eich pensil gadw. Efallai ei fod e'n boen tragwyddol i chi ond rydych chi'n lwcus nad oes neb o bwys yn darllen eich blydi papur chi. Petai rhywun wir yn gwneud byddai'n rhaid cymryd camau reit ddifrifol.'

Cododd Cynog ei ysgwyddau a cherdded yn ddifater heibio i John cyn sibrwd yn ei glust: 'Cadwa lygad ar beth sy'n digwydd nesa, wnei di? Dere i 'ngweld i bore fory. Rwy'n byw yn rhif 13, John Street.'

Yna trodd ar ei sawdl a cherdded yn hamddenol yn ôl i gyfeiriad Tre Biwt.

Ar ôl i Cynog ymadael ymlaciodd yr heddweision a mynd i fân siarad ymysg ei gilydd. Sylwodd John nad oedd neb fel petai'n sylweddoli ei fod e'n dal yno ac fe aeth i sefyll y tu ôl i bentwr o focsys ac offer gerllaw er mwyn cysgodi ei hun rhag gwres y fflamau. Roedd yn cymryd bod yr heddlu'n disgwyl am y frigâd dân, ond nid eu cerbyd nhw oedd y nesa i gyrraedd.

Llifodd Chevrolet hir gwyrdd tywyll o'r cysgodion gerllaw. Fe aeth John ar ei gwrcwd a sbecian arno drwy bentwr o focsys ar ymyl y cei. Diffoddwyd injan y car a chlywodd John y drws yn agor a rhywun yn siarad â'r prif swyddog. Cuddiodd y tu ôl i'r bocsys a chlustfeinio.

'Pam nad yw'r frigâd dân wedi cyrraedd i'w ddiffodd e?' gofynnodd llais sarrug mewn acen goeth.

'Chi'n tynnu 'nghoes i? Allen i ddim cymryd y siawns iddyn nhw ddarganfod beth oedd yn cael ei gadw yn y warws,' atebodd y prif swyddog.

'Beth oedd yn gyfrifol 'te?'

'Bom petrol. Dyfais Rwsiaidd ond maen nhw'n dysgu'r castiau drwg oddi wrth ei gilydd. Doedd pwy bynnag oedd wrthi ddim wedi gwneud ymdrech fawr i glirio ar ei ôl. Edrych fel petai rhywun eisiau i chi wybod nad damwain oedd hi, Arglwydd.'

'Rwy'n eich talu chi i warchod fy nwyddau i – dim gadael i bobol eu chwythu nhw'n ulw!' ebychodd yr Arglwydd.

'Dylech chi fod wedi llwgrwobrwyo'r frigâd dân, felly! Fe allwn ni warchod eich eiddo yn erbyn lladron a barnwyr ond dyw pastwn ddim llawer o werth mewn tân.'

Sbeciodd John dros y bocsys a gweld dyn main a thal mewn gwasgod borffor yn siarad â'r prif swyddog. Edrychai fel petai yn ei chwedegau hwyr. Roedd ganddo fwstash trwchus wedi'i dorri'n gyrls gofalus, a llygaid fel dau lwmpyn o lo tanbaid. Cerddai'n benderfynol wrth ochor y prif swyddog i archwilio'r hyn oedd yn weddill o'i warws. O'i guddfan gwelai John yr olwg beryglus ar ei wyneb.

'Ydych chi'n gwybod pwy oedd yn gyfrifol?' gofynnodd y dyn yn y wasgod yn swta.

'Dim syniad, Arglwydd Tremaen.'

'Ga i ofyn cwestiwn i chi, brif swyddog?'

'Hm?'

'Ydych chi'n araf eich meddwl? Oes rhyw wendid yn rhedeg yn eich teulu? Oes tuedd ynoch chi i gyd i fod yn bobol dew, farus, lygredig?'

'Dydw i ddim yn deall, syr.'

'Do'n i ddim yn disgwyl i chi wneud. Mae 'da fi rywfaint o barch tuag at y rheiny sy'n llwyddo er gwaetha'u hymrwymiad gwasaidd at ryw reolau moesol dychmygol. Rwy hefyd yn parchu'r rheiny sydd yn ddigon clyfar i dorri'r rheolau i'w dibenion eu hunain. Ond rwy'n casáu pobol fach dwp sy'n llygredig nid am eu bod nhw'n glyfar, ond am eu bod nhw'n farus.'

'Sai'n dilyn, syr.'

'Beth ydw i'n ei ofyn, brif swyddog, ydi ai fi yw'r unig un sy'n llenwi'ch pwrs chi bob mis?'

'Y'ch chi'n awgrymu…?'

'Mae'r busnesau olew wedi distrywio fy enillion. Nawr, maen nhw'n ceisio dinistrio fy eiddo i.'

Wrth iddo siarad daeth rhai o'r heddweision i'r golwg unwaith eto heibio ochor yr adeilad gan lusgo dau ddyn mewn gefynnau a'r rheiny'n crio a strancio. O'r hyn y gallai John ei weld yn y golau isel roedd y ddau'n ddynion Arabaidd yr olwg, ac ofn lond eu llygaid.

Roedd trydydd dyn yn cerdded ar eu hôl, dyn moel â'i ben yn sgleinio yng ngolau'r tân. Sylweddolodd John ei fod e'n adnabod y dyn yma, ac wedi ei weld e sawl gwaith i lawr yn Nhre Biwt. Fe fyddai sawl morwr newydd i'r ardal yn pigo ffeit 'da fe wrth weld bod coes bren 'da fe, ac yn cael uffern o gweir. Roedd e'n enwog am ei greulondeb, ac roedd trigolion Tre Biwt wedi dysgu cadw draw yn ddigon pell erbyn hyn.

'Elias,' meddai Arglwydd Tremaen. 'Beth sy 'da ti i fi?'

'Roedd y rhain yn llechu tu ôl i'r adeilad,' meddai'r dyn moel.

Gwthiodd yr heddweision y ddau ddyn i'r llawr.

'Dyma'r trydydd tro nawr i'n busnes ni ddod dan ymosodiad yn y mis diwetha,' meddai'r Arglwydd wrth gerdded o gwmpas y ddau ddyn a grynai ar lawr. 'Heb y nwyddau yn mynd drwy'r ddinas yma alla i ddim fforddio eich talu chi, a heb fy arian i fe fyddai hanner yr heddweision yn y ddinas yma ar y clwt. Pwy sy y tu ôl i hyn, sgwn i?'

Syrthiodd mudandod dros y rhai oedd wedi ymgasglu yno. Chwysai'r heddweision yng ngwres y goelcerth.

'Does dim angen bod yn athrylith i ddyfalu pwy sy y tu ôl iddo,' meddai'r Arglwydd wedyn.

'Pwy, syr?' gofynnodd y prif swyddog.

'Y cwmnïau olew! Peidiwch â dweud wrtha i na fyddai'r cŵn wrth eu boddau yn cael gafael ar y porthladd yma hefyd.'

'I fod yn deg, syr,' meddai'r prif swyddog. 'Cwpwl o dramorwyr o Dre Biwt sy wedi rhoi'r warws ar dân, yn siŵr i chi. Ddim yn hapus i weld y bobol dduon neu'r bobol Tsieineaidd yn cymryd eu gwaith nhw, mae'n rhaid.'

Amneidiodd yr Arglwydd Tremaen ar y dyn moel ac aeth hwnnw at gefn y car a thynnu tun ohono. Ysgydwodd ef o flaen y dyrfa iddyn nhw gael gweld. Clywodd John hylif yn tasgu y tu mewn iddo.

'Y rheswm nad ydw i'n gallu gwerthu darn o lo dros fy nghrogi'r dyddiau yma. Y rheswm pam bod Caerdydd, y porthladd prysura yn y byd unwaith, ddim ond yn gartre i gasgliad o gychod hwylio bellach. Mae popeth yn rhedeg ar olew. Ac ydych chi'n gwybod beth mae olew yn ei wneud?'

Estynnodd fraich hir tuag at y warws wenfflam. 'Mae'n llosgi!'

Cododd ei ffon gerdded a tharo un o'r dynion Arabaidd yn ei asennau. Mwmiodd hwnnw'n ofnus yn ei iaith ei hun.

'Who's paying you? Hmmm? Just because I don't have any work for your families, you're trying to drive me out of business? Have they promised you something? Work if they can get a foothold here?'

Cododd y dyn arall ar ei liniau ac ymbil arno mewn Saesneg toredig.

'You'd rather work for the oil companies?' meddai'r Arglwydd Tremaen. 'If you want it so much you can have it.' Cydiodd yn y tun olew a thywallt ei gynnwys dros ben y dyn a benliniai ar lawr. Tagodd hwnnw a chrio'n orffwyll wrth i'r hylif lenwi ei geg a'i lygaid. 'Yeeeees, do you like that?'

'Arglwydd, pam y byddai'r cwmnïau olew eisiau'r dociau hyn? Does dim olew i'w gael 'ma.'

'Mae'n nhw'n ceisio fy rhoi i mas o fusnes. Rhoi diwedd ar y diwydiant glo unwaith ac am byth!'

Taflodd yr hyn oedd yn weddill yn y tun dros ben y dyn. Yna camodd oddi yno gan anadlu'n ddwfn. Roedd y dyn ar lawr yn wylo a mwmian yn ei iaith ei hun.

Trodd yr Arglwydd Tremaen at y dyn moel. 'Llosga fe.'

Tynnodd y dyn moel fatsien o'i boced, ei chynnau yn erbyn ei lawes a'i thaflu ar ben y dyn. Ffrwydrodd fflamau yn ei wallt a gollyngodd sgrech ingol. Cododd ar ei draed a rhedeg yn orffwyll at ymyl y porthladd, cyn hanner baglu dros bostyn rhaffu a'i daflu ei hun i'r dŵr du.

Gorweddai'r dyn arall ar lawr yn crynu ac yn igian crio.

'Mae'n rhaid gyrru neges,' meddai'r Arglwydd. 'Gadewch i'r dyn yma fynd. Fe geith e ddweud wrth y gweddill nad yw Arglwydd Tremaen yn mynd i odde hyn.'

Disgynnodd drysau mawr y warws, gan dasgu gwreichion tuag atynt. Cymerodd rhai o'r heddweision gam yn ôl.

'Galwch y frigâd dân,' meddai'r Arglwydd. 'Do's dim byd ar ôl i'w weld beth bynnag.' Taflodd y tun olew gwag ar lawr a cherdded i gyfeiriad ei gar. 'Heno ry'ch chi'n mynd i chwilio am atebion. Mae yna rywun yn y dre ffiaidd hon sy'n gwybod pwy sy wrthi. Rwy eisiau siarad â'r person hwnnw.'

Caeodd y dyn moel ddrws y Chevrolet ar ei ôl, cyn camu i mewn i sedd y gyrrwr a chychwyn yr injan. Diflannodd y car i'r gwyll.

Amneidiodd y prif swyddog ar ei heddweision. 'Wel, fe glywoch chi'r Arglwydd. Galwch y frigâd dân. And order a couple of raids in Bute Town.'

'We won't find anything...' dechreuodd un o'r heddweision eraill.

'Mae'n rhaid i ni gael ein gweld yn gwneud rhywbeth, on'd oes?' atebodd. 'Mae e wedi mynd yn hollol wallgo. A thynnwch y corff yna mas o'r dŵr, sai moyn i neb weld hwnna. *Stabbings you can cover up*, ond dyw pobl ddim jest yn llosgi i farwolaeth fel 'na.'

Aeth John yn ei gwrcwd i ganol y bocsys a disgwyl i'r heddlu ymadael. Ar ôl ychydig funudau clywodd ddrysau'r cerbydau yn cau, y peiriannau'n grwnian a'r olwynion yn llithro ar draws wyneb y dociau yn ôl i gyfeiriad Tre Biwt. Pipodd dros ymyl y bocsys i wneud yn siŵr eu bod nhw wedi mynd. Wrth i'r tân o amgylch ysgerbwd haearn y warws ostegu lapiodd y nos oer amdano a dechreuodd grynu.

VIII

'PRYNWCH Y *CRONICL*! Tair ceiniog yn unig! Llofruddiaeth ar Stryd y Porth! Darllenwch y cyfan!'

Roedd yr adar yn canu eu corws boreol erbyn i draed blinedig Daniel ymlwybro yn ôl i lawr coblau Mill Lane tuag at ei gartre. Gorweddai'r tarth fel gwlith ar we pry cop strydoedd canol Caerdydd, ond gallai Daniel weld ambell gorff meddw yn dal i ledorwedd yn ansicr ar erchwyn pont haearn Custom House ym mhen draw'r stryd. Tu hwnt roedd y brif orsaf drenau, â'i waliau o wenithfaen llwyd yn gysgod aneglur yn y niwl.

Roedd Daniel yn byw ar Mill Lane ers rhyw flwyddyn a hanner bellach. Roedd ef a'i gariad wedi cyrraedd y ddinas fawr yn ddieithriaid gwledig diniwed, gan gludo'r ychydig eiddo oedd ganddyn nhw ar y trên o Gaerfyrddin. Wrth edrych yn ôl roedd yn hynod werthfawrogol o'r ffaith na wnaeth eu landlord gymryd mantais ar eu diniweidrwydd a'u gyrru nhw i fyw mewn twlc mochyn yn Sblot neu rywle tebyg. Roedd lleoliad y fflat yn ddelfrydol, dafliad carreg o siopau canol y ddinas, cae criced Parc yr Arfau a'r stadiwm rasio cŵn. Ac wrth gwrs roedd swyddfa'r *Cronicl* rownd y gornel, fel nad oedd rhaid iddo dreulio hanner awr yn teithio i mewn ac allan o ganol y ddinas yn hongian oddi ar fws gorlawn fel rhai o'i gydweithwyr.

Prif nodwedd Mill Lane oedd y gamlas lydan oedd yn ei hollti yn ei hanner. Wrth glywed am y gamlas roedd Daniel wedi dychmygu rhywbeth yn debyg i gamlesi Fenis yn yr Eidal. Pan gyrhaeddodd Gaerdydd am y tro cynta, credai ei bod yn edrych yn debycach i garthffos agored. Roedd hen dai anniben yn crymu o bobtu iddi fel gwartheg sychedig yn yfed o gafn budr.

Beth bynnag, dros y flwyddyn ddiwetha roedd Daniel wedi dechrau hoffi'r hen gamlas. I rywun a gawsai ei fagu ar lannau'r Teifi roedd cael clywed llif y dŵr heibio'r waliau cerrig yn gysur. Doedd dim llawer o ddefnydd i'r gamlas bellach, ond gallai Daniel ddal i weld amlinell ambell i gwch yn y dŵr marwaidd o dan fwa'r bont.

'Un tro,' meddai ei hen landlord wrtho, 'doedd Caerdydd yn ddim byd ond pentre pysgota glan-môr, fel Aberteifi neu Borthgain. Pan gafodd y pyllau glo eu hagor a'r gweithfeydd haearn, pryd 'ny 'fyd y cafodd y gamlas yma ei chloddio er mwyn cario'r holl gynnyrch i lawr o'r Cymoedd mewn bade. Fe deithies i lawr arni sawl gwaith fy hunan, pan o'n i'n ifanc, o'r tu draw i Ferthyr Tudful. Yn oes Tad-cu roedd y glo'n cal 'i gario ar gefn asynnod – a phob sach fel rhyw feseia du!

'Do'n nhw ddim wedi breuddwydio, bryd 'ny, taw Caerdydd fydde'r porthladd mwya yn y byd un dydd, ac y bydde gwythienne glo'r brynie rhyw ugain milltir i'r gogledd yn newid ffawd y pentre bach pysgota!'

Erbyn hyn roedd brefu gwledig yr asyn a sŵn hamddenol y badau ar y gamlas wrth deithio drwy'r dŵr wedi diflannu. Dim ond dyrnu'r trenau oedd i'w glywed bellach. Ac un sŵn arall, yn codi'n uwch na'r un arall – bloeddio croch y gwerthwr papur newydd.

'Prynwch y *Cronicl*!' gwaeddai'r dyn. 'Y Cymro Dan Lewis yn dweud ei fod yn barod i sbwylo gobeithion Caerdydd yn ffeinal y Cwpan FA ddydd Sadwrn! Tair ceiniog i chi os gwelwch yn dda! A sôn am Dan Lewis – dyma Dan Lewis arall! Shwmai syr!'

'Doniol iawn, George,' meddai Daniel.

Ni fyddai'r teithwyr cynta'n cyrraedd yr orsaf am ychydig

funudau eto, ond roedd George Saven fel ceiliog ar ei domen drefol, yn ceisio dal sylw ambell i forwr tlawd oedd ar ei ffordd i lawr i'r dociau i geisio dod o hyd i waith. Aeth criw o ddynion ifainc heibio, ambell un eisoes yn cydio mewn copi o'r *Mail* ac yn craffu ar y dudalen gefn i gael y newyddion pêl-droed diweddara.

'Sut ma'r papur yn gwerthu?' gofynnodd Daniel.

'Ofnadw. Dylwn i gynnig e am ddim i bobol sychu'u tine, a 'na'r gwir i ti.'

Roedd George Saven yn ddyn byr, siriol yr olwg, gyda mwstash du, yn edrych yn debyg i arweinydd yr Undeb Sofietaidd, Joseph Stalin, er na fyddai Daniel byth wedi awgrymu hynny wrtho. Hongiai dwy ddalen o gynfas o'i ysgwyddau yn hysbysebu penawdau'r bore hwnnw. Corff Tynoro Davies yn y peiriant argraffu oedd yn cael y sylw penna ar y rheiny.

'FA Cup hyn a'r llall yw popeth ar y funud, ac mae'r *Mail* yn rhoi lot mwy o sylw i'r gêm,' meddai.

'Wedes i wrthyn nhw y dylen nhw fod wedi fy hala i i Wembley 'da'r sgwad,' meddai Daniel gan ysgwyd ei ben.

'Ro'n i'n meddwl bo ti'n chwarae i Arsenal yn barod!'

'Mae honno'n hen jôc. Ti'n mynd i wrando ar y gêm?'

'Gobeithio. Fe alla i roi pris da i ti os wyt ti eisie rhoi bet i lawr,' meddai ychydig yn rhy uchel.

Edrychodd Daniel o'i amgylch. 'Ti'n gweithio i'r bwcis 'fyd?'

'Rhaid neud digon o arian i fyw on'd oes,' meddai George, a gweld yr olwg nerfus ar wyneb y newyddiadurwr. 'Paid poeni, mae'r bwci yn talu'r heddlu i adael llonydd i fi – a wy fod i roi dau swllt i bob heddwas sy'n trio codi trwbwl. Gan 'mod i'n sefyll ar gornel stryd drwy'r dydd ta beth, wa'th i fi gymryd bets ddim.'

'Ti wedi trio gwerthu'r papur rhywle arall?' gofynnodd Daniel gan geisio newid y pwnc. Roedd yn siŵr na fyddai Cynog yn rhy blês pe bai'n cael gwybod nad oedd meddwl George yn gyfan gwbwl ar ei waith.

'Fan hyn ma nhw'n gweud wrtha i am werthu. Eisie dylanwadu ar farn pobol bwysig ma nhw, ac ma'r pwysigion i gyd yn mynd ar y trên. Dyna ddwedodd yr hen Mr Davies druan wrtha i, heddwch i'w lwch. Dim diffyg parch i ti o gwbwl. Pan fydda i'n iste amser cinio 'da dysgled o de a mwgyn ma cynnwys y *Cronicl* yn dda iawn. Ond 'ma'r broblem,' meddai, gan daro'r dudalen flaen. 'Os y'n nhw am godi tair ceiniog am bapur dylen nhw o leia neud yn siŵr bod hi'n bosib 'i ddarllen e. Mae'r print yn edrych fel 'tai wedi'i dorri mas 'da *chisel*! Os codi crocbris am bob copi dylen nhw o leia dalu i gal peirianne argraffu newy. Sothach yw'r *Mail*, sdim dowt, ond gwell sothach ma modd 'i ddarllen e na'r sgrifennu gore sy ddim.'

Agorodd ei geg led y pen eto, ac am ennyd roedd Daniel yn ofni ei fod am ailddechrau gweiddi. Ond dylyfu gên a wnaeth.

'Wel, cawn ni weld a fydd golygydd newydd yn rhoi trefn ar bethau, George,' meddai Daniel.

'Gobeithio, yntyfe? Ro'n i'n drist iawn pan glywes i fod yr hen Mr Davies wedi marw, o'n wir. Mwrdwr ife? 'Na beth uffernol. Ond falle bydd e er gwell yn y pen draw, i'r papur hynny yw. Angen gwa'd newydd.'

'Ie, ma'n siŵr.'

'Ond y perchennog a'r bosys mowr sy â'u dwylo ar yr awenau yn y pen draw yntyfe? Nhw sy'n talu'i gyflog e, pwy bynnag fydd yn rheoli'r swyddfa. Wy wedi gweud wrth Mr Price o'r bla'n 'mod i'n meddwl gadael i werthu'r *Mail*. Mae'r *Cronicl* yn talu'n hael, hanner pris bob copi wy'n 'i werthu, ond 'se'n well 'da fi gael 'y nhalu llai am bob copi a gwerthu lot mwy, yntyfe!'

'Ie, wel, mae pawb yn teimlo y bydde newid yn gwneud lles weithie. Pob lwc ta beth!'

'Diolch i ti.' Wrth iddynt ffarwelio llithrodd trên o'r niwl a chyfogi ei gerbyd cynta llawn o deithwyr drwy ddrysau'r orsaf. 'Prynwch y *Cronicl*! Tair ceiniog!'

Gadawodd Daniel ef yn ei brysurdeb a cherdded tuag at ei gartre uwchben siop y cigydd ar y gornel. Roedd posteri yn llenwi'r ffenestr yn annog pawb i 'Buy Empire Goods!' ac 'Ask for British Beef'. Er, roedd yn gwybod i ffaith bod y cigydd yn cael cig o Seland Newydd, yr Ariannin ac o bob math o lefydd eraill. Roedd y Llywodraeth byth a hefyd yn rhedeg rhyw ymgyrch hysbysebu yn ceisio hybu'r Ymerodraeth, ond ym marn Daniel roedd pobol wedi cael digon arnyn nhw yn ystod y rhyfel ac wedi'u lled anwybyddu ers hynny. Byddai pobol yn prynu'r pethau rhataf, yn enwedig pan oedd arian yn dynn fel nawr.

Aeth trwy'r drws ble byddai'r cigydd cyn hir yn hongian y moch a heibio'r cownter i'r ystafell gefn waedlyd ble'r oedden nhw'n torri'r cig, gan godi llaw ar Butch y landlord cyn dringo i fyny'r grisiau i'w fflat ar y llawr cynta.

Dim ond dwy stafell oedd ganddyn nhw uwchben y cigydd, un stafell wely ac un stafell i fyw a lle i fwyta ynddi. Hen dŷ digon tamp ydoedd, yn llawn pryfed yn byw yn y waliau a'r landlord wedi ceisio gorchuddio'r craciau â haenau o bapur wal ond heb gael llawer o lwc.

Ond doedd Daniel a Stella ddim yn pryderu'n ormodol am hynny, nac ychwaith am y ffaith bod rhaid iddyn nhw ymlwybro lawr y grisiau i'r tŷ bach oer yn yr iard gefn. Roedd y ddau wedi'u magu yng nghefn gwlad wedi'r cwbwl, ac roedd gan y ddinas ddigon o ryfeddodau newydd iddyn nhw fel na welon nhw ddim colli dŵr yn rhedeg o dap na chael stafell gyfan ar gyfer molchi. Ac yng ngolwg Daniel doedd y syniad o gael toiled y tu mewn i'r tŷ ddim yn apelio.

Ond mae'n siŵr y byddai sawl un yn dweud nad oedden nhw'n byw yn lân beth bynnag. Nid oherwydd y diffyg bathrwm, ond oherwydd bod Daniel a Stella yn ddibriod. Dyna'r gwir reswm dros ddod i Gaerdydd – ddwy flynedd yn ôl roedd Stella wedi beichiogi, ac yn ôl y clecs lleol un o hyrddod mwya Dyffryn Teifi oedd y tad. Fel arfer dan yr amgylchiadau byddai'r plentyn yn cael byw yn nhŷ rhieni'r ferch a dyna ni. Ond roedd pethau wedi'u cymhlethu gan y ffaith mai tad Stella oedd gweinidog y plwyf, dyn anoddefgar a waharddodd sawl un rhag dod i'r seiat am bechodau llai aflan na hynny. O dan yr amgylchiadau roedd Daniel yn teimlo iddo gyflawni gweithred fonheddig wrth gynnig ffoi gyda hi i Gaerdydd a bod yn dad i'w phlentyn. Pe bai'n fwy gonest â fe'i hun, roedd wedi'i charu hi o bellter ers blynyddoedd ac yn ddigon hapus i gael esgus i ddianc i'r ddinas fawr yn hytrach na llafurio ar fferm ei dad a'r diflastod o weithio yn siop ei ewythr. Serch hynny roedden nhw wedi cadw'r trefniant hwnnw'n ddistaw ers cyrraedd Caerdydd. Roedd y ddinas yn lle mawr a bu'n hawdd dweud celwydd wrth ddieithriaid. Doedd gweld menyw yn cario babi drwy'r farchnad heb fodrwy ar ei bys ddim yn mynd i greu unrhyw gythrwfl ar Stryd y Frenhines.

Wrth gyrraedd top y grisiau clywodd Daniel sgrech gyfarwydd. Cododd ei ysgwyddau blinedig a throi bwlyn y drws. Roedd bloedd George Saven yn nodyn persain o'i gymharu ag wylofain boreol y babi blwydd. Aeth i mewn heb air, drwy'r cyntedd ac i'r lolfa. Yno roedd Stella'n dal ei baban ar ei glin o flaen y tân, gan osod cewyn am ei ben-ôl a'i gau â *safety pin*. Doedd y plentyn yn amlwg ddim yn gwerthfawrogi ei hymdrechion, a dangosai hyn drwy gicio ei goesau bach yn ffyrnig mewn ymdrech i ddianc o'i breichiau blinedig.

'Sut mae e?'

'Sai wedi cysgu drwy'r nos,' meddai hi, gan rwbio cefn ei llaw ar draws ei llygaid. 'Fi'n credu bod y crŵp 'dag e. Ma'i wddwg e'n chwibanu fel trên.'

'Wyt ti moyn i fi edrych ar ei ôl e am bach?'

Edrychodd hi arno drwy raeadr o wallt du anniben. 'Na, na. Ti angen dy gwsg hefyd.'

Roedd Stella'n ferch ddel iawn, hyd yn oed gyda'i llygaid yn goch ar ôl noson ar ddihun. Ond doedd hi ddim yn un am ddangos ei phrydferthwch. Doedd hi heb gydymffurfio eto â ffasiynau newydd y ddinas – y ffrogiau neilon a'r sgert fer, na'r gwallt mewn 'bob'. Roedd yn well ganddi hen bais gotwm a sanau o wlân tew.

Eisteddodd Daniel ar gadair a dechrau tynnu ei esgidiau. 'Oes yna rywbeth i'w fwyta?'

'Ma 'na Kelloggs i frecwast.'

'Ie, wel, mae'n amser swper i fi nawr. Wy angen rhywbeth 'da bach mwy o waith byta arno fe.'

'Ges i a Jac *fish* a *chips* neithiwr a ma 'na dipyn bach ar ôl os wyt ti moyn.'

'Ro'n i'n meddwl bo ti 'di cal bach o gig dafad gan Butch, hwnnw o'dd dros ben ddydd Sadwrn?'

'Mae e wedi troi'n ddrwg yn barod.'

Agorodd Daniel ddrws y pantri a sbecian i mewn. 'Dyna pam ges ti fe siŵr o fod.'

'Mae tun o ffrwythe, eirin gwlanog neu binafal.'

'Na, sai'n credu. O wel, wy'n mynd mas i swper heno ta beth,' meddai wrth hongian ei got ar y bachyn. 'Swper amser swper go iawn.'

'Wel, sai'n dod 'no...' meddai hi'n swta, gan osod y

plentyn ar y llawr. Rhedodd hwnnw ar hyd y llawr a chydio yn nhrowser Daniel.

'Wedes i na fyddet ti,' meddai gan godi'r plentyn i'w afael. 'Pobol o Landysul y'n nhw, heddwas a'i wraig.'

Llusgodd hi'r gwallt o'i llygaid syn. 'Holl bwynt dod i Gaerdydd oedd dianc rhag y crowd 'ny. Sai moyn i'r holl blydi lot ddod lawr fan hyn ac i'r holl ffys ddechre 'to.'

'Ni 'ma ers dros flwyddyn, Stella fach. Sneb o Ddyffryn Teifi, 'blaw ti, yn cofio am y babi 'na. A ta beth, ma'r rhain wedi bod 'ma ers pymtheg mlynedd...'

'Mae'r hen glecs yn symud yn ddigon cloi.'

'Ma fe'n meddwl ein bod ni'n perthyn mewn rhyw ffordd. Ei wraig e'n gefnither i Mam neu rywbeth.'

'Wel 'na fe 'te! Ma'n nhw'n gwbod yr hanes yn barod wedwn i, ac am ringo'r gweddill mas ohonot ti. Dyma ni wedi'n hachub rhag y bobol 'na wnaeth ein trin ni fel baw, a ti moyn mynd nôl i ymhél â nhw.'

'Dy drin di fel baw, Stella.'

'Fel yna mae ei gweld hi, ife?'

'Stella...'

Sgrechiodd y bachgen bach am sylw, a thynnodd Stella ef i'w dwylo a'i ddal fel tarian amddiffynnol. Roedd hi'n syllu i'r lle tân, a'r cythreuliaid yn ei llygaid wedi'u hadlewyrchu yn fflamau'r grât.

Gwyddai Daniel nad oedd diben gwastraffu ei amser cysgu gwerthfawr yn dadlau felly cerddodd ar ei union i fyny'r grisiau ac eistedd yn drwm ar y fatres blu, a honno'n suddo'n isel o dan ei bwysau. Byddai'n rhaid iddo brynu un newydd cyn bo hir – roedd hon wedi gweld ei dyddiau gorau. Ond ddim o orddefnydd, meddyliodd wrtho'i hun.

Yn araf tynnodd ei fresys gan adael iddyn nhw ddisgyn yn llipa bob ochor i'w ysgwyddau. Yna bachodd ei hosan chwith a'r dde yn ogystal â choesau ei drowser gan lusgo'r cwbwl i ffwrdd. Taflodd ei het ar bostyn y gwely. Roedd hi'n dipyn oerach bore 'ma, ond roedd hi wedi bod yn annhymhorol o boeth dros y dyddiau diwetha, ac yn rhy drymaidd erbyn hanner dydd i gysgu pe bai'n dringo o dan ei flanced. Felly penderfynodd orwedd ar ei phen yn ei ddillad isa. Roedd wedi arfer, erbyn hyn, cael y gwely iddo fe'i hun.

Ond doedd hi ddim yn hawdd i grwt o'r wlad gysgu mewn dinas yn ystod y dydd. Roedd drewdod y cig yn codi o'r siop oddi tano, ac roedd gan Butch ei gramoffon ymlaen yn chwarae 'Fifty Million Frenchmen Can't Be Wrong'. Ymhen ychydig byddai cloch drws y cigydd yn dechrau canu wrth i'r cwsmeriaid cynta gyrraedd. Trodd Daniel ei ben ar y glustog i geisio gwneud ei hun yn gyfforddus.

Cyn cyrraedd Caerdydd roedd wedi arfer cysgu yn nhawelwch y fferm. Heblaw am rochian cyfarwydd ei dad i lawr y grisiau ac ambell fref o'r cae doedd dim smic o'r adeg y câi'r gannwyll ola ei diffodd tan glochdar y ceiliog fore trannoeth. Ond doedd yna fyth dawelwch i'w gael yng Nghaerdydd, ac ers dechrau'r shifft nos cawsai fwy fyth o drafferth cysgu.

Deffrodd o'i bendwmpian wrth glywed sŵn traed ysgafn ar y llawr pren a drws yr ystafell wely yn gwichian.

'Wy wedi'i roi e nôl yn 'i wely,' sibrydodd Stella. 'Sai'n deall pam ei fod e'n dihuno mor gynnar os yw e'n mynd nôl i gysgu mor gloi.'

'Torri dannedd?' holodd Daniel.

'Sai'n gwbod. Sdim lot o le i fwy o ddannedd yn y geg 'na,' meddai hi ac eistedd ar y gwely. 'Mae'n dal i drio sugno'i fawd, a ma'r llyfr yn dweud fod e ddim fod neud 'ny. Ond ma'n llefen wedyn pan wy'n tynnu'i fawd e mas.'

Estynnodd Daniel ei law a mwytho ei chefn. Gwelodd ei hysgwyddau esgyrnog yn tynhau wrth iddo'i chyffwrdd.

'Y'n ni ddim wedi caru ers wythnose bellach.'

'Pryd y'n ni 'di cal amser?' gofynnodd hi gan roi gwên gyfrin.

Roedd hynny'n wir — ers iddo ddechrau'r shifft nos, ychydig fyddai'r ddau'n gweld ar ei gilydd. Roedd diwrnod y naill yn cychwyn wrth i'r llall orffen. Roedden nhw'n byw bywydau oedd yn plethu drwy'i gilydd, heb gyfarfod yn iawn.

'Wel, fe allen ni fod wedi creu amser i'n hunen pnawn 'ma, petaet ti ddim yn jolihoetan 'da dy ffrindie newy,' meddai hi.

'Dere 'mla'n, Stella. Ma Jac yn 'i wely.'

Ochneidiodd hi a thynnu ei choban dros ei phen. Wrth ei gweld yn noeth yng ngolau gwelw'r bore cofiai pam ei fod e wedi bod yn fodlon troi ei gefn ar bopeth oedd ganddo er ei mwyn hi. Roedd hi fel awyr iach iddo a dyna'r oll roedd ei angen arno i fyw.

'Wyt ti wedi cal gafael ar un o'r pethe plastig 'na 'to?' gofynnodd hi'n ddifater.

'O, Stella. Rhwbeth i filwyr sy'n cysgu 'da phuteiniaid yw'r rheina.'

'Ma'r merched erill yn eu iwso nhw 'da'u gwŷr.'

'A 'na beth y'ch chi'n 'i drafod yn 'ych cylch gweu?'

'Gan fod gobaith nawr i ferched i gyd gal y bleidlais, dylen nhw aller gweud be sy'n digwydd i'w cyrff nhw 'fyd, a phenderfynu ydyn nhw am gal plant.'

'Ti'n dechre swno fel blydi swffragét, fenyw!' ochneidiodd Daniel ac estyn i gau'r cyrtens.

'Hy, smo'r ffeministiaid yn credu mewn defnyddio pethe i atal cenhedlu,' meddai hi. 'Ma nhw'n gweud ma dim ond rhoi mwy o gyfle i ddynion ma nhw.'

'Ma rhai o'r merched yn y clwb gweu na sy 'da ti wedi cal o leia wyth o blant yr un a dyw 'u gwŷr nhw gatre'n neud dim byd ond torri'u gwinedd a'u gwylio nhw'n tyfu 'to,' meddai Daniel wrth wneud yn siŵr fod y cyrtens ar gau. 'Ac maen nhw'n pregethu wrthot ti am fod yn ofalus?'

'Sai moyn…' Claddodd hi ei hwyneb yn ei dwylo. 'Wy 'di gweud 'mod i eisie mynd yn ôl i weitho unweth bydd Jac yn ddigon hen. 'Na pam sai'n moyn dy briodi di.'

Gorweddodd Daniel ar y gwely a chau ei lygaid.

Ochneidiodd Stella a dweud yn dawel, 'Dan, ti'n gwbod shwt ma hi. Ma'r athrawon a'r nyrsys yn colli 'u gwaith unwaith bod y bosys yn gweld modrwy ar eu bysedd nhw. A ti'n gwbod 'sen i heb fod yn disgwyl yn y lle cynta fydden i ddim yn y twll 'ma.'

Agorodd Daniel ei lygaid. 'A gyda dyn lot ffeinach na fi, ife?'

Disgynnodd tawelwch annifyr dros yr ystafell wely. Hedfanodd pryfyn drwy'r ffenestr, troelli ddwywaith o amgylch y bwlb trydan noeth ar nenfwd yr ystafell, cyn dianc am y ffenestr eto. Fe fyddai haid ohonyn nhw'n casglu o amgylch siop y cigydd ar ddiwrnod poeth.

'Reit, y'n ni am garu neu beidio 'te?' gofynnodd.

Gorweddodd Stella yn ôl ar y gwely a chanolbwyntio ar y brychni paent ar y nenfwd uwch ei phen. Dringodd Daniel arni a thylino ei bronnau, cyn gwthio ei choesau ar agor â chledr ei law. Siglodd y gwely yn beryglus o simsan wrth iddynt garu.

'Shhh… paid â deffro Jac,' sibrydodd hi.

Ceisiodd ei dychmygu fel roedd hi. Hi oedd y ferch bertaf yn yr ardal, y ferch roedd wedi dyheu amdani cyhyd. Y ferch a welsai'n sefyll ar bont Llandysul un noson yn y ffair galan gaeaf, a golau'r lleuad fel gronynnau tywod yn ei gwallt.

Ceisiodd ailgynnau'r hen deimladau hynny wrth edrych arni nawr. Roedd hynny'n ddigon – teimlodd don o bleser yn llifo drwyddo, a disgynnodd yn un swp chwyslyd wrth ei hymyl.

Roedd hi'n dal i edrych ar y to a'i llygaid yn wag.

'Ti'n iawn?'

'Odw.'

Ar ôl rhyw hanner munud cododd a phenlinio i chwilota o dan y gwely. Tarodd ei llaw yn erbyn rhywbeth a chlywodd Daniel sŵn slochian.

'Os wyt ti'n mynd i ddefnyddio'r pot pisio cofia'i wagio fe wedyn,' meddai hi. 'Ma'n drewi'r lle.'

Cododd Stella eto gan afael mewn darn o sbwng ar ffon bren, a edrychai i Daniel yn debyg i blymiwr tŷ bach. Roedd e'n gyfarwydd â hyn. Cododd hi ar ei heistedd a gosod y ddyfais rhwng ei choesau. Wedi ychydig funudau o bwmpio egnïol, syrthiodd yn ôl ar y gwely'n fodlon.

'Gest ti fe i gyd?' gofynnodd Daniel yn ddiog.

'Sai'n gwbod,' meddai hi, gan godi i olchi'r ddyfais mewn bwced yng nghornel yr ystafell. 'Cofia gael un o'r pethau rwber 'na'r tro nesa. Neu fe a' i lawr at y bwtsiwr a gofyn iddo wneud un mas o bledren mochyn i ti.' Chwarddodd yn chwerw.

IX

CRAFODD Y GIÂT haearn ar hyd y llawr cerrig gyda gwich boenus gan atseinio drwy'r coridor cyfan. Clywodd Enoch gadwyn yn tincian yn y tywyllwch wrth i rywun fachu'r giât i'r wal, ac yna ddau bâr o sgidiau trwm yn dod tuag ato, mewn rhythm milwrol. Roedd y ddau yn siarad yn Saesneg, gydag acenion estron – ond roedd hi'n ddu bitsh yn ei gell, ac yn amhosib gwybod pa mor agos oedden nhw. Gan iddo fod yno ers oriau rhaid ei bod hi'n fore erbyn hyn. Ond roedden nhw wedi cymryd ei wats ac oherwydd nad oedd unrhyw ffenestri i weld y golau roedd yn amhosib gwybod i sicrwydd.

'Come with us, mate,' meddai un llais. Nawr roedden nhw y tu allan i'w gell. 'We don't want no trouble.' Ail lais, neu'r cynta eto?

Roedd Enoch Jones wedi hen arfer â charchardai, ac yn ddigon cyfforddus ynddyn nhw. Gwir, roedd carchardai Patagonia dipyn yn wahanol. Yno byddai troseddwyr yn segura yn yr haf yng ngwres annioddefol yr haul, fel siesta blynyddoedd o hyd, yn coginio yn eu diflastod eu hunain.

Roedd hwn yn wahanol – yn adeilad mawr, anghynnes, tywyll, yn debycach i un o gestyll yr Oesoedd Canol y darllenodd amdanynt mewn llyfrau am Gymru. Bwriad yr adeilad yma, fe wyddai, oedd codi ofn arno. Er gwaethaf hynny teimlai Enoch Jones yn ddiogel am y tro cynta ers cyrraedd Caerdydd gan ei fod ar ei ben ei hun mewn lle distaw, ymhell o sŵn y byd dryslyd y tu allan. Roedd trefn a rheolau mewn carchardai – creulondeb rhyngwladol a phawb yn gwybod ei le. Wrth dorri'r rheolau byddai pethau'n ddrwg, ond byddai pethau'n haws drwy gadw atynt. Roedd Enoch Jones wedi bod yn siryf yn ddigon hir i wybod bod hyd yn oed y gwarcheidwaid mwya atgas yn hoffi bywyd tawel yn y bôn. Doedden nhw ddim eisiau gorfod rhoi cweir i garcharor – roedd hynny'n ormod o waith caled, yn y pen draw.

Cerddodd Enoch i lawr y coridor gyda'r ddau heddwas bob ochor iddo. Er bod y cynteddau'n llawer lletach yno na'r rhai roedd wedi arfer â nhw yn yr Ariannin, eto roedd rhywbeth llawer mwy caeedig amdanyn nhw gan fod y cerrig yn dywyllach, a'r waliau'n cau amdano fel arch. Doedd dim ffenestri chwaith i'r haul na'r lleuad lifo drwyddynt. Teimlai fel pe bai mewn ogof danddaearol yng nghrombil y ddinas, yn yr isfyd.

O'r diwedd cyraeddasant res o ddrysau metel yn y wal.

'You wants me to rough him up a bit first?' gofynnodd un o'r heddweision.

'He looks like he's had enough for one night already,' meddai'r llall, a chwerthin yn ddihiwmor.

Teimlodd Enoch ddwrn yn plannu i mewn i'w fola a phlygodd drosodd mewn poen. Yna llusgwyd un o'r drysau metel ar agor a gwthiwyd ef drwyddo, yn ei gwrcwd.

Wrth i'w lygaid ddod yn gyfarwydd â'r golau gwan gwelodd ei fod mewn ystafell fechan goncrid, gyda desg fawr dderw yn ei chanol. Roedd yr ychydig eiddo oedd ganddo yn bentwr ar ei chanol. Doedd dim golwg o'i grys brwnt, ond roedd wedi cael un i'w wisgo gan y carchar, er nad oedd yn llawer glanach. Y tu ôl i'r ddesg eisteddai… ystlum? Ynteu heddwas? Deuai awel fain o rywle. Crynodd Enoch yn yr oerfel, gan frwydro am ei anadl.

'You speak English?' gofynnodd yr heddwas.

'A little,' atebodd Enoch, a'i acen yn bradychu ei Sbaeneg.

'Spanish?'

'Si. Segunda lengua.'

'I don't speak it,' meddai'r heddwas a chrymu ei ben. Estynnodd ei law a bwrw golwg ar un o'r cyfrolau ar y ddesg. 'Sit down. Siéntese.'

Gwthiwyd Enoch i lawr ar ei gadair gan ddwylo cryfion. Ond gydag un ystum o'i law dangosodd yr heddwas yr hoffai fod ar ei ben ei hun gyda'r carcharor. Caeodd y plismyn y drws yn glep ar eu hôl.

'You've stolen a Welsh Bible,' meddai'r heddwas, gan droi tudalennau'r llyfr. 'Though I suppose in your defence you weren't to know that it was a Bible when you stole it. I'm interested in knowing where you got it. A most peculiar translation. Why is "ff" written as "f" and "f" written as "v"? And "ch" as "x"? Tell me, what kind of petty thief would do that, steal a book they can't even understand?'

'Fy Meibl i yw hwnnw.'

Cododd yr heddwas ei lygaid o'r llyfr a syllu arno. Roedd hi'n ddigon oer yn yr ystafell a meddyliodd Enoch am eiliad ei fod wedi rhewi.

'Y'ch chi'n siarad Cymraeg,' meddai'r heddwas yn chwithig. Gosododd y Beibl i'r naill ochr. 'Wel wir. Un o Sgwâr Loudoun ffor 'na?'

Estynnodd Enoch ar draws y bwrdd a bachu ei fathodyn, gan sylwi bod yr heddwas yn gwylio pob symudiad yn bur amheus. 'Rydw i'n siryf o'r wladfa Gymreig yn yr Ariannin.' Daliodd ef i fyny yn y golau gwan.

Cymerodd yr heddwas ef a'i astudio. O'i gymharu â'r bathodyn arian caboledig a wisgai ef, yn cynnwys coron ar ei gopa a thorch lawryf ar bob ochr, edrychai bathodyn rhydlyd Enoch yn beth digon tila.

'Rwy'n deall sut y gallech chi fod wedi'i ddiystyru wrth

edrych drwy 'mhethau. Does fawr o sglein arno ar ôl tri deg mlynedd.'

'Beth yw eich enw, Siryf?' gofynnodd yr heddwas.

'Enoch Jones.'

'Rwy'n falch o gwrdd â chi. Ond dyw'r ffaith eich bod chi'n swyddog y gyfraith mewn gwlad arall ddim yn eich gosod chi y tu hwnt i'n cyfraith ni. Yn wir, mae'n gwneud pethau'n waeth. Ydych chi'n meddwl ei bod hi'n dderbyniol mynychu den opiwm ym mhwll drygioni Tre Biwt?'

'Rydw i ar fy ngwyliau.'

'Ac mae'n iawn i siryfion yr Ariannin dorri ein cyfraith pan nad ydych chi ar ddyletswydd?'

'Eisiau golchi 'nghrys oeddwn i,' meddai Enoch yn ddidwyll.

Edrychodd yr heddwas yn ddrwgdybus arno. 'Gai ofyn cwestiwn i chi, Enoch? Ers faint ydych chi yng Nghaerdydd?'

'Newydd gyrraedd pnawn 'ma. Neu neithiwr, yn dibynnu ar faint o'r gloch yw hi erbyn hyn.'

Rhythodd yr heddwas arno am sbel hir, fel petai'n ceisio dyfalu a oedd yn cellwair ai peidio. Yna gwenodd a chodi rhywbeth oddi ar y bwrdd. 'Falle fod hynny'n esbonio pam bod eich wats chi bedair awr allan ohoni. Mae'n saith y bore yng Nghymru, gyda llaw.' Gwthiodd yr heddwas ei glogyn oddi ar ei ysgwyddau, a phwyso ymlaen yn ei sedd. 'Rydw i'n ymddiheuro, Siryf Jones. A finnau wedi meddwl mai rhyw fân leidr oeddech chi, wedi'ch chwydu oddi ar long gyda gweddill y llysnafedd troseddol sy'n llifo i mewn i'r ddinas yma drwy'r bae.'

'Ddim o gwbwl. A dweud y gwir, efallai ei bod hi'n beth da ein bod ni wedi cwrdd. Roeddwn i'n chwilio am heddwas i gwyno 'mod i wedi dioddef trosedd fy hun, wrth gyrraedd eich porthladd.'

'Trosedd, yn y bae?' gofynnodd yr heddwas yn goeglyd, gyda digrifwch lond ei lygaid. 'Ymhle yn y bae y gall trosedd fod yn digwydd? Ym mhuteindai'r Somaliaid ynteu pydewau gamblo'r Tsieineaid?'

'Wedi colli fy siwtces ydw i,' meddai Enoch yn ddryslyd.

'Bydd eich siwtces hanner ffordd i'r Caribî erbyn hyn, neu'n gartre i granc ar waelod yr Hafren, mwy na thebyg. Does gan drigolion Tiger Bay ddim yr un moesau â ni, wyddoch chi. Troseddwyr treisgar a lladron yw'r cwbwl ohonyn nhw. Ma'n nhw'n mynd a dod drwy'r porthladd yn llofruddio a dwyn fel mynnon nhw.'

'Does dim y gallwch chi 'i wneud am y peth? Rhoi mwy o heddlu i gerdded y strydoedd?'

'Hyn yn oed pe bai gyda ni'r arian i dalu am fwy na llond llaw o heddweision digon dwl i grwydro'r strydoedd, mae Tiger Bay yn gaer anorchfygol o drosedd. Pe bawn i'n gyrru heddwas i batrolio lawr fan 'no fe fydde tyrfa wedi casglu ac ar ei ôl e o fewn munudau ac fe fydde fe yn yr ysbyty, neu yn y marwdy, erbyn diwedd y dydd. Na, fyddai dim byd yn llwyddo heblaw gwacáu'r cyfan allan i'r môr ar hyd y Taf, fel carthion.'

'Dim rhyfedd bod trosedd yn ffynnu yno, ddywedwn i, os oes ganddoch chi agwedd mor ddi-hid tuag ato. Pe baech chi'n gwneud esiampl o ambell un rydw i'n siŵr y byddai'r lleill yn dysgu'r wers…'

'Dysgu gwers? Mae morwyr ledled y byd yn cyrraedd y porthladd, a dim ond yn aros yn ddigon hir i ddadlwytho a llenwi eu llongau, a gamblo, ymladd a dod i nabod y puteiniaid. Os ydych chi'n canfod corff mwy na diwrnod oed, bydd y llofrudd eisoes ar ei ffordd i Singapore neu Cairo neu rywle.'

Cododd ar ei draed a phwyso ar draws y bwrdd.

'Chi'n gwbod pam 'u bod nhw'n 'i alw fe'n Tiger Bay?'

'Pam?'

'Am ei fod e'n greadur lliwgar a pheryglus. Diolch byth dyw'r tyrfaoedd lliwgar sy'n ymdrochi yno byth bron yn crwydro tu hwnt i'r gamlas. Ond ewch am dro ar hyd Stryd Biwt gyda'r nos ac fe welwch chi bethau na allai dyn yn ei iawn bwyll sôn amdanynt. Ac fe fyddech chi'n ffodus o gael dianc heb gyllell yn eich cefn.'

Gyda hynny ysgydwodd yr heddwas ei law.

'Y Ditectif Arolygydd Owen Owens ydw i,' meddai. 'Ry'ch chi'n fy atgoffa i o blismon sy newydd ymuno â'r ffors. Yn llawn delfrydau a brwdfrydedd. Gwyn eich byd chi yn yr Ariannin os ydi'r ymdeimlad hwnnw wedi parhau am dros dri deg mlynedd.' Tynnodd ei law yn ôl. 'Mae 'ngreddf i fel plismon yn dweud wrtha i 'ych bod chi'n ddyn da, ac rwy'n teimlo rhyw ddyletswydd i'ch helpu chi. Allwn ni wneud dim byd am eich siwtces, ond falle gallen ni wneud yn iawn am 'ych cloi chi ar gam drwy gynnig rhywfaint o letygarwch. Gethoch chi damed o gwsg yn 'ych cell?'

'Dim o gwbwl. Ond mae gen i ystafell yn y Cairo Hotel ar Stryd Biwt.'

Chwarddodd yr heddwas. 'Wnaiff hynny mo'r tro o gwbwl. Byddwch chi'n lwcus i ddianc o shwd le â'ch crys ar 'ych cefen, brwnt neu beidio. Mae fy shifft i'n dod i ben nawr ac fe gewch chi aros 'da fi heddiw, ond wy'n awgrymu y dylech chi chwilio am lety mwy diogel erbyn heno. Mae'r Great Western Hotel ger y rheilffordd yn llawer brafiach lle i aros.'

'Mae ambell i beth ar ôl yn fy stafell yn y Cairo…'

'Anghofiwch nhw,' meddai Owen Owens gyda gwên yn llawn cydymdeimlad. 'Fyddan nhw ddim yno erbyn hyn.'

X

Safai tŷ Cynog Price rhwng dwy lein reilffordd a âi
i gyfeiriad Dock Station i un cyfeiriad ac i'r brif orsaf
drenau i'r llall, ar y ffin rhwng canol y ddinas ac adeiladau
diwydiannol y dociau tu hwnt. Sylwodd John wrth gyrraedd
na fyddai arno angen rhif y tŷ wedi'r cwbwl – dim ond un
o'r tai teras deulawr oedd yn dal yn sefyll ar y stryd. Roedd
y gweddill wedi'u cnocio i lawr ar ryw adeg yn y gorffennol
a'r rwbel yn dal yno, fel pe bai'r gwaith wedi'i adael ar ei
hanner. Gwelodd John wrth agosáu bod siâp ystafelloedd a
grisiau cydymaith coll y tŷ yn dal yn weladwy ar y wal. Safai
yno fel sowldiwr unig yn edrych i gyfeiriad canol y ddinas i'r
gogledd a'r dociau i'r de.

Tynnodd John ei got amdano'n dynnach. Roedd yna
wynt wedi codi o'r gorllewin a dim ond fan hyn oedd yn
ddigon agored iddo ei deimlo.

Ar ôl anturiaethau'r noson cynt roedd wedi mynd yn
syth am ei wely a chael dwy neu dair awr o gwsg cyn i'r haul
ei godi eto toc wedi chwech. Gadawodd y fflat ryw awr yn
ddiweddarach, ar ôl gwneud brecwast iddo ef a'i dad-cu, a
cherdded tua milltir o'i gartre i'r fan hyn. Cnociodd John
ar y drws yn ysgafn a sefyll yno'n dylyfu gên a disgwyl.
Gobeithiai y câi gyfle i gysgu eto yn ystod y dydd cyn
dechrau ei shifft nesa tua saith o'r gloch y nos.

Agorodd cil y drws a gwelodd wyneb Cynog yn sbecian
allan ohono. Roedd golwg flinedig arno ef hefyd.

'Rwyt ti'n fore,' meddai a sefyll o'r neilltu iddo gael
cerdded i mewn.

Camodd John drwy'r drws a chaeodd Cynog ef ar ei ôl
cyn ei arwain drwodd i'r ystafell fyw. Roedd yr un blerwch

y tu mewn i'r tŷ â'r tu allan. Yr unig wahaniaeth fan hyn oedd mai llyfrau oedd yn gorchuddio'r llawr yn hytrach na rwbel. Roedd degau o lyfrau eraill wedi'u pentyrru mewn bocsys, fel petai Cynog newydd symud i mewn, neu ar fin symud allan.

'Sdim gwraig 'da chi?' gofynnodd John wrth weld y llanast ym mhobman.

'Sdim angen un arna i, heblaw fel morwyn.'

'Ma'n rhaid bod yr holl lyfrau 'ma 'di costio lot,' meddai John gan godi llyfr gan Elinor Glyn a byseddu drwyddo.

'Casglu cwpons mewn papure newydd ydw i gan fwya. Byddwn i'n hoffi bod yn rhan o'r byd cyhoeddi pe bawn i'n colli diddordeb mewn newyddiadurethe. Ceisio cyhoeddi llyfrau mae pobol gyffredin yn gallu eu fforddio.'

'Y'ch chi 'di'u darllen nhw i gyd?'

'Wy'n hoffi darllen agoriad llyfrau, ond ddim y gweddill. Mae awdur yn taflu popeth atat ti ar ddechrau llyfr, i drio dal dy sylw. Dyna'r darn mwya dadlennol,' meddai Cynog wrth symud y pentwr mawr o bapurau oddi ar y bwrdd, oedd wedi diflannu dan y blerwch. 'Dyna pam wy'n hoffi papure newydd. Mae'r sylwedd i gyd yn y frawddeg gynta, ac mae holl ymdrech y newyddiadurwr profiadol yn mynd i'r ychydig eiriau hynny. Oeddet ti'n gwybod mai dim ond paragraff cynta dy stori wneith dros hanner dy ddarllenwyr drafferthu 'i ddarllen? Falle bydd rhyw ddau ym mhob deg yn darllen tan y trydydd neu'r pedwerydd paragraff. Wneith rhyw un ym mhob cant ddarllen y cwbwl. Os wyt ti'n sgrifennu stori ar gyfer canol y papur, heibio'r degfed paragraff 'run man i ti sgrifennu bod y Brenin yn fastard Almaenaidd a'i fab yn ffasgydd – wneith neb sylwi.'

Doedd John erioed wedi clywed neb yn diawlio'r Brenin mewn ffordd mor ffwrdd â hi o'r blaen. Camodd Cynog dros ei gasgliad anniben ac eistedd wrth y bwrdd, gan symud pentwr o bapurau oddi ar ei gadair.

'Eistedda,' meddai'n ddifrifol.

Doedd dim cadair arall yn yr ystafell felly aeth John i eistedd ar un o'r bocsys llyfrau y pen arall i'r bwrdd. Edrychodd allan drwy ffenestri blaen yr ystafell fyw ar y stryd wag y tu allan. Roedd yr awyr yn llwyd ac yn edrych fel pe bai hi'n mynd i fwrw cyn hir. Yn y pellter gallai weld pont fwa yr âi'r trên drosti'n achlysurol. Tu hwnt i honno roedd wal frics â'r geiriau 'Buy the Mail' wedi'u paentio arni mewn llythrennau bras decllath o uchder, a 'Largest circulation in Wales' oddi tano.

'Ydi'r trenau'n mynd heibio'n amal?' gofynnodd.

'Bob ychydig funude. Sai 'di trafferthu gosod silffoedd, neu disgyn bydden nhw, mae'n siŵr.'

Dechreuodd Cynog fyseddu drwy lyfr oedd o'i flaen ar y ddesg, gan ddarllen dipyn o bob tudalen, fel petai'n edrych am rywbeth. Ceisiodd John ddarllen y geiriau ben i waered.

'Coal of high quality such as that in the South Wales coalfields also carries a greater risk of faults which may lead to a halting of production or even abandonment of the seam...' darllenodd. Yna roedd Cynog wedi nodi'r geiriau 'dangerous' a 'disaster' yn ei ysgrifen traed brain, a'u tanlinellu ddwywaith. 'Intrusions in coal seams are known as sills, and can collapse completely if unsupported or damaged by an explosion in a gassy...'

Caeodd Cynog y llyfr yn glep gan wneud i John neidio. Edrychodd y golygydd arno, ac yna allan drwy'r ffenestr ar y wal frics tu hwnt i'r rheilffordd ble'r oedd yr hysbyseb. 'Byddwn i'n hoffi chwalu'r wal 'na,' meddai, fel pe bai'n siarad â fe'i hunan.

Gosododd y llyfr yn ôl ar y pentwr gyda'r lleill.

'Reit, beth welest ti lawr yn y dociau neithiwr 'te?'

Esboniodd John y cyfan roedd e wedi'i glywed a'i weld yn y dociau'r noson cynt, yn betrusgar i ddechrau. Ond wrth adrodd manylion afiach y llofruddiaeth, poerodd y cwbwl allan fel taten boeth.

Amneidiodd Cynog, fel pe na bai wedi'i synnu o gwbwl.

'Duw a ŵyr beth sy'n digwydd lawr yn y dociau yna gyda'r nos. Ond yn anffodus sai'n credu y byddai enw da'r Arglwydd Tremaen yn cael ei ddifrïo gan sgandal mor bitw â diflaniad anesboniadwy cwpwl o bobol estron yn Tiger Bay. Mae llawer o bobol yn dal i deimlo casineb at y lle ar ôl y reiots.' Edrychodd i fyw llygaid John. 'Ond wrth gwrs, rwyt ti'n gwybod am y rheiny yn well na neb.'

Ddywedodd John ddim byd, dim ond syllu'n ddyfal ar wyneb y ford dderw.

'Ro'n i'n nabod dy dad. Newyddiadurwr penigamp. Dyn dysg. Fyddwn i erioed wedi dyfalu ei fod e'n byw yn Nhre Biwt ac yn fab i löwr. Wedi dringo ymhell, chwarae teg. Chlywais i erioed fod ganddo fab, chwaith. Ond roedd yn un o'r rheiny a gadwai fywyd gwaith a'i fywyd preifet gartre yn hollol ar wahân.'

Eisteddodd yn ôl yn ei gadair a phlethu'i ddwylo y tu ôl i'w ben.

'Does 'da ti ddim dawn sgrifennu dy dad, ddim eto ta beth, ac rwyt ti'n rhy swil i wneud rhywbeth ohoni fel newyddiadurwr sy'n ymchwilio storïau. Ond wy'n credu bod 'da ti ddyfodol yn y papur 'ma – ma rhywbeth, sut galla i roi fe, fel llygoden amdanat ti. Rhywun all gwato mewn tylle a chodi'i glustie. Petaet ti wedi dy eni genhedlaeth ynghynt byddet ti wedi cael dy yrru allan i Ferlin i guddio dan estyll y Kaiser. Mae gen i lond stafell newyddion o hen ddynion alla i'm eu diswyddo rhag ofn i fi achosi gwrthryfel. Rwy angen gwaed ffres. Ond mae'n rhaid i ti brofi dy hunan i fi.'

Meiddiodd John godi ei lygaid i edrych yn betrusgar arno.

'Mae gan yr hybarch Arglwydd Tremaen bwll glo yn y Cymoedd,' meddai Cynog. 'Roedd rheilffordd Dyffryn Taf a'r gamlas yn arfer mynd yn syth drwy'r lle ac mae'r pwll yn un o brif gyflenwyr Morgan & Davies – cwmni allforio mae'r Arglwydd Tremaen yn berchen ar hanner ei gyfranddaliadau. Un o warysau'r cwmni losgodd i'r llawr mewn amgylchiadau amheus neithiwr.'

'Pwy y'ch chi'n meddwl losgodd hi?' gofynnodd John.

'Pwy a ŵyr. Falle mai'r bobol dramor 'na oedd yn gyfrifol. Falle fod pobol yr Arglwydd Tremaen wedi'i llosgi hi lawr eu hunen. Roedd y warws yna'n dri chwarter gwag os oedd yna unrhyw beth ynddi o gwbwl. Ac os ydi'r Arglwydd yn gorfod torri'r gyfraith mewn modd mor amlwg mae'n rhaid bod ei fusnes e mewn trwbwl.'

'Sdim glo ar ôl?'

'Mae glo ar ôl, rwy'n siŵr, ond ei fod e'n bell i lawr ac yn costio mwy i ddod â fe i'r wyneb nag yw ei werth ar y farchnad erbyn hyn. Ond mae'r glo'n dal i ddod i lawr, fesul diferyn, sy'n golygu 'i fod e'n 'i gael e rywle yn agosach at yr wyneb.'

Rhoes gledr ei law ar y llyfr y bu'n ei ddarllen. 'Rwy wedi clywed sïon gan rai o'r gweithwyr lan 'co yn 'i bwll glo yn Nhremaen 'i fod e 'di dechre cloddio gwythienne o lo sy ddim yn saff, ac mae pobol wedi bod yn sôn bod eu tai nhw'n suddo bob yn dipyn.'

'Mae'n tyllu o dan y tai?'

'Ymsuddiant, dyna ma nhw'n ei alw fe, a dim ond mater

o amser yw hi tan y bydd y stryd gyfan yn suddo. Trychineb go iawn. Cannoedd yn colli eu bywydau o bosib, ar yr wyneb ac o dan y graig. Alli di ddychmygu, gŵr yn chwysu o dan y ddaear am ei geiniog heb wybod ei fod e, gyda phob ergyd o'i fandrel, yn gwanhau'r seiliau sy'n cadw ei wraig, ei blant a'i holl eiddo rhag disgyn? Stori wych. Wrth gwrs, mae gan yr Arglwydd Tremaen ormod o ffrindie pwerus i unrhyw faw stico wrtho pe bai rhywbeth yn digwydd. Ond os gallwn ni dynnu sylw at y peth nawr a phrofi 'i fod e'n gwbod, bydd hi'n anoddach iddo olchi'r llwch du oddi ar 'i ddwylo, fel petai. Dim ond sïon yw'r rhain, wrth gwrs. Ond wy am i ti fynd lan i weld beth sy'n digwydd yno.'

Amneidiodd John yn frwdfrydig. Dyma'i gyfle fe i ddangos y gallai fod yn newyddiadurwr da. Er hynny roedd e'n poeni braidd am orfod teithio i fyny i'r Cymoedd – doedd e erioed wedi bod dim pellach na'r Eglwys Newydd.

'Bydd hon yn dipyn o stori os gallwn ni gael gafael arni,' meddai Cynog, gan edrych drwy'r ffenestr unwaith eto. 'Yn gwmws y math o newyddion ma pobol eisie'i glywed. Newyddion am bobol go iawn yn cal cam. Dyfal donc biau hi. Ond bydd yn ofalus – dyw gohebwyr marw yn werth dim i fi.'

Sylwodd John fod Cynog yn syllu ar y wal frics eto. Trodd ei ben a gwenu'n gam ar y newyddiadurwr ifanc.

'Gyda llaw, wnes i grybwyll taw'r Arglwydd Tremaen sy biau'r *Mail* 'fyd?'

XI

ROEDD CARTRE OWEN Owens yn Temperance Town, penrhyn bychan o strydoedd teras unffurf ar lannau'r Taf. Cerddodd ef ac Enoch heibio'r orsaf dramiau ar dop y brif stryd ac i lawr i ben draw'r rhes. Troellai cudynnau o fwg o simneiau bron pob un o'r tai ond roedd y strydoedd yn dawel yr adeg yma o'r bore.

'Roedd y Taf yn arfer llifo drwy fan hyn, ond bu'n rhaid iddyn nhw ei hailgyfeirio er mwyn adeiladu'r orsaf drenau,' meddai Owen Owens. 'Gadawodd hynny gnepyn o dir ar ôl fan hyn i adeiladu arno. A 'na beth yw'r lle 'ma, hefyd – penrhyn bychan o ddaioni ar lannau dinas llawn budreddi.'

Drwy lygaid Enoch edrychai yr un mor fudr â gweddill y ddinas. Ym mhen draw'r strydoedd o dai clòs arweiniai llethr mwdlyd at brif fynediad yr orsaf drenau. Ar yr ochor arall, i'r gogledd, ymestynnai darn corsiog o dir ar hyd glannau'r Taf tuag at waliau stadiwm Parc yr Arfau.

'Eisteddfod Street.' Darllenodd Enoch yr arwydd yn falch wrth iddyn nhw droi heibio postyn lamp nwy i lawr y stryd agosaf at y Taf. 'Mae rhai'n dathlu'r Eisteddfod yn y Wladfa.'

'Ma 'na hanes diddorol y tu ôl i enwau strydoedd y lle 'ma ti'n gwbod. Cafodd Wood Street 'i henwi ar ôl y Cyrnol Edward Wood – llwyrymwrthodwr cryf. Wrth werthu'r les i adeiladu Temperance Town fan hyn fe osododd e amod nad oedd 'run dafarn na chwmni bragu cwrw yn cael ymgartrefu 'ma – o hynny daeth yr enw Temperance Town, tre dirwest.'

'Ond dwi'n medru ogleuo cwrw,' meddai Enoch gan ffroeni'r awyr.

'Ie,' grwgnachodd Owen. 'Dyw bragdy Brains ddim ymhell ffor 'co, ac ma gwynt y bragdy'n cal 'i gario dros y ddinas gan awel y môr. Ond ta beth, mae gwaharddiad y Cyrnol wedi rhoi cadernid moesol i drigolion Temperance Town, er gwaetha'r tlodi. Sdim o froc drygionus gweddill y ddinas yn llifo i'r strydoedd hyn. Capel, ysgol a chymuned sy'n bwysig i'r trigolion.'

Tynnodd allwedd fawr o blith y degau oedd yn hongian ar gadwyn am ei wregys. 'Wrth gwrs, dyw cael plismon yn byw ar yr un stryd â chi ddim yn gwneud drwg chwaith,' meddai. 'Rwy'n gwneud pwynt o gael fy ngweld yn y gymuned. Rwy'n flaenor yn y capel ac yn llywodraethwr yn yr ysgol 'co.'

'Beth sy'n gyfrifol am y broc drygionus yma 'te, Ditectif?' gofynnodd Enoch.

Rhychodd Owen ei dalcen. 'Mae pethe wedi gwaethygu, yn enwedig ers y rhyfel ar ôl i bawb weld pethe erchyll, wrth gwrs. Mae'n anodd peidio dod â rhywfaint o hynny yn ôl gyda ti – rhyw agwedd ffwrdd â hi, hedonistaidd bron â bod, at fywyd.'

Fe aethon nhw heibio i siop groser ar y gornel, lle safai dyn bach gyda barf pigfain llwyd yn eu gwylio'n fanwl. Cododd Owen law arno.

'Mae moese merched erbyn hyn yn llacach, hefyd,' meddai wedyn. 'Fe gaethon nhw eu cyfle i weithio tu fas i'r cartre adeg y rhyfel ond nawr maen nhw'n creu probleme diweithdra i ddynion – ac yn disgwyl cael bod fel dynion ym mhob agwedd arall o'u bywydau. Ma nhw'n gwisgo'u gwallt yn fyr, a'u sgertie wedi'u torri uwch eu pengliniau. Does dim golwg magu plant arnyn nhw, nawr na byth. Ar yr hen ryfel 'na ma'r bai.'

Daeth o'r diwedd at ddrws y tŷ a throi'r allwedd yn y

clo. 'Oes 'na bobol?' galwodd i'r tywyllwch. Tynnodd ei het uchel oddi ar ei ben er mwyn camu drwy'r drws isel. 'Marian, mae 'da ni ymwelydd.'

Camodd Enoch i mewn ar ei ôl. Llenwyd ei ffroenau gan arogl tamp. Doedd dim llawer o olau yn treiddio i mewn i'r tŷ ond hyd yn oed yn y gwyll gallai weld nad oedd ei ymweliad yn mynd i fod yn un poblogaidd. Roedd gwraig Owen wedi hel ei phlant tuag ati ac yn syllu arno fe a'i gŵr bob yn ail gyda chymysgedd o ofn a chynddaredd.

'Dyma'r Siryf Enoch Jones o'r Wladfa ym Mhatagonia. Mae e wedi cael noson ddigon annymunol yng nghelloedd ei Fawrhydi a bydd yn aros draw 'ma heddiw am wely a tamed o swper.'

Agorodd a chaeodd ei wraig ei cheg fel pysgodyn aur.

'Allet ti baratoi'r gwely yn stafell y plant, Marian?' gofynnodd Owen. 'Fe a' inne i 'ngwely, toc, ar ôl hel y plant i'r ysgol.'

Gwthiodd Marian ei phlant, oedd yn troi eu gyddfau i gael gwell golwg ar Enoch, drwy ddrws y gegin cyn brysio yn gyffro i gyd i fyny'r grisiau i baratoi'r gwely.

Tŷ digon tlawd oedd hwn, gallai Enoch weld hynny. Stafell fyw a chegin, a dim ond dwy ystafell lofft rhyngddyn nhw mae'n siŵr. Roedd yr arogl tamprwydd yn llethol a gallai weld ble'r oedd y waliau wedi dechrau bolio a hollti. Doedd gan y rhain ddim llawer i'w gynnig, ond roedd hynny'n gwneud caredigrwydd Owen Owens tuag ato'n fwy.

'Gobeithio y bydd yn gwneud y tro i chi, a'i fod e ddim yn rhy fach,' meddai Owen wrth ei dywys i fyny'r grisiau i'r ystafell wely. 'Mae'n ddrwg 'da fi am y dolie a'r annibendod – stafell y plant fel arfer. Gobeithio bydd y gwely'n gyfforddus.'

Roedd dau wely wedi'u stwffio i mewn i'r ystafell ar lawr o estyll pren anwastad. Edrychai un ffenestr allan at gefn y tŷ, ac roedd llun bach wedi'i fframio o'r Tywysog Edward yn hongian ar y wal.

'Mae'n edrych yn llawer mwy cyfforddus nag ydw i wedi arfer â fo,' meddai Enoch, gan ddweud calon y gwir. Roedd wedi cymryd siesta yng nghysgod ei geffyl lawer tro ar ddiffeithwch Patagonia.

Wedi i Owen ei adael tynnodd y flanced denau oddi ar y gwely, gan ysgwyd sawl gwyfyn oddi arni, a gorwedd ar y fatres yn ei ddillad. Edrychodd ar ei wats a'i newid hi i'r amser lleol, hanner awr wedi wyth y bore, fel y byddai'n gwybod ble'r oedd pan fyddai'n deffro. Tynnodd ei het a'i gosod dros ei lygaid. Roedd hi'n swnllyd y tu allan. Gallai glywed trên ar ôl trên yn cyrraedd a gadael yr orsaf. Cychod yn gwegian yn swrth ar yr afon. Plant yn chwarae marblis a ffraeo dros io-io yn iard yr ysgol y tu cefn i'r tŷ. Dwy wylan yn ymladd ar sil y ffenestr dros ddarn o bysgodyn wedi'i ddwyn oddi ar gwch pysgota. A lleisiau uchel Owen a'i wraig yn cweryla drwy'r llawr tenau.

'Tywyll gan heulwen yw 'i groen e, Marian. Mae e wedi teithio'n bell o wlad llawer poethach na hon.'

'Dim heulwen achosodd y clais glas 'na ar 'i ên. Wedi bod yn ymladd ma fe, yn siŵr i chi. Beth am y plant, Owen?'

'Rhoi llety iddo yw'r peth Cristnogol i'w wneud. Mae e'n Gymro, Marian, yn gefnder i ni o bell, ar goll mewn gwlad ddieithr. Pe bai e wedi treulio noson arall ar y penrhyn aflan 'na pwy a ŵyr beth fyddai wedi digwydd iddo fe.'

'O, Owen, ry'ch chi'n codi cyfog arna i...'

Ar ôl ychydig funudau tawodd y lleisiau, a syrthiodd Enoch i drwmgwsg. Breuddwydiodd am haid o wylanod, eu plu'n glaerwyn yn erbyn eu clogynnau du, yn ei hel a'i bastynu i lawr un o strydoedd troellog Tre Biwt.

XII

DEFFRODD DANIEL A theimlo pwysau ar ei gefn. Trodd ei ben a gweld llaw, corff ac yna wyneb cysglyd ger ei ysgwydd.

Wrth ei deimlo'n troi agorodd hi ei llygaid. 'Shhh,' sibrydodd. 'Mae Jac yn dal i gysgu.'

'Ydi e heb ddihuno o gwbwl?'

Gwenodd hi. 'Saith awr gyfan. Ti'n meddwl dylwn i fynd i weld ei fod e'n iawn?'

'Gad e am dipyn bach,' meddai Daniel a thynnu ei braich hi'n ôl amdano.

Ochneidiodd hi. 'Na, gwell i fi fynd.'

Datgymalodd ei breichiau o gefn Daniel a thynnu'r garthen oddi arni. Safodd ynghanol y llawr ac ymestyn ei breichiau, a gwerthfawrogodd Daniel siâp ei chorff drwy ei choban, wedi'i oleuo'n dryloyw gan yr haul drwy'r ffenestr.

Gwelodd hi'n tynnu ei bysedd ar draws ei bol fel pe bai hi'n mesur faint o floneg oedd yno.

'Paid poeni, so ti'n dew o gwbwl,' meddai Daniel.

Edrychodd hi'n siarp arno, cyn gadael am yr ystafell arall, lle cysgai Jac yn ei grud. Cododd Daniel a dechrau tynnu'i ddillad amdano.

'Mae e'n cysgu'n sownd,' meddai Stella wrth ddychwelyd. Gorweddodd ar y gwely a chau ei llygaid.

Mwythodd Daniel ei gwallt â'i law. 'Wy'n caru ti.'

'Caru ti 'fyd.'

Llyncodd Daniel ei boer. Roedd e wedi bod yn meddwl gofyn cwestiwn i Stella ers sbel. Ond nawr bod y ddau'n weddol gytûn holodd hi.

'Ti'n meddwl y dylen ni'n dou gael babi?'

Crychodd Stella ei thalcen ac agor ei llygaid. 'Beth? Smo ti'n gwrando dim arna i.'

'Wy'n dod â digon o arian i mewn, on'd ydw i? Fydde fe ddim yn ormod o faich ariannol...'

'Daniel, smo ni'n briod.'

'Wel, beth am i ni briodi 'te?'

Caeodd ei llygaid eto a thynnu ar ei gwallt, rhywbeth roedd Daniel wedi sylwi arni'n gwneud sawl gwaith pan fyddai wedi'i chythruddo.

'Sawl gwaith sy rhaid i ni drafod hyn?' meddai. 'Sai moyn priodi.'

'Wel, beth sy'n bod ar gal babi 'te?' gofynnodd Daniel, gan eistedd wrth ei hochor.

'Ma gyda ni fabi! Smo ti'n edrych llawer arno fe fel ma hi. Ma'n hawdd i ti weud bod ti moyn babi pan wyt ti mas yn y gwaith drwy'r nos ac yn dy wely drwy'r dydd.'

'Ond dim 'y mabi i yw e.'

Eisteddodd Stella i fyny ar y gwely a phlethu ei dwylo a synhwyrodd Daniel ei fod wedi mynd yn rhy bell. 'Ma fi a Jac yn hollol glwm wrth ein gilydd, Daniel. Alli di ddim cal un heb y llall.'

Cododd Daniel ei ddwylo'n amddiffynnol o'i flaen. ''Na gyd wy'n weud yw y bydden ni'n teimlo'n fwy fel teulu wedyn.'

'A beth y'n ni nawr 'te?'

'Sai'n gwbod. Wy'n teimlo'n bod ni'n garcharorion yn dianc rhag y gyfraith weithie. Fel pe bai dy dad wedi'n halltudio ni o Ardd Eden.'

'Fydde'n well 'da ti fynd yn ôl?' gofynnodd hi, gan godi. 'Sut groeso ti'n meddwl bydden ni'n 'i gael? Eu llyged nhw'n cyhuddo ni, pawb yn gwenu'n ffals, yn siarad amdanon ni tu ôl i'n cefne.'

Wrth i Daniel weld ei bod hi'n cynhyrfu camodd draw ati a rhoi ei freichiau amdani. 'Dere 'ma.'

Toddodd hi i mewn i'w grys.

'Paid poeni,' meddai gan rwbio'i law fawr ar hyd ei chefn. 'Fyddwn ni'n iawn, cei di weld. Unwaith bydd Jac bach yn hŷn, alla i neud fwy 'da fe, ti'n gweld. So fe moyn dim byd nawr ond cal newid 'i gewyn. Alla i fynd â fe i gême pêl-droed. Hei, ti'n meddwl gallen i fynd â fe i Wembley penwythnos 'ma?'

Daeth ei hwyneb allan o'i grys yn gwenu, ond roedd ôl dagrau ar ei bochau.

'Ti a dy bêl-droed,' meddai. Estynnodd ar flaenau ei thraed a'i gusanu ar ei foch.

'Dim babi a dim priodi 'te?' gofynnodd.

Gwnaeth Stella geg gam. 'Dim am nawr ta beth.'

★　★　★

Roedd hi'n brynhawn erbyn hyn. Ochneidiodd George Saven ac edrych ar y pentwr truenus o bapurau newydd a orweddai'n fwndel gwlyb ar y palmant wrth ei ymyl. Nid oedd wedi llwyddo i werthu eu hanner nhw.

Methu penderfynu pwy oedd eu cynulleidfa, dyna oedd y broblem, meddyliodd. Doedd dim pwynt codi'r pris fel 'na a cheisio ei werthu fel papur ffansi os oedd pethau comon fel llofruddiaethau ar y dudalen flaen. Roedd y dosbarth gweithiol wrth eu bodd yn darllen am bethe fel yna – llofruddiaethau ymysg y dosbarth uchaf, twyllwyr, gwleidyddion a chlerigwyr wedi'u dal â'u trowseri i lawr neu'n cymryd arian nad oedd hawl ganddyn nhw iddo. Ond doedd gan y dosbarthiadau uwch ddim diddordeb. Dylen nhw fod wedi arwain gyda'r stori 'na am yr Amgueddfa Genedlaethol newydd. Dyna oedd byrdwn sgwrs yr holl grach – roedd eu hanner nhw'n mynd i fod yno.

Byddai'r Brenin yno hefyd, mae'n debyg. Roedd George yn benderfynol o gael cip arno'n cyrraedd am ei fod e'n teimlo bod ganddo ryw gysylltiad arbennig ag e, â'r ddau'n rhannu'r un enw. Ond o ystyried corffolaeth fechan George roedd hi'n annhebygol iawn y byddai'n gallu ei weld dros bennau'r tyrfaoedd.

Penderfynodd George y dylai'r gwerthwyr papur newydd fod ymhlith bosys y papur hefyd. Byddai'n gwneud gwell golygydd na neb. Wedi'r cwbwl, *fe* oedd allan ar y stryd ym mhob tywydd, yn cael gwybod yn union beth roedd pobol yn ei feddwl o gynnwys y rhecsyn, a pha gynnwys oedd yn ei werthu. Doedd lleisiau'r darllenwyr ddim yn cyrraedd y pwysigion yn eu swyddfeydd, yn rhoi beth oedd 'orau' i'r cyhoedd yn lle beth oedden nhw'n gofyn amdano.

Trodd pitran-patran ysbeidiol y glaw yn gawod drom, a disgynnai ambell ddiferyn oddi ar gantel ei het. Gwthiodd George y pentwr o bapurau newydd rhwng ei goesau a chyrcydu i'w hamddiffyn nhw, fel aderyn ar fin dodwy. Ond i ba ddiben? Cael eu towlu i'r afon Taf ar y ffordd adre fydden nhw beth bynnag.

'Fydda i yn fy medd o'r niwmonia cyn gwerthu copi arall yn y tywydd 'ma,' meddai wrtho'i hun a'r strydoedd gweigion o'i gwmpas. Clymodd gortyn o amgylch y pentwr o bapurau a'u codi dros ei ysgwydd. Efallai y byddai modd eu sychu nhw dros nos a'u defnyddio i gynnau tân nos yfory. Ond roedden nhw'n drwm, a'r cortyn tenau yn brathu'n filain rhwng ei fysedd a chledr ei law.

Disgynnai'r glaw yn gyflym, fel pe bai'r awyr yn ceisio gwasgu bob diferyn o glwtyn gydag un tro nerthol, a chododd y gwynt yn hegar. Ymwthiodd George drwy'r storm wrth i'r gwynt chwipio'r dafnau ar draws croen lledr ei wyneb, oedd wedi gweld pob tywydd a llawer o dreialon bywyd.

'Yffach! Beth y'ch chi'n neud mas yn y tywydd 'ma?' gofynnodd i ddau ddyn oedd yn brysur yn codi rhwystrau ar ochor y ffordd wrth y castell.

'Codi'r rhain i bobol gael gweld y Brenin yn mynd heibio,' meddai un o'r dynion. 'Byddwn ni'n codi'r baneri unwaith bydd y gwynt 'ma'n gostegu.'

'Roien i help i chi – ond ma 'nwylo i bron â rhewi!' gwaeddodd George dros y gwynt.

Cerddodd ymlaen tuag at y bont, heibio'r hen wal anifeiliaid a arferai sefyll o flaen y castell, cyn iddyn nhw ei symud i lawr y lôn ychydig flynyddoedd ynghynt er mwyn lledu'r ffordd i draffig prysur Duke Street. Roedd y dŵr yn rhedeg lawr gruddiau cerfluniau'r anifeiliaid a glwydai arni – i lawr pig y pelican a chefnau'r mwncïod, oedd wedi tyrru am loches ym mreichiau ei gilydd. Edrychodd George i'r naill ochor wrth gerdded er mwyn osgoi eu llygaid anghynnes. Roedd yr awyr yn dywyll a'r strydoedd yn wag a phawb wedi troi i mewn i'w tai a'r siopau er mwyn osgoi'r gawod drom.

Ond ac yntau'n cadw ei lygaid ar y palmant wrth gerdded, sylwodd e ddim ar yr amlinell ddu arall yn ei gwrcwd ar y wal, ymysg y bleiddiaid a'r llewod. Teimlodd bwysau'n glanio ar ei gefn a baglodd ar ei hyd, gan ollwng ei fwndel o bapurau. Ceisiodd droi ei ben i weld beth oedd wedi digwydd, ond wrth iddo edrych i fyny teimlodd rywbeth trwm yn taro ei dalcen gyda chlec.

Bloeddiodd mewn poen a chodi ei law i'w amddiffyn ei hun. Drwy lygaid llawn glaw a gwaed syllodd i fyny ar wyneb ei ymosodwr. Agorodd ei geg i sgrechian, ond cafodd rywbeth ei stwffio yn ddwfn i lawr ei gorn gwddw. Tagodd ar drwch o bapur gwlyb.

'Dyle hwnna gau dy ben di – am unwaith,' meddai llais cyfarwydd. 'Mae'n flin 'da fi am roi geirie yn dy geg di!' Chwarddodd yn filain.

Diflannodd y dyn am eiliad, a gwelai George eto'r rhes o anifeiliaid ar y wal. Roedd y cerfddelwau'n syllu'n ffyrnig arno drwy'r storm – yr ychydig olau'n fflachio'n anwaraidd yn eu llygaid, a'u genau'n gorlifo gan ewyn gwyllt y glaw. Yna rowliodd ei lygaid yn ei ben.

Daeth y pastwn i lawr arno'r eilwaith. Theimlodd e mo'r ergyd.

XIII

D AETH CNOC AR y drws.
'Daniel, shwd wyt ti was? Chwech o'r gloch ar 'i
ben! Dere miwn, dere miwn. O, doedd dim rhaid i ti. Marian,
cymer rhain wnei di? Diolch.'

Agorodd Enoch ei lygaid. Roedd hi'n dywyll. Tynnodd yr
het oddi ar ei wyneb. Roedd golau llwyd y prynhawn yn llifo
drwy fryntni'r ffenestr.

'Ti'n wlyb stecs, 'machan i.'

'Jest rownd y gornel des i, ond wy wedi cael socad iawn.'

Cododd Enoch a mynd i edrych drwy'r ffenestr, oedd
wedi ei gorchuddio â diferion glaw. Tu allan roedd pobol yn
rhuthro heibio ar eu beiciau, gan igam-ogamu i osgoi'r pyllau
ar y ffordd.

Roedd hen grys gwaith tyllog ond glân yn hongian ar y
ddolen tu allan i ddrws yr ystafell wely. Gwisgodd ef a rhoi'r
hen un brwnt o'r carchar i hongian yn ei le. Aeth allan o
ystafell y plant ac i lawr y grisiau bach.

'Pnawn da,' meddai wrth gamu i mewn i'r parlwr. Trodd
pawb i edrych yn syn arno. Dim ond Owen oedd yn gwenu.

'Gobeithio eich bod chi wedi cysgu'n iawn,' meddai'r
heddwas. 'Ro'n i ar fin 'ych dihuno chi. Mae swper boiti bod
yn barod. Eisteddwch.'

'Dylech chi fod 'di gadael iddo gysgu rhagor ar ôl yr holl
antur neithiwr,' meddai ei wraig, yn ceisio bod yn gleniach.
'Ry'n ni wedi cael yr holl hanes gan Owen, Mr Jones.'

'Enoch, os gwelwch yn dda,' meddai, gan droi ei het yn ei
ddwylo. Eisteddodd ar y gadair wag oedd wedi'i gosod iddo.

'Ry'ch chi'n starfo 'fyd, wy'n siŵr,' meddai Owen, gan
amneidio at Marian. Cododd hi a diflannu i'r gegin.

Roedd dyn ifanc gwallt tywyll eisoes yn eistedd wrth y bwrdd, ac edrychai'n rhy hen i fod yn fab i Owen. Dyfalodd Enoch mai ef oedd wedi dod at y drws gynnau.

'Dyma Enoch Jones, siryf o'r Wladfa ym Mhatagonia, sy wedi dod draw i ymweld â Chymru,' meddai Owen. 'Mae Daniel Lewis fan hyn yn newyddiadurwr gyda'r *Cronicl* ac yn dod o Landysul yn wreiddiol, lle ces i 'magu. Roedd 'i fam e'n gefnither i Marian.'

Gwenodd y ddau westai ar ei gilydd.

'Dad, ble ma'r Wladfa?' gofynnodd mab Owen, a edrychai tua chwech oed. Roedd e a'i chwaer fach wedi bod yn syllu'n gwbwl ddigywilydd ar Enoch ers iddo ddod i mewn.

'Yn yr Ariannin, Aled. Tu fas i'r Ymerodraeth Brydeinig.'

Agorodd ceg y bachgen mewn rhyfeddod, fel pe bai Enoch wedi dod o'r lleuad ar gert a cheffyl.

'Mae Mr Jenkins yn dweud bod pobol o'r tu fas i'r Ymerodraeth yn anwariaid, a bod angen i ni eu concro nhw,' meddai wedyn.

'Ie, ond o Brydain mae Mr Jones yn dod yn wreiddiol, ti'n gweld,' esboniodd Owen. 'Wedi symud i'r Ariannin mae e. Fel y gwnaeth teulu dy ffrind Edward symud i America, ti'n cofio?'

Daeth Marian i mewn yn cario plateidiau o fwyd. Roedd y pryd yn cynnwys powlennaid fawr o dato newy, platied yr un o *Welsh rarebit* a phowlen o bwdin llaeth. 'Bwrwch ati,' meddai'n braf.

'Bwytwch fel tase chi gatre – ond peidiwch byta cymaint!' chwarddodd Owen Owens.

Dechreuodd y ddau blentyn fwyta'n awchus.

'Gweddi gynta!' meddai Owen Owens, gan anelu fforc at law'r bachgen. 'Gei di ei dweud hi, Aled.'

Ochneidiodd Aled. '"Ein Tad, yr hwn wyt yn y nefoedd, sancteiddier dy enw, deled dy Deyrnas, gwneler dy ewyllys, megis yn y nef, felly ar y ddaear hefyd. Dyro i ni heddiw ein bara be... be..."'

'Beunyddiol,' mwmiodd ei dad.

'"A maddau i ni ein dyledion, fel y maddeuwn ninnau i'n dyledwyr. Ac nac arwain ni i brofedigaeth. Amen."'

'Mae 'na fwy na hynny! "Eithr gwared ni rhag drwg"!'

'Dad, pam na wneith Duw helpu fi i gofio'r geiriau?' gofynnodd y bachgen yn druenus.

Edrychodd Owen yn bwyllog ar ei fab. 'Smo Duw yn gwneud pethe droston ni, Aled. Ond ma fe'n helpu'r rheiny sy'n helpu'u hunain.'

'Iawn, syr.'

'Sut aeth yr ysgol heddi, gyda llaw?' gofynnodd ei dad wrth godi taten â'i fforc.

'Ges i felt ar 'yn llaw gan Mr Jenkins.'

'Beth wnest ti i haeddu hynny 'te? Ysgrifennu gyda dy law chwith 'to, ife?'

Amneidiodd y plentyn.

'Wel, gwranda di ar Mr Jenkins. Os wyt ti'n gweithio'n galed falle gei di fynd i'r ysgol ramadeg ryw ddydd.'

Cafwyd tawelwch wedyn wrth i'r teulu llwglyd fwyta'n awchus, a Daniel ac Enoch yn gwylio ac yn gofalu peidio â chymryd mwy na'u siâr.

Wedi i bawb glirio'u platiau gwthiodd Owen ei gadair yn ôl fel nad oedd ei fol yn gwasgu'n erbyn y bwrdd, a chynnau cetyn. Cynigiodd sigaréts Abdullah i Daniel ac Enoch a thanio matsien iddynt. Cododd Marian i glirio'r platiau wrth i'r mwg ddechrau cronni o dan nenfwd isel yr ystafell.

'Felly, Enoch, fe wnawn ni ddechrau gyda chi gan mai chi sy wedi teithio bella i fod gyda ni heno. Cwestiwn sy wedi bod yn cnoi drwy'r swper 'ma, ac ers i ni gwrdd a dweud y gwir,' meddai Owen. 'Beth sy'n dod â chi o le fel yr Ariannin i Gaerdydd?'

Pwysodd Enoch yn ôl yn ei gadair a sugno ar ei sigarét. Culhaodd ei lygaid, fel pe bai'n darllen rhyw orwel pell, yn chwilio am yr union le i ddechrau ei stori.

'Cymerodd hi sbel i fi benderfynu dod. Roeddwn i'n gwybod bod sawl un wedi dod yma i ymweld â theulu o fy mlaen i. Ond dydw i erioed wedi hoffi'r môr a doedd gen i ddim teulu i ymweld â nhw. Buodd fy nhad i farw ar y môr. Wrth hwylio draw i'r Ariannin gyda fy mam yn y lle cynta,' meddai, a'i lais swynol yn hudo'i dyrfa fechan. 'Dwi ddim yn siŵr beth oedd ar eu pennau nhw'n codi pac o Gymru a hwylio draw i'r Ariannin fel yna, heb wybod beth oedd yn eu disgwyl nhw. Ac erbyn 'mod i'n ddigon hen i fod â diddordeb roedd y gorffennol yn bwnc rhy chwerw i Mam ei drafod.'

'Ro'n i'n clywed bod pethau wedi bod yn galed iawn ar y Cymry a'th draw yno,' meddai Owen.

'Roedd pethau'n ddu iawn ar Mam ar ôl cyrraedd, yn sicr, heb ŵr, yn fy nisgwyl i, ac yn gorfod byw mewn ogofâu, heb dŷ na chysur, a bwyd a diod yn brin. Bu farw rhai o'r babanod eraill ac roedd ofn arni beth ddeuai ohono i ar ôl cael fy ngeni. Diolch byth, erbyn hynny roedden nhw wedi cyrraedd genau'r afon Camwy, a chymerodd rhai o'r dynion dosturi ar fy mam ac adeiladu bwthyn iddi ar ymylon y ffermydd eraill. Ond ar yr ymylon fuodd hi erioed wedi hynny.'

Pwysodd ymlaen i daro ychydig bach o'r lludw o'r sigarét i'r blwch llwch ar y bwrdd.

'Dwn i ddim oedd hi'n teimlo ei bod hi wedi'i hesgymuno gan y pentrefwyr eraill, ynteu a wnaeth hi gau arni hi ei hun oherwydd ei chwerwedd am golli 'nhad, ond wrth i'r blynyddoedd fynd heibio fe wnaeth fy mam encilio fwyfwy oddi wrth weddill y gymuned. Wnaeth hi ddim priodi a ches i fy addysg gartre yn hytrach nag yn yr ysgol – o dudalennau'r Beibl wrth gwrs.

'Meudwy oedd Mam ac felly ches i ddim llawer o groeso chwaith ac fe ddysges i fod yn hapus yn chwarae ar fy mhen fy hun ar y paith.'

'Druan ohoni,' meddai Marian. 'Ddylen nhw ddim bod wedi'i thrin hi fel 'ny.'

'Na, ond roedd hi ar fai hefyd, cofiwch,' meddai Enoch. 'Y diwrnod bu hi farw, roeddwn i'n llanc tua deunaw oed, yn dychwelyd ar fy ngheffyl gyda'r nos a'r lloer yn goleuo'r paith fel y dydd. Fe wnes i ganfod y tŷ wedi'i losgi'n ulw, a dim golwg ohoni. Daeth gwynt oer y paith a chwythu'r marwor oddi yno ac fe welais i ei chorff ynghanol yr adfeilion.'

'Owen!' meddai Marian mewn braw. 'Ddyle Mari fach ddim clywed y fath bethe.'

'Gad hi fenyw,' atebodd ei gŵr wrth wrando'n astud ar yr hanes.

'Wnes i ddim wylo drosti,' meddai Enoch, fel petai'n siarad ag ef ei hun. Roedd hi'n dechrau nosi y tu allan a heblaw am olau bach y sigarét roedd ei wyneb ar goll yn y cysgodion. 'Roeddwn i'n teimlo'n euog am hynny, ond pam dwn i ddim. Ei dewis hi oedd peidio caniatáu i neb fynd yn agos ati. Ond fe wariais i'r ychydig bres oedd gen i ar feddfaen gwyn ar ei chyfer hi.'

'Pwy oedd yn gyfrifol?' gofynnodd Owen.

'Chilenos, yn ôl y Cymry oedd yn byw gerllaw. Des i o hyd i'w gwersyll nhw rhyw ddeg milltir oddi yno. O'r bryncyn uwchben y gwersyll gallwn weld rywfaint o eiddo a dillad fy mam yn eu meddiant. Es i mewn yn wyllt, yn ddifeddwl, heb unrhyw gynllun ond dial. Roeddwn i'n ifanc ac yn ffôl.

Hen beth swnllyd ydi dryll ar y paith – mae'r sŵn yn cario am filltiroedd – ac erbyn i fi danio'r ergyd gyntaf, a methu, roedd y gwersyll cyfan wedi deffro ac ar fy ôl i. Ces i fy nal.'

Gwelodd Enoch geg Aled yn cwympo'n agored.

'Dylen nhw fod wedi'n lladd i. Byddwn i wedi cael fy saethu yn y fan a'r lle pe na bai un o'r Chilenos wedi ymyrryd. Dyn mawr oedd o, doeth yr olwg – y pennaeth, siŵr o fod. Edrychodd arna i'n llawn edifeirwch. Dywedodd rywbeth yn eu hiaith nhw – mai dim ond llanc ifanc oeddwn i. Dwn i ddim sut gall gwylliad oedd newydd losgi hen ddynes yn fyw ddangos y fath drugaredd.

'Roedd rhaid ffoi wedyn, a disgwyl fy nghyfle. Dilynais i nhw am ddiwrnod arall, ar droed y tro 'ma. Aeth noson arall heibio heb gyfle i mi ymosod yr eilwaith. Pylodd fy nghynddaredd ac fe ddechreuais i feddwl. Fyddai'r un peth ddim yn gweithio'r eilwaith, a fydden nhw ddim yn dangos yr un trugaredd ata i.'

Roedd seibiant hir wrth iddo wylio'r olaf o fwg ei sigarét yn troelli tua'r nenfwd. Yna edrychodd i fyw llygaid y bachgen.

'Welaist ti erioed estrys?'

Amneidiodd Aled. 'Do,' meddai'n dawel. 'Yn y sw.'

'Adar mawr blin â choesau hir. Ma'n nhw'n amddiffynnol iawn o wyau eu cywion – oherwydd bod wyau'r estrys yn ffrwydro yng ngwres y paith os nad yw eu mam yn eu cysgodi nhw,' meddai Enoch. 'Bang!' Tarodd ei law ar y bwrdd, gan wneud i'r plant neidio. 'Fel 'na. Mae'n swnio bron yn union fel ergyd gwn. Felly dyma fi'n meddwl am gynllun i ddenu'r dynion allan o'r gwersyll. Am eu bod nhw mor flin, dyw dwyn eu hwyau ddim yn hawdd, ond des i o hyd i nyth ac fe ges i'r gorau arni – a ffoi oddi yno gyda phedwar wy a llawn cymaint o gnoadau ar fy mhen-ôl.'

Chwarddodd Aled.

'Drannoeth gosodais yr wyau ar y bryncyn uwchben y gwersyll. Roedd hi'n ganol dydd a'r gwylliaid yn mwynhau eu cyntun. Pobodd yr wyau tan iddynt ffrwydro. Bang! Un ar ôl y llall. Deffrodd y gwylliaid wrth gwrs, a gyrru ambell un allan i ymchwilio'r mannau lle roedd y sŵn saethu yn dod.

'Ymysg y rheiny daeth y pennaeth doeth a adawodd i mi fynd yn rhydd ddau ddiwrnod ynghynt. Roeddwn i wedi cuddio tu ôl i glogfaen ar ymyl y llwybr a fo, o bawb, oedd y cynta i ddod heibio. Efallai y dylwn i fod wedi dangos yr un trugaredd tuag ato fo. Wnaeth o ddim ymbil, dim ond ceisio rhesymu. Ond fe wnes i ei saethu yn y fan a'r lle cyn iddo gael cyfle i newid fy meddwl.

'Cyfiawnder. Dyna sy'n bwysig mewn bywyd. Y tro nesa byddai'r tylwyth yna'n ystyried cyn lladrata oddi ar hen ddynes unig a'i lladd. Beth bynnag, fe lwyddes i ffoi wedyn, cyn i'r gweddill gael cyfle i sylweddoli beth oedd wedi digwydd. Cerdded am filltiroedd a milltiroedd, tan fy mod i bron â chwympo yn y gwres. Yn ffodus ddaeth neb ar fy ôl. Dwi ddim yn gwybod pam.'

Edrychodd Enoch draw ar Marian, oedd wedi rhoi ei dwylo dros glustiau Mari fach.

'Wel, wel, y'ch chi'n un da am ddweud straeon,' meddai Owen, gan edrych ar wyneb ei fab, oedd yn llawn edmygedd. 'Lle dysgoch chi'r grefft, dwedwch?'

'Roedd gen i gynulleidfa gaeth yng nghelloedd Porth Madryn,' meddai Enoch gan wenu. 'Beth bynnag, fe allwn i fod wedi byw fel dihiryn yn dilyn hynny, heb fod ddim gwell na'r Chilenos eu hunain. Ond a minnau wedi hen arfer â 'nghwmni fy hun, yn crwydro'r paith yn ystod fy mhlentyndod, a chan fod gennyf foesau cadarn yn seiliedig ar y Beibl, penderfynais fynd yn siryf.'

'Fe fyddech chi'n gaffaeliad i unrhyw lu rwy'n siŵr,'

meddai Owen. 'Ond dy'ch chi heb ateb fy nghwestiwn gwreiddiol, Siryf. Pam penderfynu dod i Gymru ar ôl yr holl flynyddoedd yma?'

Edrychodd Enoch ar stwmpyn ei sigarét yn mudlosgi o'i flaen. 'Yr unig droeon i mi glywed angerdd yn llais fy mam oedd wrth iddi siarad am Gymru. Ei hoff ran hi o'r Beibl oedd hanes Gardd Eden, ac roeddwn i'n teimlo weithiau ei bod hi'n siarad o brofiad. Cymru oedd ei Heden hi.

'Efallai y dylwn i fod wedi gadael ynghynt. Ond dwi'n casáu'r môr gymaint − ar ôl cael sicrwydd caled y paith o dan fy nhraed cyhyd, efallai. Roedd yn well gen i edrych tua'r gorllewin, tuag at yr Andes. Ond pan deimlais i fy hun yn dechrau cyffio, a'r darnau arian yn sêff y carchardy wedi casglu fel tywod ar draeth dros y blynyddoedd hir, penderfynais ymweld â hen wlad fy nhadau.'

'I weld y lle'n unig?' gofynnodd Owen.

'Fe ddes i am fy mod i eisiau gwybod pwy ydw i. Mae fy swydd wedi rhoi blas i mi ar ymchwil, ac roeddwn i'n meddwl efallai y byddai rhywfaint o fy hanes yn disgyn i'w le. Ond nawr 'mod i yma, ac wedi gweld Caerdydd, dwi ddim yn gwybod lle i ddechrau.'

Amneidiodd Owen i gyfeiriad Daniel. 'Falle gall hwn dy helpu di? Ymchwilio i bethau ydi dy swydd di, yntyfe, Daniel? Rwy'n eitha sicr bod rhyw gofnod o'r rheiny wnaeth deithio draw i Batagonia yn dal mewn bod. Rwy wedi clywed dipyn o'r hanes sawl gwaith fy hun.'

'Galla i gael golwg yn archifdy'r *Cronicl* os y'ch chi moyn,' meddai Daniel. 'Mae'r cofnodion yn mynd yn ôl obothtu canrif o leia. Ac maen nhw'n agor yr Amgueddfa Genedlaethol ddiwedd yr wythnos, er wn i ddim a fydd yna unrhywbeth o werth yn y fan honno. Beth oedd enw 'ych mam?'

'Angharad Jones, a Meirion o'dd fy nhad i. Fe wnaethon nhw adael yn 1865, o rywle o'r enw Bethesda.'

'Wel, ma 'na Fethesda yn Sir Benfro ac un arall lan yn y gogledd, wy'n credu,' awgrymodd Daniel.

Amneidiodd Owen Owens eto. 'Mae gan y newyddiadurwyr yma drwynau fel cŵn hela. Ma'n nhw'n gwybod popeth ddylen nhw am y ddinas 'ma, a llawer mwy nag y dylen nhw. Dwed wrtha i nawr, Daniel,' meddai'n fwy difrifol. 'O'n i'n clywed y dydd o'r bla'n bod y Cyngor yn ystyried chwalu Temperance Town.'

'Eisie ailadeiladu'r orsaf drene ma nhw,' meddai Daniel. 'Ei gwneud hi ychydig yn fwy ac adeiladu sawl trac newydd. Ac o beth wy'n 'i ddeall dy'n nhw ddim yn credu bod yr olygfa bresennol yn un…' – dewisodd ei eiriau'n ofalus – 'weddus ar gyfer pwysigion sy'n cyrraedd Caerdydd o Lundain a llefydd tebyg. *First impressions*, yntyfe. Ma nhw eisie adeiladu gorsaf fysie o flaen yr orsaf drene 'fyd, wy'n meddwl. Ond peidiwch poeni, mae'r cynghorau'n gweithio mor araf, fydd dim byd yn digwydd am ddegawd, os nad mwy.'

'Wy'n flaenor yn St Dyfrig ar ben Wood Street fan hyn,' meddai Owen. 'Os byddan nhw'n trio dymchwel hwnnw mi wna i glymu fy hun wrth yr iet! Mae cymuned glòs fan hyn a licen i ddim ei gweld hi'n cael ei chwalu.' Ochneidiodd.

'Peidiwch â phoeni,' meddai Marian, gan osod ei llaw ar ei fraich. 'Fyddan nhw ddim yn ein taflu ni mas ar y stryd heb nunlle i fyw.'

'Synnwn i fochyn.'

Eto i gyd, byddai hynny'n stori dda i'r papur, meddyliodd Daniel, a theimlo'n euog am feddwl y fath beth.

'Er, byddai'n braf cael tŷ newydd,' aeth ei wraig yn ei blaen. 'Gyda stafell molchi yn y tŷ. A gardd, a gallu gweld y bryniau. A bod biau'r tŷ yn lle gorfod rhoi arian i'r casglwr rhent bob wythnos.'

'Fyddwn i ddim yn symud pe baen nhw'n cynnig Palas Buckingham i fi,' meddai ei gŵr yn styfnig.

Roedd hi wedi tywyllu cyn pryd o dan y cymylau duon tu allan ac fe gyneuodd Marian gannwyll fel eu bod nhw'n gallu gweld ei gilydd. Trodd y drafodaeth at faterion y capel a chlecs yr ysgol, tan i Mari fach gael ei gwahodd i ganu o'u blaen.

'Cana "Iesu Tirion",' gorchmynnodd ei thad.

Edrychodd Mari ar y llawr yn swil, a dechrau canu'n ddistaw. Ond erbyn y diwedd roedd hi'n ei morio hi.

"'Iesu tirion, gwêl yn awr,
Blentyn bach yn plygu i lawr;
Wrth fy ngwendid trugarha,
Paid â'm gwthio, Iesu da.'"

"'Paid â'm gwrthod",' pwysleisiodd ei thad yn ddifrifol. Ond chwarddodd Daniel ac Enoch, a bu'n rhaid i Owen wenu gan fod y llithriad yn un mor ddoniol.

'Ble wyt ti'n byw felly, Daniel?' gofynnodd unwaith roedd Mari wedi llithro'n ôl i'w sedd.

'Mill Lane, fyny'r hewl, wrth y gamlas,' meddai.

'Rhyfedd nad y'n ni ddim wedi dod ar draws ein gilydd yn gynt, yntyfe! Mab Leusa Davies yn byw lan y stryd i ni.'

'Wel, wrth weithio shifft nos dyw rywun ddim yn cymdeithasu llawer.'

'Wy'n cofio gweld dy fam di'n ferch ifanc, a gwybod ein bod ni'n perthyn, ond doedden ni ddim yn gwneud cymaint â hynny gyda'n gilydd,' meddai Marian.

Roedd Daniel yn lled ymwybodol o ryw gweryl teuluol dros ewyllys ei hen dad-cu, ond doedd e ddim am godi hynny nawr.

'Pryd fuodd dy fam farw 'te?' gofynnodd Marian.

'Sbel yn ôl, pan o'n i tua naw. Y ffliw aeth â hi.'

'Ac ers faint wyt ti yng Nghaerdydd meddet ti?' gofynnodd Owen.

'Blwyddyn a hanner.'

'Amser rhyfedd i benderfynu symud i Gaerdydd! Ro'n i'n meddwl bod pawb eisiau gadael o 'ma, wedi i bethe ddirywio lawr yn y dociau 'co, a lan y pylle glo. Roedd cwpwl ar draws y stryd i ni wedi symud fis diwetha, wedi prynu tŷ yn Slough, neu rywle fel 'na, am dri chant pum deg punt. Os ydi'r hufen yn gadael, fydd dim enaid ar ôl yn y ddinas 'ma.' Trodd at y siryf. 'Dylech chi fod wedi dod yma ryw ugain mlynedd yn ôl. Roedd y dociau'n dew gyda llongau. Ac roedd llewyrch ar bethe. Roedd hyd yn oed Tiger Bay yn ardal weddol barchus ar un adeg, wedi'i hadeiladu gan yr Ail Ardalydd Biwt, heddwch i'w lwch, fel cartre ar gyfer holl weithwyr y dociau. Gallai rhywun gerdded i lawr y stryd heb ofni y byddai dyn du'n ymosod arno a dwyn ei eiddo. Pe bai Biwt yn gweld y lle nawr – a stad ei ddociau'n gyffredinol – byddai'n troi yn ei fedd yn gynt nag un o lafnau'r stemars olew newydd 'na.'

'Daw haul ar fryn dwi'n siŵr,' meddai Enoch.

'Wela i ddim shwd. Glo yw'r unig beth sy gyda ni a dyw e ddim yn gwerthu rhagor.'

Amneidiodd Daniel. 'Wel, wy wedi bod yma llai na dwy flynedd felly sai'n cofio'r dyddie da. Ond ma'n dipyn gwell na byw ar y ffarm yn Llandysul, wy'n siŵr!'

'O, ieuenctid yn siarad yw hwnna. Rwy i a Marian wedi trafod gannoedd o weithie am godi pac a throi am adre, er mwyn y plant yn fwy na dim. Ond os yw bob Cristion yn troi cefn ar y lle 'ma, sut le fydd yma wedyn?' Siglodd ei ben yn drist. 'Fyddai Abraham yn dod o hyd i ddeg dyn da lawr yn y dociau 'co? Pa fath o fyd y'n ni'n codi'n plant ynddo, dwed? Oes 'da chi blant, Enoch?'

'Nac oes,' meddai Enoch. 'Erioed wedi ystyried y peth a dweud y gwir.'

'Beth amdana ti, Daniel?'

Oedodd y newyddiadurwr yn hir cyn ateb. 'Oes.'

'Dwyt ti ddim i weld yn siŵr!'

'Bachgen blwydd a hanner. Jac.'

'Felly dest ti a…?'

'Stella.'

'I lawr cyn geni'r plentyn?'

'Do, ychydig fisoedd.'

'Siŵr bod dy wraig yn dy ddiawlio di'n ei llusgo hi lawr fan hyn yn drwm feichiog!' meddai Marian yn ddifrifol.

'Ie, bydda i'n hiraethu am Landysul yn amal,' meddai Owen. 'Wedi colli cysylltiad â'r lle braidd. Bydd rhaid i ti roi'r holl hanes i fi rywbryd, pan ddaw dy wraig a tithe draw am ginio tro nesa. Wy'n siŵr bydd y menywod wrth eu bodde'n rhannu clecs am gatre.' Gwenodd.

Edrychodd Daniel yn anghyfforddus. 'Wel, bydd rhaid i fi droi am y swyddfa cyn bo hir,' meddai, gan edrych ar ei oriawr.

'Rwy wedi bod draw pnawn 'ma'n barod,' meddai Owen, 'yn holi'r peiriannydd a'r fforman.'

'O ie? Beth yw'r diweddaraf am y corff?'

'Sdim byd yn sicr ar hyn o bryd. Roedd y corff mewn shwd stad yn dod mas o'r wasg fel ei fod hi'n anodd gwybod beth ddigwyddodd cyn iddo fynd miwn,' meddai Owen. 'Ond roedd y peiriannydd yn siŵr na alle fe fod wedi cwympo i mewn i'r peiriant. Alle fe ddim gweld chwaith pam fydde fe wedi dringo i mewn iddo ar ei liwt ei hun, 'blaw bod rhywun wedi'i symud e. Doedd yr un ohonyn nhw wedi gweld dim byd amheus cyn gadael nos Sul.'

'Beth yw'r cam nesa 'te?'

'Disgwyl am ganlyniad y post-mortem, am wn i. Wedyn gwneud penderfyniad i drin y mater fel llofruddiaeth neu beidio. Bydd rhaid i finne fynd am y stesion 'fyd,' meddai Owen. Sychodd ei geg yn ei facyn poced. 'Fyddwch chi'n iawn i ddod o hyd i rywle i aros heno, Siryf?'

'Bydda gobeithio.'

'Falle wela i chi 'to − ond dim i lawr yn y celloedd gobeithio. Am faint ydych chi'n meddwl aros?'

'Rhyw bythefnos, tan i fi wario fy arian i gyd. Rydw i am weld ychydig yn fwy o'r ddinas,' meddai Enoch. 'Y rhannau gorau, gobeithio. Ac efallai yr af fi allan i'r wlad.'

'Fyddwch chi'n iawn, wy'n siŵr, ond i chi beidio crwydro'n rhy bell i'r de. Nac i Sblot chwaith.'

Daeth cnoc drymaidd ar y drws.

'O diar,' meddai Owen gan godi. 'Mae yna gnoc newyddiadurwr a chnoc pregethwr, ond does dim sy'n argoeli newyddion drwg cystal â chnoc plismon.' Cododd a gwthio heibio'r bwrdd oedd bron yn llenwi'r stafell fach. 'Ac mae 'na gorff marw yn y gnoc yna'n rhywle.'

Agorodd y drws. Safai heddwas ifanc ar y trothwy, gan ddal ei feic, a'i glogyn gwlyb yn diferu ar lawr. Clywodd Enoch nhw'n sibrwd wrth ei gilydd.

Ar ôl munud daeth Owen Owens yn ôl i mewn.

'Daniel,' gofynnodd. 'Lle buest ti cyn dod yma?'

'Gatre,' atebodd hwnnw'n nerfus. 'Pam?'

'Welaist ti George Saven yn gwerthu ei bapurau bore 'ma?'

'Do, bues i'n siarad â fe. Ac fe wnaeth e fy nihuno i prynhawn 'ma'n gweiddi tu fas i'r ffenest. Ond weles i mohono fe ar y ffordd draw − y glaw yn drech na fe, mae'n rhaid.'

'Mae e wedi marw. Ei gorff e'n swp ar lannau'r Taf.'

Gwelodd wyneb Daniel. Edrychai Enoch yn ddryslyd.

Gosododd Owen ei het plismon uchel ar ei ben a thynnu ei glogyn amdano, ac edrych i gyfeiriad y ddau. Ochneidiodd. 'Siryf a newyddiadurwr, myn diawl. Rwy'n cymryd y byddwch chi'ch dau eisie dod 'da fi?'

XIV

Daethpwyd o hyd i'r corff gan un o'r dynion oedd yn tendio cae criced Parc yr Arfau cyn dechrau'r tymor newydd. Roedd wedi sylwi ar y bwndel dillad anniben ymysg y trugareddau ar waelod y cob mwdlyd a redai lawr o'r maes tuag at lan yr afon. Cyn bo hir roedd yr heddlu wedi cyrraedd a chafodd y diweddar George Saven ei lusgo i fyny'r llethr at y pafiliwn criced ar gornel y maes.

'Beth sy ar eich meddwl chi, Enoch?'

Edrychodd y siryf ar y corff a orweddai ar y gwair o'i flaen. Roedd ei groen yn las a'i gorffolaeth gadarn yn belen lysnafeddog.

'Dydw i erioed wedi bod yn arbenigwr ar gasglu tystiolaeth o gyrff. Erbyn i fi ddod o hyd i gorff fel arfer mae'r anifeiliaid wedi'i flingo at yr asgwrn. Be ydi hwnna yn 'i geg o?'

Estynnodd Owen ei law at geg y corff ac archwilio'r rholyn gwlyb o bapur oedd ynddo. 'Mae'n edrych fel papur newydd,' meddai. 'Copi o'r *Cronicl*.'

'Iesu Grist!' ebychodd Daniel.

'Paid â chynhyrfu gormod, Daniel,' meddai Owen, gan syllu i lawr ar y corff. 'Rwy wedi gweld pethau llawer gwaeth yn 'y nydd, a heb orfod cymryd enw'r Arglwydd yn ofer unwaith.' Byseddodd geg y dyn marw. 'Er 'mod i wedi dod yn agos at wneud sawl gwaith, cofia.'

Meddyliodd Daniel am gorff y golygydd yn y wasg argraffu. 'Ydych chi'n meddwl bod rhywun yn... targedu gweithwyr y *Cronicl*?' gofynnodd.

'Mae'r ateb i'r cwestiwn hwnnw wedi'i olchi i mewn i'r Taf gyda gweddill y dystiolaeth, mae arna i ofn. Efallai mai cyd-ddigwyddiad yw'r cwbwl. Ond wy'n credu bod rhywun...' Gafaelodd yn y papur newydd a'i rwygo o geg y corff. Ffrydiodd dŵr o'r geg agored a byrlymu i lawr dros wyneb y dyn marw. 'Yn ceisio gyrru neges.'

'Someone doesn't like your paper,' meddai un o'r heddweision wrth Daniel, gan chwerthin yn gellweirus.

'Efo beth gafodd o'i ladd?' gofynnodd Enoch.

Estynnodd Owen rywbeth hir wedi'i orchuddio mewn cadach gan un o'r heddweision eraill. 'Boddi wnaeth e yn y pen draw, o weld faint o ddŵr sydd yn ei ysgyfaint. Ond cafodd hon ei darganfod ar y bont fan draw, mewn pwll o waed wrth ymyl pentwr o bapurau newydd.' Dadorchuddiodd hi.

'Coes?' gofynnodd Daniel.

'Coes bren. Wedi ei hollti ar ei hyd. Wrth daro penglog Mr Saven, fwy nag unwaith, mae'n debyg,' meddai Owen. 'Sy'n rhyfedd iawn. Does dim llawer o bobol â choes bren allai fforddio'i cholli hi. Yn enwedig gan fod cymaint o gyrff iach yn ddi-waith. A dyw cyllyll ddim yn brin.'

Estynnodd y goes i Enoch. 'Wedi ei naddu'n arw, o bren rhad,' meddai'r Archentwr. 'Alla i ddim gweld neb yn cerdded ar honna am yn hir.'

'Efalle fod dim angen dwy goes arno – mae wedi dianc ar un yn ddigon cyflym,' meddai Daniel.

Roedd hi tua wyth o'r gloch ond yn ddu bitsh yn barod, a blaenau eu sigaréts tamp yn dawnsio fel pryfaid tân o amgylch y corff.

'Wel, dyna hi am nawr 'te,' meddai Owen o'r diwedd. 'Mae gyda ni gorff, wedi'i daro dros ei ben â choes bren ac wedi'i daflu i mewn i'r Taf. Does dim llygad-dystion ac mae'r llofrudd wedi'i baglu hi i rywle ar un goes, fwy na thebyg.'

'Dyna ni? Smo chi'n mynd i ymchwilio i'r achos?' gofynnodd Daniel.

'Tu hwnt i chwilfrydedd pur wela i ddim rheswm dros

wneud – gan anghofio teimladau personol, wrth gwrs. Ro'n i'n bur hoff o Mr Saven. Ond a dweud y gwir wy'n meddwl y bydd y rhan fwya o bobol Caerdydd yn hapus bod rywun wedi rhoi taw ar ei floeddio mawr e.'

'A beth os oes rhywun yn targedu gweithwyr y *Cronicl*?'

'Wel, peth peryglus yw gweithio i bapur newydd, yntyfe?' meddai Owen gyda gwên ddifrifol. 'Beth maen nhw'n ei ddweud? News is something someone somewhere doesn't want you to print. Ond ar hyn o bryd does dim byd i awgrymu nad ymosodiad ar hap oedd hwn.' Gwelodd yr olwg bryderus ar wyneb Daniel. 'Wrth gwrs, pe baet ti'n golchi lan ar draeth Penarth fory, fe fyddwn i'n barod i gredu dy ddamcanieth di.'

Chwarddodd rhai o'r heddweision eraill, a daeth hers 'i lawr y llwybr cul ar lan y Taf i dywys y corff i'r marwdy.

XV

'BETH AM YR amgueddfa newydd sy'n agor drws nesa i Neuadd y Ddinas ddiwedd yr wythnos? Miloedd wedi'u gwario arni, a nhwythe wrthi ers pymtheg mlynedd, ac i beth? I lond dwrn o bobol gyfoethog gael mwynhau olrhain hanes y genedl tra bod pobol gyffredin yn starfo ar y strydoedd? Ac maen nhw'n ei galw hi'n Amgueddfa Genedlaethol.'

Eisteddai Cynog yn nhafarn y Blue Bell, gyda thyrfa o newyddiadurwyr o'i amgylch, yn procio'r awyr gyda'i fys fel pregethwr. Roedd y papur eisoes wedi mynd i'r wasg ers rhai oriau, fel bod gan yr heddlu gyfle i chwilio'r swyddfa am unrhyw dystiolaeth yn gysylltiedig â marwolaeth Tynoro Davies.

Roedd rhai o'r newyddiadurwyr hŷn wedi mynnu mynd i lawr i'r dafarn er mwyn cael diferyn i gofio am Tynoro, ac ymunodd Cynog â nhw. Ond roedd un wedi troi'n dri neu bedwar, ac erbyn i Daniel gyrraedd y dafarn roedd hi o dan ei sang.

'Yr oll sy angen ydi rhywun i dynnu sylw pawb at ba mor ddwl yw'r cwbwl!' meddai Cynog, a'i lais yn atseinio drwy'r dafarn dlodaidd. 'Ond, clyw, pan gynigiais i'r stori i berchennog y *Cronicl* dywedodd wrtha i am gofio ei fod e'n mynd i'r agoriad!'

Cydiodd Daniel yn ei beint. Doedd ganddo ddim llawer o fynedd gwrando ar ei fos newydd yn traethu. Roedd gweld dau gorff mewn dwy noson wedi tynnu'r gwynt o'i hwyliau. George Saven a Tynoro druan. Fe fyddai ef, fel gweddill y newyddiadurwyr, yn hoffi actio'n galed, yn esgus nad oedd gorfod cyfweld teuluoedd y meirw ac adrodd am lofruddiaethau yn cael unrhyw effaith arnyn nhw – jocan

am y peth, hyd yn oed. Llofruddwyr, treiswyr, pobol wallgo
– gwehilion cymdeithas – oedd eu cwmni o ddydd i ddydd.
Ystafell y llys, y gell a'r marwdy oedd eu gweithle. Eto roedd
pob corff, pob dioddefwr, yn erydu ei enaid fesul tipyn. Efallai,
cyn bo hir, na fyddai gweld corff marw yn cael unrhyw effaith
arno, boed hynny'n beth da ai peidio.

'Eisie cael tynnu'i lun gyda Mr Saxe-Coburg-Gotha,
wy'n siŵr,' meddai Cynog. 'Ac eisie un ohonon ni yno i
sgrifennu amdano fel pe bai'r eliffant gwyn hwnna'r peth gore
ddigwyddodd i'r ddinas 'ma erio'd. Yr oll ydi'r Brenin erbyn
hyn ydi ci bach wedi'i yrru fan hyn a fan draw gan y Prif
Weinidog i agor adeilade a lansio cychod.'

Edrychodd Daniel ar Cynog. Yn wahanol iddo ef, roedd
gan y golygydd newydd y gallu i weld pob stori mewn du a
gwyn. Doedd y corff o'i flaen yn ddim mwy na phennawd,
manylion erchyll y llofruddiaeth yn ddim mwy na'r print
mân oddi tano, y ferch oedd yn beichio crio yn y gornel yn
ddim mwy na dyfyniad. Doedd y ddinas erchyll y tu allan i
ffenestri'i swyddfa'n ddim ond dyfais i lenwi ei bapur.

Gwyddai Daniel na fyddai'n newyddiadurwr gwell hyd
nes y gallai ddiosg yr arferiad anffodus o weld y bobol tu
ôl i'r penawdau. Sipiodd ei beint, gan edrych o amgylch y
dafarn. Roedd yn lle hen ffasiwn, gydag arwydd 'Dynion
yn Unig' uwchben y bar. Doedd Daniel ddim yn hoffi'r
arferiad newydd o ddod â gwragedd a chariadon i'r dafarn,
beth bynnag. Ond doedd e ddim yn gallu gweld llawer o
ddynion ifainc ei oedran e yma chwaith – byddai'r rheiny yn
y neuaddau dawnsio neu'r sinemâu yn hytrach na'r tafarndai.
Roedd talu swllt am deirawr o adloniant yn rhatach na mynd
i'r dafarn, ac roedden nhw'n llawer mwy moethus hefyd.

Ond doedd Stella ddim yn hoff o ddawnsio a chwynai fod
gwylio sgrin y sinema yn gwneud i'w phen hi droi, er bod

yr holl ferched ifainc eraill yn dwlu ar gael mynd er mwyn cusanu ac anwesu eu cariadon yn y tywyllwch, siŵr o fod. Erbyn meddwl, falle mai dyna pam nad oedd Stella yn ei hoffi. Roedd hi'n hapus cael noson dawel gartre yn gwau a gwrando ar gerddoriaeth y BBC ar y radio. A beth bynnag, prin oedd yr amser a gâi hi i fynd allan a mwynhau gan fod ganddi fabi i edrych ar ei ôl.

Roedd Enoch yn eistedd ben arall y bwrdd iddo – ond heb fod yn yfed dim byd – a John yn eistedd wrth ei ochor, yn yfed peint o Guinness yn araf bach. Doedd Daniel ddim yn siŵr pam ei fod wedi gwahodd Enoch i'r dafarn. Efallai am ei fod yn edrych ar goll, rywsut, allan ar strydoedd gwlyb y ddinas.

'Ti fydd yn mynd i'r amgueddfa, Daniel,' meddai Cynog.

'Hmmm?' Bu bron i Daniel dagu ar ei gwrw.

'Paid poeni, was – sdim rhaid i ti gyfweld y Brenin.'

'O,' meddai Daniel, gan ddechrau teimlo rywfaint yn well.

'Pymtheg mlynedd i'w hadeiladu! Gydag unrhyw lwc bydd to'r lle'n disgyn ar eu pennau nhw. Dyna fyddai stori…'

'Dim… dydd Sadwrn mae'n agor, ife?' gofynnodd Daniel.

'Na, dydd Iau.'

'Whiw!' meddai. 'Sai moyn colli ffeinal yr FA Cup!'

'Paid â bod yn dwp,' meddai un o'r newyddiadurwyr eraill. 'Bydd y Brenin yn y gêm yn saff i ti. Alle fe ddim bod yng Nghaerdydd yn agor yr amgueddfa a bod yn Wembley ar yr un pryd.'

'Falle gallet ti gael lifft 'dag e i'r gêm!' meddai rhywun arall.

Chwarddodd y lleill.

'Na, ar drên tîm Arsenal bydd Daniel!'

Rowliodd Daniel ei lygaid. Roedd y bois yn dal i dynnu'i goes ers i Arsenal gyhoeddi mai'r Cymro Dan Lewis fyddai'n chwarae iddyn nhw yn y gôl yn erbyn Caerdydd yn y ffeinal.

''Sen i wrth 'y modd bod yn y gôl i Arsenal,' atebodd Daniel. ''Sen i'n gadael bob pêl drwddo!'

'O, Daniel bach, rho'r gorau i esgus dy fod ti'n gefnogwr oes,' meddai un o'r newyddiadurwyr eraill. 'Dim ond ers y tymor diwetha wyt ti wedi dechrau mynd i'r gême! Ro'n i'n mynd i'r gême 'da 'nhad pan o'n nhw'n chwarae fel Riverside AFC, ac roedd 'nhad yn 'u cefnogi nhw pan o'n nhw'n chwarae criced!'

'Ie, os oeddet ti moyn mynd i'r gêm, dylet ti fod wedi dechre cerdded wythnos yn ôl, fel rhai o fois y Cymoedd!' meddai rhywun arall.

'Oes un ohonoch chi'n mynd tro 'ma?' gofynnodd Daniel.

'Na, es i draw i Wembley i'r ffeinal pan gollon ni yn '25. Mis o gyflog! Pisio'r cyfan yn erbyn wal. Na, mae'r cyfan ar y radio eleni on'd yw e.'

'Beth bynnag am bêl-droed,' meddai Cynog, oedd yn ddrwgdybus o'r ffaith bod y gêm yn hawlio cymaint o sylw â straeon newyddion safonol y tudalennau blaen. 'Ry'n ni yma i gofio'r hen Tynoro, a George wrth gwrs.' Cododd ei beint. 'Heddwch i'w llwch.'

'Clywch! Clywch!' mwmiodd y lleill, ac yfed.

'Oes gan yr heddlu ryw syniad pwy laddodd George 'te?' gofynnodd Cynog.

'Hy! Doedd dim lot o ddiddordeb 'da nhw,' meddai Daniel. 'Wedi'i fwrw dros 'i ben â choes bren, a'r llofrudd wedi hercian bant wedi 'ny.'

Agorodd llygaid John Smith led y pen. 'Coes bren?' gofynnodd, gan edrych yn syn ar Cynog.

'Dyw coes bren ddim yn golygu lot, cofia,' meddai Cynog. 'Lot o 'nghenhedleth i wedi colli rhywbeth yn y rhyfel. Coese, breichie. Eu penne, gan amla.'

'Aethoch chi i'r ffrynt?' gofynnodd Daniel.

'Na, sgrifennu sothach i'r Department of Information yn Llundain o'n i,' meddai Cynog. 'Unwaith ges i fynd i'r ffrynt i helpu sgrifennu ril newyddion – a phan ges i bwl o onestrwydd a sgrifennu be weles i dyma nhw'n bygwth fy rhoi i yn erbyn wal. Wnes i dreulio gweddill y rhyfel yn eistedd gant a deugen o filltiroedd i ffwrdd o'r ffrynt lein yn dyfalu beth oedd yn digwydd, ac yn sensro straeon papure newydd pobol erill.' Ysgydwodd ei ben. 'Do'n i ddim callach, wrth gwrs. Yn waeth byth, ges i ddwrn ar 'y nhrwyn unwaith gan filwr yn Llundain oedd yn meddwl 'mod i'n conshi.'

Chwarddodd rhai o'r lleill ond roedd golwg ddifrifol ar wyneb Cynog.

'Ond rwy'n deall pam bod rhai'n teimlo'n chwerw ynglŷn â beth ddigwyddodd,' meddai. 'Fe aethon nhw drwy uffern yn y ffosydd 'na, ac i beth? Unwaith daethon nhw'n ôl a chal gwared ar eu hiwnifforms do'n nhw ddim gwahanol i ni'r cachwrs wnath aros gatre – dim tai a dim swyddi.' Bwriodd ei fysedd yn erbyn y bwrdd. 'Mae'n anodd credu bod deng mlynedd ers hynny'n barod, on'd yw hi.'

Amneidiodd rhai o'r lleill yn brudd, a dechrau troi i fân siarad ymysg ei gilydd.

Cododd Daniel i nôl peint arall. Doedd e ddim wedi cael mynd mas am beint ers wythnosau, yn rhannol am ei fod yn gweithio'r shifft nos, ond yn rhannol hefyd oherwydd nad oedd Stella'n fodlon iddo fynd, felly roedd e am fanteisio ar heno. Ac roedd e'n haeddu pob diferyn. Roedd hi'n chwarter wedi naw yn barod ond fydde fe ddim yn rhuthro gartre.

'Noson brysur?' gofynnodd i'r barman.

'Roedd hi'n dawel cyn i chi i gyd gyrradd!'

'Unrhyw siawns am *lock-in* heno 'ma 'te?'

'Sai'n meddwl y caf i lot o ddewis. Do's dim golwg symud ar rhain o's e?'

Tynnodd Daniel ddwy ddimai arall o'i boced a'u rhoi ar y bar. 'Peint o *black*, os gwelwch yn dda.'

Tynnodd y barman wydryn o'r silff uwch ei ben a mynd at y pwmp i dynnu'r peint.

Pan ddechreuodd Daniel weithio i'r *Cronicl* fe fyddai gweld y swyddfa gyfan yn mwynhau yn y dafarn wedi codi ofn arno. Bryd hynny roedd yn gweld gwaith papur newydd fel ras feunyddiol i grafu digon o ddeunydd at ei gilydd i lenwi'r papur, a phe baen nhw'n methu fe fyddai gwagle mawr gwyn yno. Gwyddai erbyn hyn fod gan bapur newydd y gallu i lenwi ei hun – roedd yn amsugno sothach yn well na chlwtyn llawr. Nid llenwi'r gwagle oedd swyddi'r newyddiadurwyr, yn y bôn. Roedden nhw'n debycach i werthwyr nwyddau, yn ceisio argyhoeddi'r golygydd i gynnwys eu gwaith nhw yn hytrach na gwaith rhywun arall. Rhwng yr hysbysebion am sigaréts Navy Cut a chribau mwstashis, y swyddi, y croesair a chanlyniadau'r rasys ceffylau, ychydig iawn o le oedd yna i storïau – ac roedd pob un o'r newyddiadurwyr yn cystadlu am y lle hwnnw. Pan nad oedden nhw yn y dafarn, wrth gwrs.

'Sobor yntyfe?' gofynnodd rywun wrth ei benelin.

Trodd Daniel ei ben i edrych arno trwy lygaid pŵl. Rhaid ei fod wedi'i weld yn swyddfa'r *Cronicl*, ond roedd ei feddwl yn rhy niwlog i gofio ble. 'Ie, ie,' meddai. 'Yr hen Tynoro, a nawr George. Sobor o fyd.'

'Rosie druan sy'n 'y mhoeni i. Meddwl am y dynion 'na'n potshian tu mewn iddi. Ar ôl popeth mae hi wedi'i ddioddef y dyddiau diwetha 'ma.'

'Beth?' gofynnodd Daniel.

'Rosie, 'machan i. Y wasg argraffu.'

Rhythodd Daniel yn ddryslyd arno ac o'r diwedd sylweddolodd mai Lloyd, peiriannydd gwasg y *Cronicl* oedd e. Roedd yn edrych yn bur wahanol heb orchudd o barddu ac inc dros ei wyneb.

'Do'n i ddim yn gwybod bod gan y wasg argraffu – Rosie – enw.'

'Enw 'ngwraig i. Mae'n beiriant ffein, achan! Bydda i'n treulio'r nos gyda hi weithie, yn gwrando arni'n canu grwndi. Ro'n i moyn eistedd mewn 'da hi, drwy'r *examination*. Ond mae'r heddlu wedi gwrthod, ddim eisiau i unrhyw beth sbwylio eu hymchwiliad i'r mwrdwr. Wel, sdim angen chwilio'n galed am ôl fy mysedd i ar Rosie fach.'

Crychodd Daniel ei dalcen. Hyd yn oed yn sobor fyddai'r dyn yma ddim yn siarad synnwyr, meddyliodd. 'Mae cariad yn brifo,' cytunodd.

'Oes 'da ti ffifflen 'te?'

Amneidiodd Daniel. 'Stella Rogers yw 'i henw hi.'

'Menyw bert?' gofynnodd y peiriannydd.

'Digon pert i fi roi popeth oedd 'da fi iddi.'

'Shwt wyt ti'n galler dweud 'ny 'chan?'

'Hi oedd merch berta'r pentre. Ond roedd hi'n disgwyl plentyn rhywun arall, ryw feddwyn, a doedd hi ddim eisie'i briodi fe.'

Cymerodd ddracht mawr o'i ddiod.

'Ond fe wnes i gamu i'r bwlch! A rhedeg i ffwrdd gyda hi pan oedd y gymuned gyfan wedi troi yn 'i herbyn hi. Fel yr o'n i wedi dychmygu gwneud llawer tro. Roedd 'da fi freuddwyd rhamantus, ti'n gweld, am ein bywyd ni yn y ddinas gyda'n gilydd. Ac ydyn, mewn rhai ffyrdd, mae pethe'n well fan hyn. Dyw gweithio i'r *Cronicl* ddim yn berffaith, na, ond mae'n lot gwell na rhofio tail gwartheg neu wneud jobyn mas yn y glaw gartre ar y ffarm.'

'Sut ges ti'r jobyn 'da'r *Cronicl* 'te?'

'Wel, roedd 'da fi jobyn eitha da yn Llandysul yn gweithio yn siop wncwl i fi. Byddwn i wedi etifeddu'r siop dros amser, mae'n siŵr, ond do'dd e ddim yn talu'n dda iawn ac ro'dd Wncwl yn rhoi gormod o gredyd i bobol y pentre – felly do'dd dim gobeth 'da fe i wneud lot o elw. Ro'n i wedi meddwl trio am jobyn fel athro ar ôl cyrraedd Caerdydd, neu blismon falle. Ond doedd dim byd ar gael ac fe glywes i fod y *Cronicl* yn chwilio am rywun oedd yn gallu darllen ac ysgrifennu i weithio'r shifft nos. Ro'n i'n lwcus am wn i – mae rhai pobol yn gorfod cerdded y strydoedd drwy'r dydd yn chwilio am waith.'

Nodiodd y peiriannydd ei gytundeb meddw.

'Ma'ch gwraig chi 'di marw?' gofynnodd Daniel.

'Na,' atebodd y peiriannydd yn chwerw. 'Wedi rhedeg bant 'da dyn arall. Un o Awstralia, wy'n meddwl.'

Ysgydwodd Daniel ei ben. 'Smo merched yn ein gwerthfawrogi ni, nag ydyn? Un o'r *flappers* 'na sy isie arna i. Merched... hyderus, wynebgaled.' Roedd wedi clywed amdanyn nhw yn y papurau ac ar y radio, ac wedi gweld ambell un ar fraich rhyw ddyn pwysig yn mynd allan o un o westai moethus canol y ddinas. 'Merch sy'n barod i dorri'i gwallt yn fyr, smygu sigaréts, dangos dipyn o goes. Sdim isie cadw buwch pan y'ch chi'n galler prynu lla'th fel 'na. Ond 'na ni, lle bynnag maen nhw sai'n gweld lot yng Nghaerdydd, nid mewn hen dafarndai fel y Blue Bell ta beth! Diolch.'

Cyrhaeddodd peint Daniel o'r pwmp a defnyddiodd hwnnw fel esgus i adael y peiriannydd meddw a throi'n ôl at y bwrdd ble'r oedd gweddill bois y *Cronicl* yn browlan ymysg ei gilydd. Er mawr syndod iddo roedd Cynog yn dal yn eu canol nhw – roedd Daniel wedi disgwyl y byddai wedi'i throi hi am y swyddfa neu wedi gorchymyn i bawb ar shifft y dydd fynd adre at eu gwragedd erbyn hyn.

Er mai dim ond rhyw ddeng mlynedd o wahaniaeth oedd rhwng Daniel a Cynog, wyddai Daniel ddim beth i'w ddweud wrtho y tu allan i fyd gwaith. Roedd Cynog fel pe bai'n newyddiadurwr ers pan wisgai gewyn. Ond roedd y ddiod wedi llacio tafod Daniel heno a chwympodd i'r gadair wag wrth ei ymyl.

'Sut y'ch chi'n cadw, Cynog? Do'n i ddim yn disgwyl eich gweld chi mas mor hwyr.'

'Rhaid dangos wyneb weithie, on'd o's? Sai'n credu bod rhai o'r hen bennau'n hapus mai fi sy 'di cal job y golygydd.' Cymerodd sip arall o'i beint. Roedd wedi bod ar yr un gwydr ers awr neu fwy. 'A beth bynnag, does dim llawer alla i wneud yn y swyddfa tra bod plismyn fel haid o forgrug hyd y lle 'na.'

'Mae'n iawn i bawb gael hoe weithie, on'd yw hi? Beth y'ch chi'n 'i feddwl o'r bachan newydd 'te?'

'Hen beth bach slei, on'd yw e?' atebodd Cynog, gan lygadu John y pen arall i'r bwrdd. 'Dweud bod Tynoro wedi cynnig swydd iddo fe cyn marw. Wnath e ddim y fath beth.'

'Ro'dd e'n dweud celwydd?'

'Wy'n credu 'ny. Fe wnath hynny argraff dda arna i o'r dechrau, rhaid gweud. Smo'r afal yn cwmpo yn bell o'r goeden.'

'O'ch chi'n nabod 'i dad?'

'O'n wir. George Smith. Gohebydd gorau'r *Cronicl* nôl yn y dyddie 'ny. Tan iddo gael 'i saethu.'

Cododd aeliau Daniel. 'O ie? Beth ddigwyddodd?'

'Wyth mlynedd yn ôl oedd hi, yn 1919. Do'dd e ddim

yn gweithio. Ro'dd e'n cerdded gatre i'w dŷ wrth Sgwâr Loudoun yn Nhre Biwt. Ro'dd pethe wedi bod yn eitha drwg yno ers diwedd y rhyfel rhwng rhai o'r milwyr ddaeth yn ôl a'r bobol dduon oedd wedi cael eu swyddi nhw. Bach o drwbwl yno ac fe aeth draw i drio dal pen rheswm â'r ddwy ochor. Wedi'i ddal yn y canol,' meddai â'i lais yn oer, gan restru ffeithiau oedd yn hen hanes erbyn hyn. 'Fe wnaeth dudalen flaen y *Cronicl* fore trannoeth. Fe fyddai hynny wedi codi'i galon, o leia.'

'Druan ohono.'

'Sai'n credu bod y fam o gwmpas, chwaith,' meddai. 'Cafodd John ei fagu gan 'i dad-cu rwy'n credu. Sai'n gwbod ydi hwnnw'n dal yn fyw. Mae 'da fe chwaer 'fyd rwy'n meddwl. Weles i hi yn yr angladd.'

'Ofnadwy 'te?' Anadlodd Daniel yn ddwfn. 'Smo chi'n meddwl bod y job yma'n un ddigalon weithie?'

Edrychodd Cynog arno'n syn. 'Mae bywyd yn ddigalon. Ond o leia os wyt ti'n newyddiadurwr, mae newyddion drwg i bawb arall yn newyddion da i ti.'

'Ond weithie wy'n cael fy hun yn eistedd yn y swyddfa, ar ddiwrnod newyddion araf, yn hanner gobeithio y gwneith rhywbeth erchyll ddigwydd, fel bod 'da fi stori dda i'w sgrifennu...'

Tynnodd Cynog ei sbectol o'i drwyn a rhwbio ei lygaid. 'Do's dim byd yn bod ar 'ny. Dyna ein gwaith ni wedi'r cwbwl. Beth petaet ti wedi gweithio drwy'r dydd, ac ar dy ffordd yn ôl i'r swyddfa heb ddod o hyd i'r un stori dda? Cyn cyrraedd y swyddfa ti'n dod o hyd i ddyn wedi'i drywanu'n farw yn y stryd. Mae'r heddlu'n cyrraedd, ti'n cael dyfyniad, ti'n brysio'n ôl i'r swyddfa a – bang – dyna'r dudalen flaen y bore wedyn. Sut byddet ti'n teimlo?'

'Digon bodlon, am wn i... Ond dim fi drywanodd y dyn yn farw.'

'Na, ond petaet ti'n gweld y llofrudd yna'n hwyrach, byddet ti'n prynu peint iddo fe, 'yn bydde ti?'

Braidd yn ddiflas oedd eistedd mewn tafarn yn gwylio pawb arall yn meddwi tra ei fod o'n sobor fel sant, meddyliodd Enoch. Ond roedd hi'n brafiach fan hyn nag allan ar y stryd ac roedd hi'n hyfryd cael bod ymysg Cymry nad oeddent eisiau dwyn ei eiddo na'i ddyrnu. Roedd yna demtasiwn i ymlacio ac ymuno yn yr hwyl. Ond y peth olaf ddylai o wneud rŵan oedd torri ar arferiad oes a meddwi – ni fyddai'r un mor lwcus ddwywaith pe bai'n mynd i drafferthion eto fel neithiwr.

Roedd Enoch yn ymwybodol bod y bachgen a eisteddai wrth ei ymyl yn y dafarn, John, wedi ei dal hi dipyn bach. Dim ond dau wydryn peint oedd ar y bwrdd o'i flaen, ac un arall ar ei hanner yn ei law. Ond roedd wedi yfed rheiny gyda golwg sur ar ei wyneb oedd yn awgrymu nad oedd yntau chwaith yn rhy gyfarwydd â'r ddiod gadarn. Doedd y bachgen heb ddweud gair ers awr neu fwy ond erbyn hyn roedd yn pwyso draw at Enoch a'i dafod yn dew.

'Mae'n warthus, on'd ydi?' gofynnodd gan bwyntio at rywbeth uwchben y bar.

'Beth?' gofynnodd Enoch.

'Dynion yn unig sy â'r hawl i fod yn y bar,' meddai, gan amneidio at yr arwydd. 'Yn yr ugeinfed ganrif dy'n ni dal i weld y fath... wahaniaethu.'

'Oes yna dafarndai sy'n caniatáu i ferched gymdeithasu?' gofynnodd Enoch.

'Oes! Ond dim dyna'r pwynt. Pam dylai unrhyw dafarn gael yr hawl i'w gwrthod nhw? Wy'n feddw... feddwl agored.'

Llowciodd y newyddiadurwr ifanc weddill ei beint a gwelodd Enoch ef yn gwisgo'i got fawr a'i het.

Pwysodd Enoch dros y bwrdd. 'Dwi'n deall dy fod ti'n byw yn Nhre Biwt?' gofynnodd dros sŵn y dafarn.

'Ydw,' meddai John. 'Wy'n mynd nôl 'no nawr.'

'Dwi'n aros mewn gwesty yno. Mi gerdda i gyda thi, os ydi hynny'n iawn. Dwi ddim yn rhy sicr o'r ffordd.'

Amneidiodd John yn araf ac fe gerddon nhw allan o'r dafarn gynnes i'r stryd. Tynnodd John ei got yn dynnach amdano, wedi'i sobri rywfaint gan yr oerfel.

Cychwynnon nhw i lawr Heol y Santes Fair, gan ddilyn y gamlas lwyd oedd yn ymestyn i lawr i Dre Biwt, a'r tarth oer a godai oddi arni yn llaith ar eu gwefusau.

Wedi pellhau rywfaint oddi wrth y newyddiadurwyr eraill a grwydrai ar eu hôl, gofynnodd Enoch, 'Beth wyt ti'n 'i wybod am y goes bren yna, felly? Welais i dy ymateb di yn y dafarn.'

'Wedi camgymryd, dyna i gyd,' meddai John a chodi ei ysgwyddau.

'Cafodd fy siwtces ei ddwyn y noson o'r blaen, gan ddyn â choes bren,' meddai Enoch. 'Coes bren a phen moel. Wyt ti'n 'i nabod o?'

Arafodd camau John. Gallai Enoch weld ei feddwl yn troi.

'Wy wedi'i weld e,' meddai o'r diwedd. 'Weles i fe'n lladd rhywun lawr yn y bae pwy noswaith, a dyna'r gwir. Elias wy'n credu yw 'i enw fe.'

'Dilynais i o ac roedd o'n cario rhywbeth yn fy siwtces i. Fe wnaeth o'i roi o i ddyn a dweud ei fod ar gyfer ryw Arglwydd.'

'Ie, 'i fos e. Yr Arglwydd Tremaen, un o berchnogion pyllau glo'r Cymoedd. Bydda i'n mynd lan 'na fory i weld beth arall alla i ffeindio mas amdano fe.'

'Ddywedais ti wrth yr heddlu am y llofruddiaeth?'

'Dy'n nhw ddim yn poeni taten beth sy'n digwydd yn Nhre Biwt. Os na fydd rhyw wleidydd yn cwyno am y puteindai neu'r opiwm,' meddai John. 'Yna ma nhw'n 'u herlid yn llymach am ychydig fisoedd cyn colli diddordeb unwaith 'to.'

Ar ochor y stryd, yn llochesu rhag yr oerfel gwlyb, roedd dyn yn ceisio gwerthu sigaréts o focs oedd wedi'i glymu o amgylch ei wddf. Sgleiniai ambell fedal filwrol ar ei got, yn y gobaith o ennyn eu cydymdeimlad.

Fe aeth John i'w boced i nôl swllt iddo. Ymestynnodd y dyn y bocs iddo â'i law yn crynu.

'Chi moyn sigarét?' gofynnodd John i Enoch. 'Ma nhw bach yn wlyb.'

'Diolch. Falle do i gyda ti, fyny i'r Cymoedd, os nag oes gwahaniaeth gen ti,' meddai Enoch.

'Beth oedd yn y siwtces oedd mor bwysig â hynny i chi?'

'Dim dyna'r pwynt, naci,' meddai wrth geisio tanio'r sigarét wlyb. 'Egwyddor y peth sy'n bwysig.'

Croeson nhw'r bont dros y gamlas i Dre Biwt, a chyn hir roedd arogl nodweddiadol sbeis, rym, tobaco a gwymon hallt y dociau yn golchi drostyn nhw. Roedd yr un wasgfa o bobol yn llenwi'r stryd a nifer ohonyn nhw ddim yn mynd i unrhyw le, dim ond yn sefyll yno, fel pe baen nhw'n disgwyl i rywbeth ddigwydd – dechrau ffeit, neu ailddyfodiad Iesu, wyddai Enoch ddim. Roedd yna ryw lawenydd anllad, peryglus i'r lle, yn lliwgar ond yn fygythiol yr un pryd. Ond roedd John fel petai yn ei elfen a dilynodd Enoch ei gamau pendant drwy'r dorf.

'Fan hyn dwi'n aros,' meddai Enoch, gan anelu am ddrysau'r Cairo Hotel. Y gwir oedd bod rhaid iddo ddychwelyd – roedd wedi cario digon o arian am y daith yn ôl i'r Ariannin gydag e yn ei boced, ond roedd wedi gadael y gweddill o dan y fatres yn ei stafell wely yn y gwesty. Doedd e ddim wedi dweud hynny wrth Owen rhag ofn i'r Ditectif Arolygydd edrych arno fel pe bai'n dwp unwaith eto. Pe na bai'r arian yno – wel, fyddai e ddim yn dweud wrth neb.

'Mr Jones,' meddai'r dyn wrth y ddesg flaen. 'Ro'n ni'n meddwl eich bod chi wedi'n gadael ni gan na ddaethoch chi'n ôl neithiwr.'

'Ges i bach o drafferth gyda'r gyfraith. Ydych chi wedi llenwi'r ystafell?'

'Na, mae hi'n dal yno fel y gadawsoch chi hi.'

'Diolch.'

Ffarweliodd Enoch â John yn y cyntedd a threfnu i gyfarfod yn yr orsaf drenau y diwrnod wedyn. Yna cymerodd yr allwedd a dringo'r grisiau i'r ail lawr. Croesodd garped moel a thyllog y landin at ddrws ei ystafell, a'i ddatgloi. Edrychai'r ystafell yr un mor llwm â chynt, yn wag heblaw am y gwely ac un stôl, a'r drws i'r balconi. Aeth i bysgota o dan y fatres. Oedd, roedd ei arian, a'i siwtces yn llawn o ddillad, yn dal yno. Chwarae teg – naill ai roedden nhw'n dwp, neu'n weddol onest wedi'r cwbwl.

Gorweddodd ar y gwely a cheisio anwybyddu'r clebran a'r symud diddiwedd o'r stryd y tu allan i'w falconi. Gwichiai'r estyll uwch ei ben wrth i rywun gamu o amgylch y stafell. Gobeithiai y byddai'r synau'n tewi ond ar ôl hanner awr daeth i'r casgliad na fyddai hynny'n digwydd tan oriau mân y bore, felly byddai'n rhaid iddo drio'i orau i gysgu gan anwybyddu'r sŵn.

Ymwthiodd ei ben i mewn i'w glustog. Cyn gadael yr Ariannin roedd arno ofn. Ac yntau'n ddyn yn ei bumdegau, roedd wedi wynebu peryglon angheuol ond roedd arno ofn gadael cartre gan nad oedd syniad ganddo beth oedd yn ei wynebu. Doedd ganddo ddim llyfr am Gymru ac roedd y

Cymry eraill yn y Wladfa naill ai wedi'u magu yn yr Ariannin neu â chof plant yn unig o wlad eu geni. Fel yntau roedd ganddyn nhw syniadau digon amwys ynglŷn â pharadwys bell o bentrefi gwledig a chaeau tonnog.

Byddai wedi bod yn haws aros gartre, byw'r un bywyd cyfarwydd o ddydd i ddydd a rhoi'r holl feddyliau am deithio o'r neilltu. Ond sylweddolodd ar y pryd y byddai'n difaru am byth pe bai'n gwneud hynny. Roedd Cymru'n fyd oedd yn bodoli yn straeon amser gwely ei fam, ond un y gallai ei gyrraedd pe bai'n benderfynol o wneud hynny.

A nawr, yn hytrach na gorwedd yn ei stafell fach gyfarwydd roedd yn gorwedd mewn stafell gwesty ymhell i ffwrdd, â thyrfa fygythiol yn chwyddo fel ton gythryblus y tu allan i'r ffenestr.

Yfory fe fyddai pethau'n wahanol, penderfynodd. Doedd e ddim am adael i'r ddinas wneud iddo deimlo'n isel ei ysbryd. Wedi cyrraedd roedd yn rhaid iddo fanteisio ar ei sefyllfa, a mynd i chwilio am y Gymru y soniodd ei fam amdani. Yfory fe fyddai'n mwynhau ei hun.

XVI

LLIFODD Y TRÊN i'r orsaf gan disian ager poeth a llenwi'r platfform â sŵn dyrnu'r pistonau a bytheirio'r simnai. Cododd yr ager oddi ar ei gorff fel chwys oddi ar groen tarw wrth i'r mecanwaith cyhyrog lacio a sefyll yn stond.

Roedd y dyrfa wedi bod yn pendwmpian yn segur ar y platfform oer am chwarter awr a mwy yn disgwyl am y trên dau o'r gloch y pnawn i Ferthyr Tudful. Erbyn hyn roedden nhw'n gwthio am ddrysau'r cerbydau fel pe bai pob eiliad yn cyfri.

Safodd Enoch yn ei unfan, heb unrhyw awydd ymuno yn y wasgfa, tan oedd y teithiwr ola wedi dringo i mewn i'r cerbyd. Yna cymerodd gam petrus ar y gris cynta, gan deimlo'r cerbyd cyfan yn simsanu oddi tano. Er i drenau fod yn Nyffryn Camwy ers pan oedd e'n bymtheg oed, yr unig adeg roedd e'n fodlon i'w draed adael y ddaear oedd pan fyddai ei din mewn cyfrwy.

Er gwaetha'r prysurdeb i ddod o hyd i sedd doedd y trên ddim yn hollol lawn a daeth o hyd i le gwag wrth y ffenestr mewn un cerbyd. Edrychodd ambell deithiwr arall arno drwy'r paen gwydr yn y drws, ond ddaeth neb i eistedd wrth ei ymyl na gyferbyn iddo. Cyn hir cyrhaeddodd John, a gawsai ei dynnu i gyfeiriad arall gan y dyrfa, ac eisteddodd wrth ei ymyl.

'Chi'n iawn?' gofynnodd wrth weld yr olwg betrus ar wyneb y siryf.

'Dwi ddim yn hoff o deithio ar y peiriannau 'ma,' atebodd.

'Peidiwch poeni, sai erio'd wedi bod ar drên chwaith. Erio'd wedi bod angen gadael Caerdydd a dweud y gwir.

Rhyfedd gan 'mod i'n eu gweld nhw'n mynd a dod bob dydd!'

'Beth yw'r cyflyma wyt ti erioed wedi teithio?' gofynnodd Enoch.

'Ar feic, am wn i. Ma nhw'n gyflymach na'r tramiau, i lawr y rhiw o leia. Beth amdanoch chi?'

'Ar geffyl. Ac maen nhw hefyd yn gallu bod yn dipyn cynt na'r trên. Ond gobeithio na fydd 'y nghoesau i mor stiff ar ôl bod ar hwn.'

Edrychodd Enoch o'i amgylch yn ansicr. Roedd wedi gweld ambell i drên yn hwylio'n osgeiddig ar hyd gwastadeddau'r paith, â'u stêm yn codi fel mwng claerwyn y tu ôl iddyn nhw. Ond roedd y trenau newydd yn gwneud cymaint mwy o sŵn wrth deithio, yn taranu o le i le. Sut fath o daith fyddai hon tybed?

Ar ôl sawl munud o chwibanu a thuchan, porthorion yn gweiddi a drysau pren yn cau'n glep, neidiodd y ddau yn eu seddi wrth i'r trên ysgwyd drwyddo a dechreuodd yr orsaf lifo ymaith oddi tanynt. Cydiodd rhyw gynnwrf plentynnaidd yn Enoch.

Gwenodd John hefyd a llacio ychydig o'i afael ar y rheilen. Syllodd heibio i Enoch ar y ddinas yn rhowlio heibio, fel un tapestri hir. Roedd gweld Caerdydd o gyfeiriad hollol newydd yn brofiad rhyfedd. Aeth y trên heibio i Stryd y Frenhines a gwyliodd y bobol yn tagu'r strydoedd, yn gwbwl anymwybodol bod ei lygaid ef arnyn nhw, fel pe bai'n gwylio pysgod tu ôl i wydr yn y sw.

Ffrydiai golau trwy ffenestr y cerbyd wrth iddynt adael cysgodion adeiladau'r ddinas. Ond hyd yn oed wedyn doedd dim lot i'w weld o'r cerbyd oherwydd y coed a dyfai ychydig lathenni oddi wrth y trac. Er bod y dyn Enoch yn ddieithryn iddo roedd yn ddiolchgar am gael rhyw gwmnïaeth ar ei daith gan na fu John erioed mor bell â hyn o Gaerdydd. Ac oherwydd mai dyn estron o wlad bell a eisteddai wrth ei ochor roedd y siwrne'n debycach i un o'r anturiaethau hynny y bu'n eu dychmygu wrth chwarae yn y bae yn ystod ei blentyndod.

'Rydw i'n gallu anadlu eto,' meddai Enoch, gan dynnu ei het a mwynhau ychydig o wres yr haul ar ei groen drwy'r ffenestr. 'Mae'n braf cael bod yn ôl yn yr awyr agored, 'yn tydi?'

Nodiodd John yn ansicr, cyn i'r goedwig gau yn waliau serth bob ochor iddynt. Doedd dim sŵn i'w glywed ond clebran y cledrau.

'Pam roeddech chi eisie dod 'da fi?' gofynnodd John o'r diwedd.

Gwenodd Enoch. 'Yr ateb gonest i hynny, am wn i, ydi 'mod i'n chwilio am rywbeth.'

'Y siwtces?'

'Wel, hynny hefyd. Ond na, rhywbeth mwy. Rydw i'n chwilio...' Ymestynnodd ei ddwylo fel pe bai'n ceisio dal rhywbeth. 'Yn yr Ariannin dwi erioed wedi teimlo 'mod i'n perthyn i'r wlad nag i neb. Dyna'r gwir i ti.'

Syllodd John ar y llawr. 'Ers pryd?'

'Doeddwn i erioed yn teimlo'n gartrefol yno – teimlo 'mod i fod yn rhywle arall. Roeddwn i'n symud o le i le o hyd.'

'Felly ro'ch chi'n meddwl y byddech chi'n gartrefol yng Nghymru?'

'Dwn i ddim. Ches i erioed lot o wybodaeth gan Mam. Dim ond tristwch o deimlo ei bod hi 'di colli rhywbeth. Wedi colli 'nhad, wedi colli Cymru.' Llyfodd ei wefus. 'Ac rydw i'n heneiddio. Efallai mewn blwyddyn neu ddwy y byddwn i'n rhy hen i weld Cymru. A dim ond difaru fyddwn i wedyn.'

'Y'ch chi'n hapus yng Nghymru?'

'Nac ydw.' Gwenodd Enoch arno. 'Dyna'r ateb gonest i ti. Dwi ddim wedi gweld y lle roedd fy mam yn siarad amdano.'

'Falle dewn ni o hyd iddo,' meddai John, gan osod llaw gysurlon ar ei fraich.

'Efallai wir. Fy nhro i rŵan. Beth rwyt ti'n 'i wneud ar y trên 'ma? A pam wyt ti'n gwisgo dillad sy'n rhy fawr i ti?'

Gafaelodd John yn ymylon ei het yn hunanymwybodol. 'Dillad Dad yw'r rhain.'

'Ti'n edrych fel plentyn sy eisiau smalio bod yn ddyn. Dwi ddim yn dweud hynny mewn ffordd gas.'

'Rwy moyn bod yn newyddiadurwr,' meddai John, ac edrych allan drwy'r ffenestr. 'Os gwna i lwyddo 'da'r stori yma, bydd 'da fi gyfle.'

'Pam wyt ti eisiau bod yn un o'r rheiny? Mae'n swydd anodd, gorfod ymdopi â dihirod bob dydd.'

'Fel bod yn siryf felly?'

Gwenodd Enoch. 'Ie, ond dwi wedi haeddu 'mathodyn i. Dydw i ddim wedi benthyg un fy nhad.'

Gwelodd wep John yn disgyn.

'Dwi'n tynnu coes. Dilyn di dy freuddwydion. Yn lle tindroi tan dy fod ti'n hen ddyn, a chychwyn pan fydd pethau'n rhy hwyr.'

Diflannodd y teithwyr yn araf bach o'r cerbyd wrth i'r trên bellhau o Gaerdydd ac aros o dro i dro mewn gorsafoedd eraill. Cyn bo hir dim ond ambell gysgod oedd ar ôl yn y cerbyd, wedi ei asio i'r pren a'r lledr fel darnau o'r hen ddodrefn. Erbyn hynny roedd John ac Enoch hefyd yn pendwmpian, wedi'u suo gan ysgwyd rhythmig y cerbyd a phylni golau'r haul yn y dyffryn troellog.

Wrth i'r trên arafu unwaith eto cododd Enoch ei ben a gweld enw cyfarwydd yn llithro heibio'r ffenestr.

'Nid fan hyn mae ein ffrind ni'n byw?'

Edrychodd John heibio iddo a gweld yr arwydd.

'Tremaen. Ie, dyna fe.' Cododd ar ei draed a brysio allan, a'i sgidiau yn gwichian ar ei ôl.

Camodd Enoch i lawr i'r platfform concrid a chynnau sigarét. Edrychodd o'i amgylch. Roedd y trên wedi'u gadael mewn pant dwfn ger twnnel yn y graig ac o'r fan honno allen nhw ddim gweld lot fawr, dim ond y cwm oddi tanynt ar un ochor ac ambell stryd hir o dai teras yn glynu wrth ymylon y llethrau uwch eu pennau. Rhedai hen ffordd lychlyd, wedi'i gorchuddio â chlytiau o glai a rwbel er hwylustod i'r ceir, i fyny o'r orsaf i gyfeiriad y pentre.

'Mae gennyn ni dipyn o ffordd i'w dringo,' nododd Enoch, ac amneidiodd John i gytuno.

'Ma'n ddrwg 'da fi.'

'Na, mae'n braf cael defnyddio'r hen goesau eto.'

★ ★ ★

Breuddwydiodd Daniel. Gwelai'r ddinas fel bwystfil enfawr, ei ffwr garw yn filoedd o simneiau a phob un yn tasgu mwrllwch du i'r awyr. Ei lygaid yn ffwrneisi tanllyd a'i grafangau'n graeniau haearn.

Roedd y corff fu unwaith yn gyhyrog bellach yn gorwedd yn gelain, a drewdod afiach yn codi oddi arno. Gwelai Daniel filoedd o gynrhon yn tyrru dros y corff, yn gwledda ar bob gewyn a darn o gnawd pwdr. Y newyddiadurwyr, yr heddlu, y gwleidyddion, y lladron a meistri'r puteiniaid. Ac roedd ef yno, yn ymrafael am ei le ar y twmpath gyda'r gweddill.

Taflodd Daniel y cynfasau chwyslyd oddi arno a theimlo'i fol yn troi. Roedd effeithiau'r cwrw'n dal i bwyso arno.

Piliodd ei gorff oddi ar y cynfas ac ymbalfalu'n chwil am y pot pisio o dan y gwely. Roedd y symudiad yn ormod iddo a phrin roedd e wedi tynnu'r potyn allan cyn iddo ychwanegu cynnwys ei gylla i'r gymysgedd afiach.

Bu'n hongian oddi ar ymyl y gwely am ychydig funudau, rhag ofn iddo gael pwl arall, ond teimlai'n well. Edrychodd allan drwy'r ffenestr a gweld ei bod hi eisoes yn ganol dydd. Roedd hi wedi bod yn bwrw glaw eto a chlywai rywun yn brwsio'r dŵr i'r gwter gan chwibanu.

Doedd e heb wneud lot o waith drwy'r nos, dim ond yfed a blino unrhyw glust oedd yn fodlon gwrando. Byddai'n siŵr o gael tafod yn y gwaith. Fel arfer byddai modd dala slac yn dynn am noswaith heb gasglu unrhyw straeon – noson dawel, dim byd wedi digwydd, y cyswllt heb ymddangos, y llinell ffôn ddim yn gweithio. Ond fyddai'r un esgus yn gwneud y tro heddiw – roedd pawb ar shifft y dydd wedi'i weld yn meddwi yn y dafarn. Roedd newyddiadurwyr y *Cronicl* a'r *Mail* yn alcoholics o fri, yn gallu yfed y docwyr o dan y bwrdd hyd yn oed, ond câi ei weld fel ffordd o ddianc rhag pwysau'r gwaith, ar ôl i'r shifft ddod i ben.

Ar ôl i'r dafarn gau am ddeg o'r gloch roedd wedi baglu ei ffordd gyda rhai o'r bois ifainc eraill i ryw le tanddaearol chwyslyd yn y dociau, ble'r oedd merched a dynion gwyn a du yn dawnsio'r Charleston a'r Black Bottom i gerddoriaeth jazz orwyllt. Roedd Daniel yn rhy feddw i wneud dim ond eistedd yn y gornel yn dal i yfed a gwylio'r merched yn chwyrlïo fel pe bai'r byd yn dod i ben y noson honno, tan i'w ben e ddechrau troi gyda nhw ac y bu'n rhaid iddo fynd allan am awyr iach.

Roedd ganddo ryw atgof o gyrraedd adre. Yntau'n drewi o gwrw, yn cau drysau'n glep gan dorri gwydrau a deffro'r babi. Roedd rhywun ar draws y stryd wedi gweiddi rhywbeth arno ac yntau wedi agor y ffenestr er mwyn rhegi'n ôl arni. Roedd dagrau yn llygaid Stella a'r babi.

Sleifiodd Daniel allan o'r ystafell wely i'r lolfa. Roedd Stella yno'n magu'r babi, a'i llygaid yn goch. Pan glywodd ef cododd un bys at ei cheg i ofyn am ddistawrwydd.

'Wy'n mynd mas i'r clwb gweu mewn munud,' sibrydodd. 'Bydd Mrs Maga drws nesa yn edrych ar ôl y bychan.'

'Alla i garco fe os ti moyn.'

'Na, mae'n iawn,' meddai'n ddistaw. 'Falle na fydda i nôl cyn i ti fynd i'r gwaith ta beth.'

'Beth chi'n mynd i wnïo heno?'

'Sane newydd i Jac.'

'Wel 'na joio 'te.'

Cododd hanner gwên ar ei hwyneb, a chwtshiodd y baban cysglyd yn agosach ati.

'Sori am neithiwr,' meddai Daniel.

'Byth eto.'

'Ro'n i wedi meddwi...'

'Sylwes i.'

'Wy'n dy garu di.'

'Caru ti 'fyd.' Oedodd. 'Ond sai'n lico gweld yr ochor 'na ohonot ti.'

Ysgydwodd Daniel ei ben a mynd yn ôl i eistedd ar y gwely. Rhedodd ei ddwylo drwy ei wallt anniben, a'r un hen feddyliau anhapus yn troi yn ei feddwl. Doedd e ddim yn gwybod beth oedd yn bod arno. Weithiau fe fyddai'n hapus, a'i broblemau'n ymddangos fel storm ar orwel pell. Ond bob hyn a hyn fe fyddai'n mynd i rigol, yn methu cael y meddyliau tywyll o'i ben ac yn pigo dros ei broblemau.

Penderfynodd y byddai bath yn gwneud iddo deimlo'n well ac fe aeth allan i'r iard gefn i nôl yr hen dwba sinc. Gosodd e ynghanol y lolfa a berwi sawl dysgl o ddŵr ar y tân i'w lenwi. Tynnodd amdano a mynd i eistedd yn y dŵr cynnes, a sgrwbio'i gefn a gwaelod ei draed.

Beth oedd yn ei wneud e'n anhapus? Ar bapur roedd ganddo bopeth roedd arno ei eisiau. Roedd dianc gyda Stella i Gaerdydd wedi bod fel gwireddu breuddwyd, ar ôl bod dros ei ben a'i glustiau mewn cariad pell â hi – cariad annioddefol o boenus.

Ond doedd e ddim yn ei nabod hi bryd hynny fel roedd e'n ei nabod hi nawr. Cariad llanc sengl oedd e – yn caru ei phrydferthwch, a charu breuddwydio am ei chorff yn boeth yn ei erbyn.

Ers iddyn nhw ffoi i Gaerdydd roedd wedi dod i nabod y Stella go iawn. Roedd yn dal i'w charu hi – ond nid yr un cariad dwl, delfrydol ydoedd erbyn hyn. Ond, yn y bôn, poenai am nad oedd e'n gwybod sut roedd hi'n teimlo amdano ef. Oedd hi'n ei garu go iawn, ynteu yn bodloni byw gydag e er mwyn gallu magu ei phlentyn? Cyn iddo gynnig dianc gyda hi doedd hi ddim hyd yn oed yn cofio ei enw. Erbyn hyn dywedai ei bod hi'n ei garu, ond roedd ei hagwedd tuag ato'n ddigon oeraidd. Cydiai ryw ofn felly yn ei galon o dro i dro, pan deimlai'n isel ei ysbryd.

Edrychodd ar Stella. Roedd hi'n darllen erthygl am weu mewn copi ail-law o *Good Housekeeping* wrth i Jac gysgu. Daliodd hi ei lygaid a gwenu.

'Wy'n mynd nawr 'te, iawn, Dan? Bydda i'n gadael Jac gyda Mrs Maga.'

'Hwyl fawr,' meddai Daniel. 'Caru ti.'

Gadawodd Stella'r ystafell a chlywodd hi'n cau'r drws ar ei hôl. Y clwb gweu, wir. Ar nos Fawrth oedd hwnnw. Gallai dyngu iddi fod yno unwaith yr wythnos hon yn barod.

Teimlai Daniel rywbeth yn debyg i baranoia yn cydio

ynddo, a rhyw oerfel yn lledu yn ei frest. Efallai ei bod hi'n gweld dyn arall? Ond pwy?

Teimlai'n euog am ei hamau hi. Ond rhywsut roedd rhaid iddo gael gwybod. Cododd o'r bath a gwisgo amdano'n frysiog a mynd drwy siop y cigydd, heibio'r cwsmeriaid ac allan i'r stryd. Roedd ychydig o oriau eto tan y byddai'n dechrau gwaith a, beth bynnag, roedd angen awyr iach arno cyn mynd i mewn i'r stafell newyddion fyglyd. Edrychodd i lawr y stryd a gweld Stella'n cerdded yn y pellter, tua'r de, tua'r dociau.

Dilynodd hi.

XVII

DOEDD ENOCH ERIOED wedi gweld cymaint o brydferthwch a hylltra mewn un lle. Codai'r bryniau fel bronnau llyfn, euraid dros y pentre, â'u topiau wedi'u cusanu gan yr haul. Ond yn eu cysgodion gorweddai pentyrrau anferth o sorod a rhesi o dai teras, a chodai pileri o fwg fel byddin lwyd allan o simneiau'r tai.

Y cyferbyniad oedd yn hagru'r pentre fwyaf, meddyliodd, wrth ollwng ei law o'i lygaid. Yr uffern waetha oedd gallu gweld y nefoedd.

'Dyna ffrâm pen y pwll, draw fan 'na,' meddai John, gan bwyntio at y tŵr coch esgyrnog uwchben y pentre. 'Mae dad-cu'n sôn am rheina weithie.'

Yr unig adeilad arall a godai uwchlaw'r cwm oedd y plasty, a safai ymysg y coed fel ymbarél amryliw mewn angladd. Edrychai'n debycach i gastell o'r fan hyn, gan awgrymu nad oedd croeso i ymwelwyr yno ers yr Oesoedd Canol o leia.

'Beth ydyn ni'n mynd i'w wneud rŵan?' gofynnodd Enoch gan frwydro am ei wynt. Roedd hi wedi cymryd mwy o amser na'r disgwyl i'r ddau ohonyn nhw gerdded i fyny i'r pentre ac roedd hi bron yn bedwar o'r gloch yn barod.

'Dechrau cnocio ar ddrysau, am wn i,' atebodd John. Roedd yna ddigon ohonyn nhw i gnocio arnynt beth bynnag. Troellai rhesi di-ben-draw o dai drwy'r cwm cul, a'r cyfan wedi'u gwasgu at ei gilydd.

Digon nerfus oedd John wrth gnocio i ddechrau a doedd diffyg amynedd ý gwragedd wrth ateb fawr o help. Wrth agor y drysau roedden nhw'n ddigon moesgar ond newidiai eu hagwedd wrth i John ddweud ei fod yn newyddiadurwr

– wedyn roedden nhw'n rhy brysur yn sgrwbio'r llorie neu'n paratoi swper i siarad.

Serch hynny doedd dim pall ar frwdfrydedd John a theimlai Enoch y byddai wedi bod yn ddigon bodlon cnocio ar bob drws yn y cwm pe bai rhaid.

'Wy'n meddwl bod y gnoc gelain dipyn haws na hyn,' meddai John, wrth iddynt gymryd hoe fach am bicnic ar lethr y cwm. Rhwbiodd ei gymalau poenus.

'Dwi ddim yn meddwl y gwnaiff unrhyw un ein helpu ni,' meddai Enoch.

'Alla i'm mynd yn ôl i'r swyddfa yfory'n waglaw. Mae Cynog wedi rhoi ei ffydd yndda i i greu'r stori yma. Sai eisie iddo ddifaru iddo 'ngyrru i yn y lle cynta.'

Cnodd ei frechdan.

'Mae'n agoriad llygad, on'd yw e?' meddai wedyn. 'Gweld yr holl wragedd ar 'u penglinie yn golchi'r llorie tra bod y dynion yn y pwll yn gweithio. Synnwn i os o's gwaith ar gal i unrhyw fenyw y tu fas i'r cartre.'

'Gwell na bod i lawr yn y pwll glo, am wn i.'

Wnaeth John ddim ateb.

'Ti'n teimlo'n gryf ynglŷn â'r busnes hawliau cyfartal yma, on'd wyt ti?'

'Wel, chi sy'n dweud bod egwyddorion yn bwysig,' atebodd John â'i geg yn llawn.

Fe orffennon nhw eu brechdanau ac ailddechrau arni. Dri drws yn ddiweddarach roedden nhw'n lwcus, a daliodd un o'r gwragedd y drws yn gilagored yn ddigon hir i ddweud: 'It's Trevor Powell that talked to the press during the strike. He represents the unions around here.'

'Where does he live?'

'Number 22, Dyffryn Street,' meddai, a chau'r drws yn glep cyn i John gael cyfle i ddiolch yn dwymgalon iddi.

·Crwydrodd Enoch ac yntau'n flinedig i fyny'r cwm heibio'r tai unffurf tan iddyn nhw gyrraedd y stryd. Roedd drws rhif 22 eisoes ar agor a gwraig ar ei phedwar ar y stepen â brwsh bras yn ei llaw yn sgwrio carreg y drws. Wrth ei hochor stemiai bwcedaid o ddŵr poeth. 'Mae e yn y bath,' meddai hi. 'Newydd orffen ei shifft. Tre-for!' bloeddiodd.

O'r gegin y tu ôl iddi daeth sŵn dŵr yn cynhyrfu a llais yn galw 'Beth?'

'Mae yna rywun o'r papur i dy weld ti. *Union matters* 'to.'

Ar ôl ychydig funudau ymddangosodd dyn yn ei bedwardegau, yn gwisgo trowser melfaréd â bresys yn eu dal a chrys gwyn. Roedd ei wyneb a'i wallt yn lân, heblaw am yr haen o lwch glo oedd wedi treiddio'n ddwfn i rychau ei wyneb.

Gwahoddodd y ddau i eistedd ar gadeiriau pren yn y parlwr wrth i'w wraig ferwi tegell. 'Beth chi moyn wbod 'te?' gofynnodd.

Esboniodd John pam eu bod nhw yno – y sïon am dyllu gwythiennau peryglus o lo o dan y pentre am ei bod hi'n haws cael y glo allan ohonyn nhw, ac y gallai hynny effeithio ar sylfeini'r tai.

Cyneuodd Trefor ei getyn a sugno arno am sbel cyn ateb. 'Ie, mae gweithio fel glöwr yn beryglus,' meddai o'r diwedd. 'Chi lawr yno'n hanner noeth yn y tywyllwch a'r dwst. Os na wnaiff carreg gwmpo arnoch chi, neu ffrwydrad eich dala chi, bydd y dwst yn siŵr o wneud ei waith. Rhaid i chi gadw llyged a chlustie ar agor lawr fan 'na.'

'Felly ydych chi'n meddwl ei bod hi'n rhy beryglus tyllu yn syth o dan y pentre?'

'Mae'n beryglus, ody. Ond pe baen ni ddim yn credu bod y siafft yn mynd i sefyll, fydden ni ddim yn mynd i lawr 'na bob dydd. Mae pethe'n dynn o ran arian ond dy'n ni ddim yn mynd i ladd ein hunen yn fwriadol chwaith. Dyw glöwr marw ddim yn ennill cyflog o gwbwl.'

Tynnodd ei wraig y tegell oddi ar y tân ac arllwys paned yr un iddyn nhw.

'Diolch yn fawr,' meddai John ac Enoch.

'Gadewch i fi ddweud stori wrthoch chi,' meddai Trefor. 'Flynyddoedd yn ôl ro'n i'n gweithio lawr ym mhyllau glo y de-orllewin, yn eitha agos at lan y môr. Ro'n i lawr yn y pwll yn gweithio hen wythïen lo pan glywais i ryw sŵn mowr. Pryd 'ny ro'n i'n ifanc ac wedi clywed y rhybuddion am do'n cwympo, ac yn meddwl bod y cwbwl yn mynd i ddod i lawr ar 'y mhen i. Yna gwnes i nabod y sŵn a sylweddoli mai llong oedd yno uwch 'y mhen i. Allech chi gredu 'ny? Mae'n siŵr ei bod hi gwpwl o lathenni os nad troedfeddi uwch 'y mhen i. Ro'n i'n gallu clywed y llafnau'n troi yn y dŵr hyd yn oed. Dyna pryd sylweddolais i fod ein twnnel ni'n mynd yn syth o dan y môr. Ond dyna beth ni'n cael ein talu i neud yntyfe. Mae'n waith peryglus a dyna pam ro'n ni'n arfer cael ein talu yn well na'r docwyr a'r gweithwyr ar y rheilffordd.'

'Ond mae pethe'n wa'th 'ma nawr?'

'Mae pethau'n caletu yma, odyn. Mae'r perchnogion yn torri cyfloge a gofyn am fwy o orie gwaith wrth iddyn nhw wneud llai a llai o elw. Dylen nhw fod wedi defnyddio tipyn o'r arian oedd gyda nhw ar ôl y rhyfel i fuddsoddi mewn offer newydd i wneud y gwaith yn fwy proffidiol yn lle gofyn i'r gweithwyr ysgwyddo'r baich. Falle wedyn 'se modd tyllu glo o wythienne dyfnach sy'n fwy sefydlog. Ond mae'r cyfle wedi mynd erbyn hyn.'

'Fe allech chi streico 'to.'

Ysgydwodd ei ben. 'Wnath streic y llynedd ddim ein helpu ni. Wnath bod yn styfnig a gwrthod cyfaddawdu ddim unrhyw les i ni chwaith. Nawr ry'n ni'n gweithio mwy o orie am lai o gyflog. Mae'r llywodraeth wedi gadael i'r Cymoedd farw. Wnaeth Llafur ddim byd i'n helpu ni pan oedden nhw'n llywodraethu, cofiwch. Sai'n Gomiwnydd fy hun ond mae rhai'n dweud wrtha i mai dyna fydd yr ateb yn y pen draw, wrth i'r system gyfalafol chwalu. Ond sai'n gweld hynny'n digwydd.'

Tawelodd am dipyn cyn ychwanegu, 'Na, does dim i'w wneud am y peth. Fe sy biau'n tai ni.' Anelodd ei getyn drwy'r ffenestr tuag at amlinell ddu palas yr Arglwydd ar ymyl y bryn. 'Smo fe'n talu digon i ni allu fforddio symud i chwilio am waith, a gweithio i lawr y pylle glo ry'n ni wedi'n hyfforddi i'w wneud. Ma'n plant ni'n mynd i lawr i'r pwll yn ddeuddeg ac ma nhw yn yr un twll â ni. Smo pethe'n dda 'ma ond os o's rhaid i ni gloddio gwythienne peryglus er mwyn bwydo'n teuluoedd, wel, dyna ni.'

Gwacaodd gwraig Trefor y dŵr o fath ei gŵr, a chymerodd John ac Enoch hynny fel awgrym ei bod hi'n bryd iddyn nhw adael. Roedd y cwbwl yn llyfr nodiadau John, a diolchodd y ddau i Trefor.

'Wel, dyna ni,' meddai'r llanc pan oedden nhw allan ar y stryd. 'Mae 'da fi gadarnhad eu bod nhw'n cloddio o dan y pentre o leia. Ond neb i gwyno am y peth.'

'Beth wnawn ni'n awr? Mae hi'n tynnu am chwech o'r gloch yn barod.'

'Wel, mynd yn syth i lygad y ffynnon am wn i,' atebodd John, gan lygadu'r plasty ar ben y bryn. 'Gweld beth sy 'da'r Arglwydd Tremaen 'i hunan i'w ddweud.'

XVIII

TYNNODD STELLA EI chot yn dynnach amdani wrth iddi gerdded dros bont haearn Stryd Custom House ar waelod Mill Lane a throi tuag at y dociau i'r de. Fel arfer pan fyddai hi'n gadael y tŷ byddai hi'n troi tuag at Riverside, i'w 'chlwb gweu' fel y galwai e o fewn clyw Daniel. Mewn gwirionedd cyfarfod wythnosol y Swffragéts oedd e a byddai'r rhan fwya o ferched a fynychai'r cyfarfodydd hyn yn edrych i lawr eu trwynau ar unrhyw beth mor draddodiadol â chlwb gweu. Ond byddai Stella'n dal i weu gyda'r nos wrth geisio cael Jac i gysgu, ac roedd y dillad a gynhyrchai yn oriau mân y bore yn ddigon o dystiolaeth i ddarbwyllo Daniel mai dyna oedd hi'n ei wneud bob nos Fawrth.

Roedd rhai o'r merched yn y cyfarfod yn codi ofn ar Stella. Hen ferched sur, yn smygu fel simneiau gan ddadlau bod merched yn well na dynion ac nad oedd eu hangen nhw o gwbwl. Hen lawiau yn y frwydr dros hawliau merched a deimlai fod merched ifainc fel Stella'n cymryd eu rhyddid newydd yn rhy ganiataol. Roedden nhw'n difrïo'r ffasiynau diweddaraf am eu bod yn dangos gormod o gorff merch er mwyn plesio dynion, yn eu barn nhw, yn hytrach na rhyddhau merched o'u caethiwed. Roedd Stella yn eu parchu er nad oedd hi'n arbennig o hoff ohonyn nhw.

Ond roedd un o'r merched ifainc yn y cyfarfodydd wedi gwneud argraff arbennig arni. Elliw. Roedd yr enw fel cloch bersain yn ei chlust. Roedd hi'n beth dwt, ifanc, ond ymysg y mwya tanllyd yno, yn galw arnyn nhw i ddeffro o'u syrthni a thorri ar gadwyni eu bywydau cyfforddus gan hawlio'r un cyfleoedd â dynion. Roedd hi â'i bryd ar fod yn newyddiadurwraig ond wedi'i gwrthod dro ar ôl tro gan olygyddion y papurau newydd.

Roedd Elliw yn rhy eithafol i rai o'r merched a fynychai'r cyfarfodydd. Ond roedd Stella yn ei haddoli hi, ac yn cytuno â hi i'r carn ar bynciau fel magu plant.

'Mae'r llywodraeth yn dweud y dylai merched gael plentyn ar ôl plentyn, fel rhaff o selsig, er lles yr Ymerodraeth,' meddai Elliw mewn cyfarfod diweddar. 'Ond merched sy'n talu'r pris am hyn drwy ddal afiechydon. Pa les wnaiff mamau gwan a phlant sâl i Brydain mewn gwirionedd?'

Serch hynny, nid oedd Stella wedi gweld Elliw yn y cyfarfodydd ers ychydig wythnosau. Efallai fod ei gŵr, os oedd ganddi un, wedi'i darbwyllo i beidio â'u mynychu? Neu ei thad hi efallai? Neu oedd hi wedi penderfynu bod y grŵp yn ei dal hi nôl ac y dylai weithredu'n uniongyrchol ar ei phen ei hun? Sylweddolodd Stella cyn lleied oedd hi'n ei wybod am fywydau'r merched eraill y tu allan i'r cyfarfodydd. Ond roedd hynny'n ei siwtio. Beth fyddai'r merched eraill yn ei feddwl pe baen nhw'n gwybod ei hanes hi?

Fyddai Elliw ddim yn ei beirniadu hi, gwyddai Stella hynny. Roedd Stella'n poeni amdani erbyn hyn. Gobeithio nad oedd hi'n ystyried taflu ei hun o dan geffyl y Brenin pan ddeuai i agor yr amgueddfa ddydd Sadwrn, gan efelychu ei harwres, Emily Davison.

Er yr hoffai Stella ymuno ag Elliw ar ei chrwsâd, doedd hi ddim yn barod eto. Roedd ambell un o'r aelodau wedi dweud y cyfan wrth eu gwŷr, ac roedd eu priodasau wedi colli'u lliw ar ôl hynny, rhai wedi gwahanu ac ambell un hyd yn oed wedi cael ysgariad ar ôl codi cywilydd ar eu gwŷr drwy weithredu – gwthio bomiau drwy ddrysau neu gael eu harestio wrth brotestio. Doedd Stella heb groesi'r rhiniog hwnnw eto – fyddai Daniel ddim yn deall ei phenderfyniad, ac fe fyddai'n colli ei dymer. Mewn gwirionedd roedd hi'n caru Daniel a doedd hi ddim am eu gwthio nhw ar wahân. Eto i gyd roedd hi wedi darganfod hunan-barch newydd yn y cyfarfodydd. Ar ôl cael ei defnyddio a'i beirniadu gan ddynion cyhyd, roedd hi o'r diwedd yn barod i ddechrau cymryd cyfrifoldeb dros ei thynged ei hun.

A dyna pam roedd hi wedi troi i'r chwith tuag at ardal y dociau heddiw, ar ôl gadael Jac bach gyda'r fenyw drws nesa. Roedd hi wedi'i darbwyllo bod gan ferch yr hawl i ddewis beth i'w wneud gyda'i chorff. Doedd hi ddim wedi penderfynu beth fyddai ei dewis hi eto. Ond os oedd ei hamheuon yn wir, hi fyddai'n penderfynu beth i'w wneud â'r creadur bychan oedd yn tyfu yn ei bol. Dyma fyddai ei gweithred fechan hi i herio'r drefn.

Roedd dryswch Daniel wedi troi'n anghrediniaeth. Ble'r oedd hi'n mynd, yn crwydro i lawr i Dre Biwt yn hollol ddiamddiffyn? Gwyliodd Daniel y ffigwr eiddil yn ei chardigan fawr yn igam-ogamu'n betrus drwy'r dyrfa dlodaidd tuag at y bae.

Dilynodd hi trwy ddrysfa o strydoedd troellog, gan gadw'n ddigon pell rhag ofn iddi ei weld ond yn ddigon agos fel y gallai ei hachub hi pe bai rhaid. Roedd Daniel yn gwybod o brofiad wrth weithio ar y *Cronicl* mai lladron a phuteiniaid oedd yn byw lawr fan hyn. Fe allai rhywun ymosod arni – ond nid oedd Stella wedi edrych yn ôl unwaith i weld a oedd rhywun yn ei dilyn.

Fel pe bai hi'n cydnabod nad oedd hi mewn ardal saff, arafodd ei chamau rywfaint ac edrychodd i'r naill ochor a'r llall yn ofidus. Ac yntau wedi ei dilyn hi am chwarter awr dda gwelodd hi'n troi i mewn i stryd wag o goblau a thai llwm yr olwg lle roedd hanner y ffenestri wedi eu bordio o dan estyll pren.

Gwelodd hi'n cnocio ar un o'r drysau, a hwnnw'n agor. Roedd rhywun yn ei disgwyl. Symudai ei phen fel pe bai'n siarad â rhywun ar y trothwy, ond ni allai Daniel glywed ei geiriau. Yna fe groesodd y rhiniog ac fe gaewyd y drws ar ei hôl.

Pwy ar y ddaear roedd hi'n ymweld ag e? Os mai caru gyda dyn arall roedd hi, beth yn fwy y gallai rhywun mewn ardal fel hyn ei gynnig iddi hi nag a gâi ganddo fe?

Diawliodd Daniel. Roedd hon yn ardal beryglus. Os mai dyn arall oedd yn byw yn y tŷ roedd yn debygol y byddai ganddo ddryll yn ei feddiant. Efallai y dylai fynd yn ôl adre a disgwyl am Stella fan yno, a'i herio hi pan ddeuai yn ôl. Ond roedd y cwbwl fel tân ar ei groen. Roedd wedi dechrau bywyd newydd er mwyn ei hachub hi a dyma sut roedd hi'n ei dalu yn ôl.

Brasgamodd tuag at y drws. Ystyriodd ei fwrw i lawr – roedd yn edrych yn beth digon simsan. Ond bodlonodd ar ei golbio'n galed.

Agorodd y drws yn araf. Nid dyn oedd yno o gwbwl, ond hen wreigen fyrdew â'i chefn yn grwm. Syllodd dau lygad meddal arno.

'Alla i'ch helpu chi?' crawciodd.

'Yw Stella 'ma?' gofynnodd, a'r dicter heb adael ei lais yn gyfan gwbwl er gwaetha'i syndod.

Wrth iddo ddweud ei henw ymddangosodd pen Stella drwy'r drws o'r ystafell nesa, â'i llygaid yn llawn braw. Yna diflannodd fel llygoden i'r parlwr.

Gwthiodd Daniel heibio i'r hen wreigen ac i'r ystafell. Safai Stella yn y gornel, ei hysgwydd yn ei wynebu fel pe bai'n disgwyl cael ei cholbio. Rhyngddynt roedd gwely sengl. Roedd y cynfasau wedi'u staenio â gwaed sych.

'Stella, beth wyt ti'n neud?' gofynnodd Daniel.

Roedd hi wedi dychryn am ei bywyd, a'i llygaid yn ymbil arno, ond am beth ni wyddai.

Crwydrodd yr hen wreigen yn ôl i mewn gyda thywel yn ei dwylo, a'i blygu'n ddigyffro fel pe na bai hi wedi cael ei siglo o gwbwl.

'Wy'n cymryd mai hwn yw'r tad 'te?' gofynnodd.

XIX

WRTH DDRINGO i ben y bryn daeth amlinell fygythiol plasty'r Arglwydd Tremaen i'r golwg unwaith eto. Wrth ei weld yn agos am y tro cynta sylwodd John fod y cyfanwaith yn gymysgedd eclectig o adeiladau gwahanol, gyda thŵr mawr hynafol oedd yn codi'n uwch na gweddill yr adeilad, yn ogystal â thŷ Fictorianaidd crand a chloc mawr o gerrig coch a edrychai fel pe bai wedi'i adeiladu'n lled ddiweddar. Tyfai barf o iorwg anniben fan hyn a fan draw ar y waliau. Dim ond amlinell y tŵr, a edrychai fel caer amddiffynnol, oedd i'w gweld yn glir o'r dyffryn oddi tano a dyfalodd John fod hynny'n fwriadol. Disgleiriai mymryn o olau gwan mewn ambell i ffenestr ond roedd y rhan fwya'n dywyll.

Clywodd John anadlu trwm Enoch y tu ôl iddo wrth i'r Archentwr gyrraedd copa'r bryn. Roedd hi wedi bod yn daith bellach na'r disgwyl ac erbyn hyn roedd y cymylau uwchben y cwm wedi dechrau troi'n oren a phinc. Trodd Enoch i fwynhau'r olygfa – ehangder y cwm gwyrdd oddi tano, a'r bryniau bob ochor fel pe baent wedi'u llyfnhau â phapur tywod.

'Roeddet ti'n gywir, mae prydferthwch i'w gael yng Nghymru,' meddai gan sychu'r chwys oddi ar ei dalcen. 'Ond bod rhaid i ti ddringo'n ddigon uchel i'w weld o.'

Gwenodd John. 'Rwy'n gweld dociau Caerdydd yn brydferth fy hun.'

Edrychodd Enoch yn anghrediniol arno.

'Wir. Gyda'r nos, wrth edrych mas dros y môr, a goleuadau rhyw longau pell fel tylwyth teg wedi'u hadlewyrchu ar wyneb y dŵr. Neu wrth eistedd ar wal yn Stryd Biwt a gwylio'r byd yn mynd heibio – y bobol, y lliwiau, fel crisial yn dal y gole'n wahanol wrth edrych arnynt. Mae yna brydferthwch yn y llefydd rhyfedda dim ond i chi agor eich llyged.'

Cododd Enoch ei ysgwyddau. 'Mae pawb yn gweld eu cynefin yn brydferth, am wn i. Ti'n iawn, fyddai llawer o bobol ddim yn gweld y paith yn hardd iawn wrth edrych arno.'

Parhaodd y ddau i gerdded ar hyd y llwybr tuag at brif ddrysau'r plasty. Wrth iddynt eistedd ar y gwair ar ymyl yr hewl i orffwys, ymestynnai cysgod y plasty drostynt fel bwgan gan atal yr haul ar ddiwedd dydd.

'Mae'n ymddangos fel lle digroeso iawn.' Er gwaetha maint y plasty doedd dim arwydd o fywyd yn unman, ac roedd John yn dechrau ailfeddwl.

'Gad i fi fynd mewn gynta,' meddai Enoch, 'i weld beth ga i ganddo fo.'

Edrychodd John arno'n syn. 'Pam hynny?'

'Tydi o ddim yn debygol o wahodd newyddiadurwr sy'n gofyn cwestiynau anodd i'w dŷ, nag ydi? A beth bynnag, ti'n byw lawr yn Nhre Biwt. Mae yna beryg y bydd rhywun yn dy nabod di.'

'Y'ch chi'n meddwl y bydd e'n fodlon gwahodd siryf o'r Wladfa i mewn i'w blasty?'

'Na. Ond os oes ganddo gymaint o ddiddordeb mewn hen greiriau ag yr ydw i wedi'i glywed, efallai y bydd yn gwerthfawrogi ymweliad gan hen archeolegydd doeth o wlad bell.'

'Beth os down nhw i ddeall pwy y'ch chi go iawn?'

Gwenodd Enoch. 'Beth bynnag sy'n digwydd sy'n digwydd. Ewyllys Duw yw'r cwbwl.'

Tynnodd John ar ei lawes. 'Ddim y blydi siwtces sy wrth wraidd hyn, gobeithio?'

Cododd Enoch a wincio arno. 'Aros fan hyn, a phaid â symud tan ddo i nôl.'

Dringodd y siryf yr hen lwybr nadreddog a arweiniai at flaen y tŷ. Gyda'i goesau'n dechrau gwegian cyrhaeddodd y porth. Edrychai fel hen fynedfa swyddogol a honno heb ei hagor ers blynyddoedd, naill ai am nad oedd yr Arglwydd yn cael llawer o westeion neu oherwydd ei bod yn haws mynd drwy'r drws cefn ble'r oedd lle i barcio'r car.

Roedd yr hen ddrws derw fel pe bai wedi'i adeiladu i wrthsefyll byddin a phêl fagnel neu ddwy. Efallai y byddai'n ddefnyddiol eto pe bai'r glowyr yn penderfynu mai digon oedd digon. Uwchben y porth safai hen gerflun marmor oedd wedi hen golli'i drwyn, yn arddangos yr arfbais deuluol. Tynnodd Enoch ei het, a disgleiriai ei wallt gwyn yng ngolau olaf gyda'r nos wrth iddo gydio yn y bwlyn haearn ar y drws.

Chafodd e ddim ateb am ryw hanner munud, tan i ffenestr Duduraidd uwch ei ben wichian ar agor a rhyddhau rhywfaint o olau o'r tŷ. Ymddangosodd amlinell ddu pen ac ysgwyddau corff, a honno'n rhythu'n fud arno am ychydig eiliadau. Yna diflannodd o'r golwg. Clywodd Enoch sŵn amryw o folltau a chadwyni cyn i'r drws agor led y pen. Safai gwraig flonegog mewn ffedog ar y trothwy, yn rhythu'n ddrwgdybus arno.

'Buenas noches,' meddai Enoch. 'Rydw i wedi dod i weld meistr y plas, sí?'

'Ydi e yn eich disgwyl chi?' gofynnodd y wraig mewn acen Seisnigaidd er bod awgrym o acen Gymraeg yn cuddio yn rhywle.

'Pido disculpas, rydw i'n ymddiheuro, dydi o ddim yn fy nisgwyl i. Allech chi roi gwybod i'r Arglwydd fod yna archeolegydd wrth y drws sy'n arbenigwr ar greiriau hanesyddol ac sy wedi dod o bell i weld ei gasgliad?'

'Beth yw eich enw chi?'

'Ah... Perito Pascacio, o Amgueddfa Puerto Madryn.'

Trodd y wraig ar ei sawdl a brysio i berfeddion tywyll y castell. Safodd Enoch wrth y drws yn disgwyl. Fe fyddai'n gwybod yn o fuan a fyddai chwilfrydedd yr Arglwydd yn drech nag ef.

Wedi munud hir clywodd draed y wraig yn gwichian fel llygod bach ar hyd llawr y coridor wrth iddi frysio'n ôl.

'Bydd y Meistr yn eich gweld chi nawr,' meddai, gan ystumio iddo ei ddilyn. 'Alla i gymryd eich het a'ch cot?'

'Na, gracias,' meddai Enoch, gan wybod y byddai'n edrych yn llawer llai tebyg i archeolegydd treuliedig o ben draw'r byd yn gwisgo hen grys streipiog Owen Owens.

Dilynodd y wraig dew drwy amryw o goridorau hynafol ac oer. Er gwaetha'r cyfoeth amlwg, roedd atsain y coridorau gwag, digysur yn ei atgoffa o'r carchar y bu ynddo ychydig ddyddiau ynghynt. Doedd dim golwg, hyd yma o leia, o gasgliad anferth yr Arglwydd o greiriau.

O'r diwedd safodd y wraig wrth ddrws cudd mewn wal bren a hwnnw'n gilagored. Ffrydiai golau tanllwyth o dân i'r coridor oer. Sbeciodd hi drwyddo'n betrus a chyfnewid ychydig eiriau â'r sawl oedd yn yr ystafell, gan siarad yn rhy gyflym i Enoch allu dilyn y sgwrs.

'Fe gewch chi fynd mewn,' meddai'r wraig wrtho, a brysio oddi yno fel pe bai'n falch o gael dianc.

Camodd Enoch trwy'r drws a'i gael ei hun mewn myfyrgell fechan, wedi'i haddurno'n gyfoethog â phaneli derw a charped Indiaidd ysgarlad o dan draed. Roedd mantell y lle tân yn llawn o drugareddau lliwgar o bob cwr o'r byd, ac fe hongiai llun o gyfnod Oes y Dadeni o dduwiau Groegaidd yn dawnsio'n noeth uwch ei phen. Wrth y tân roedd corff main yr Arglwydd Tremaen wedi'i blygu i gadair fawr gyfforddus yr olwg.

Syllodd yn hir ar Enoch, ei lygaid yn ddwy belen danbaid a'i fwstash trwchus yn cuddio ei wg. Enoch siaradodd gyntaf.

'Arglwydd Tremaen. Rydw i wedi clywed llawer amdanoch chi,' meddai, gan anwybyddu ei drem a chanolbwyntio ar y cerfluniau rhyfeddol uwchben y lle tân. 'Mae eich enw da wedi teithio y tu hwnt i Gymru, dros y môr i'r Ariannin.'

'Beth y'ch chi moyn?' gofynnodd yr Arglwydd.

'Rydw i wedi teithio'n bell i gael yr anrhydedd o weld eich casgliad chi, syr.'

'Gobeithio nad ydych yn bwriadu mynd ag unrhyw beth yn ôl gyda chi. Rwy wedi syrffedu ar bobol yn dod at fy nrws i, yn gwastraffu fy amser, yn dweud bod hwn a'r llall yn perthyn i'r wlad hon a'r wlad arall ac yn meddwl, am fy mod yn ffigwr cyhoeddus, fod yna ryw rwymedigaeth foesol arna i i roi'r pethau'n ôl. I'r diawl â nhw.'

'Nid dyna sy gen i o gwbwl.'

'Mae gen i sawl llong yn hwylio am yr Ariannin bob mis a mater bach fyddai sicrhau bod digon o le yn yr howld i archeolegydd busneslyd.'

'Gan 'mod i wedi teithio'n bell ar gyfer agoriad yr Amgueddfa Genedlaethol yfory a tra 'mod i yma roeddwn i'n meddwl y byddai'n druenni peidio â galw i'ch gweld chi, gan ein bod ni'n dau yn gasglwyr brwd.'

Ddywedodd yr Arglwydd ddim gair am ennyd, dim ond syllu arno fel y bydd corryn yn gwylio pry sydd ar fin glanio yn ei we. 'Port?' gofynnodd.

'Mae'n ddrwg gen i?'

Datgymalodd yr Arglwydd ei gorff o'r gadair ac estyn potelaid o win coch o'r cabinet wrth y lle tân. Arllwysodd ddiod lliw gwaed i ddau wydryn bychan ac estyn un i Enoch. 'Bydd angen rhywbeth i'n cynhesu ni ar gyfer y daith.'

Llyncodd yr Arglwydd ei ddiod ar ei phen, cyn sychu ei

fwstash llaith â'r hances glaerwyn a gadwai ym mhoced uchaf ei siaced. Roedd Enoch yn llwyrymwrthodwr ond o dan yr amgylchiadau penderfynodd y byddai'n well llyncu'r hylif. Pesychodd wrth i'r ddiod losgi ei frest.

'Fel mae'n digwydd rydw i newydd sicrhau crair o'r Ariannin i'w ychwanegu at fy nghasgliad. Dyna un rheswm pam 'mod i braidd yn ddrwgdybus ohonoch chi. Prynais ef gan fasnachwr lleol i lawr yng Nghaerdydd. Efallai y bydd modd i chi fy helpu i ddehongli ei arwyddocâd.'

'Bydd yn bleser,' meddai Enoch, a'r port yn gynnes yn ei stumog.

Cymerodd yr Arglwydd wydryn Enoch a'i osod gyda'i wydryn ef ar y seldfwrdd cyn arwain Enoch o'r ystafell fechan. Tynnodd ei ffon o fasged troed eliffant yng nghornel yr ystafell a cherdded o flaen Enoch gyda chlec y ffon ar y llawr yn atseinio drwy'r coridor. Roedd rhyw gryfder mecanyddol bron yn symudiadau ei gorff tenau.

Daethant o'r diwedd at ystafell a edrychai fel neuadd fawr hen gastell canoloesol. Yn crogi ar bob wal roedd rhes o bortreadau, pob un yn llygadrythu'n fygythiol uwchben barf neu fwstash trwchus, a'u brestiau'n gwegian o dan bwysau medalau milwrol o'r India a'r Caribî.

'Teulu fy ngwraig,' meddai'r Arglwydd heb droi ei ben, a'i lais yn atseinio oddi ar y waliau cerrig.

'Eich gwraig sy biau'r plasty?'

'Oedd biau fe. Mae hi 'di marw. Credwch fi neu beidio, hi wnaeth 'y mhriodi i am fy arian. Pan oedd hi'n fyw roedd y tŷ yn syrcas o fwtleriaid, gwragedd cadw tŷ, garddwyr, rhywun i weithio'r ffôn… rwy'n ymdopi'n iawn gydag un forwyn a rhywun i 'ngyrru i o le i le. Mae oes yr aristocrat diog â gwaed glas yn ei wythiennau, sy'n breuddwydio am weld y system ffiwdal yn ei hôl, yn diflannu'n gyflym. Dynion busnes yw'r

151

dosbarth uchaf newydd. Wnaethoch chi weld y pwll glo ar y ffordd i fyny? Rwy wedi gwneud fy ffortiwn o'r tir, fesul cnepyn glo.'

'Rydw i'n deall ei bod hi'n galed ar y diwydiant glo bellach?' gofynnodd Enoch wrth ddilyn yr Arglwydd allan o'r neuadd.

'Dyw'r farchnad allforio ddim fel y buodd hi, ar draws Prydain, ac mae hynny wedi bwrw'n galetach ar yr ardaloedd a'r cwmnïau sy'n cynhyrchu deunydd i'w allforio. Y gornel yma o Brydain oedd pwerdy'r Ymerodraeth ar un adeg, ac mae'r undebau llafur yn meddwl mai dyna fel y bydd pethau byth – mai cyfnod anodd ydi hwn cyn i bethau ddychwelyd fel ro'n nhw. Mae'r glowyr wedi treulio eu bywydau yn cloddio'n hanner noeth o dan ddaear fel gwahaddod yn ddall i'r ffordd mae'r byd go iawn yn gweithio. Mae'r diwydiant glo yn marw, ac alla i ddim eu talu nhw gydag arian nad oes gen i mohono. Mae croeso iddyn nhw streicio ond does gen i ddim dewis ond gadael iddyn nhw newynu tan y do'n nhw at eu coed a dod yn ôl i'r gwaith.'

'Ydi eich busnes chi mewn peryg felly?'

'Yn ffodus mae gen i droedle yn y busnes cyhoeddi hefyd, ac mae hwnnw'n gwneud iawn am golli'r elw yn y pyllau glo. Rhaid newid ac addasu mae arna i ofn – does dim pwynt brwydro'n erbyn yr anochel.'

Ar ôl mynd a dod drwy wahanol ystafelloedd, gan gynnwys llyfrgell ddeulawr grand, daethant o'r diwedd at yr amgueddfa. Edrychai fel hen eglwys â rhes o gilfachau ar bob ochor, pob un yn llawn trugareddau digon anwaraidd ac amheus yr olwg. O'r waliau uchel ger y nenfwd syllai cyfres o fasgiau i lawr arnynt, yn ddrych i'r gwg parhaol ar wyneb eu perchennog. Ar fyrddau bach ynghanol y stafell safai cerfluniau Eifftaidd, Groegaidd a Rhufeinig, yn ogystal ag ambell grair o'r Dwyrain

Pell. Roedd y cwbwl wedi'i oleuo gan gyfres o oleuadau nwy. Yn y golau gwan gallai Enoch weld bod rhai o'r darnau yn llychlyd, a awgrymai mai meddiannu'r trysor oedd y gamp, ac nid ei anwylo.

Cerddodd yr Arglwydd Tremaen heibio'r cerfluniau, gan anelu at ben pella'r ystafell lle safai blocyn mawr wedi'i naddu o garreg, yn debyg i allor. Tynnodd sbectol un llygad o'i boced a'i gosod yn nhwll ei lygad chwith, â'i wyneb bellach yn fyw gan frwdfrydedd.

'Ydych chi'n credu mewn bywyd ar ôl marwolaeth?' gofynnodd.

'Wrth gwrs. Ces fy magu ar y Beibl.'

Crechwenodd yr Arglwydd. 'Y Beibl! Straeon syml i roi pwrpas i fywydau'r tlawd a'r rhai heb addysg. Rwy'n siarad am y gwirioneddau mawr cosmig sy'n penderfynu'n ffawd ni. Y cyfrinachau prin hynny sy ar gael i'r criw dethol sydd â'r deallusrwydd i'w hamgyffred.'

'Dwi ddim yn dilyn.'

Gafaelodd yr Arglwydd mewn cerflun bychan a'i godi'n ofalus oddi ar y garreg. 'Mae yna bwerau dyfnach ar waith yn y byd hwn, o dan yr wyneb. Brwydrodd y dynion sy wedi'u portreadu yn y neuadd fawr am anfarwoldeb ar faes y frwydr, a'r rhai llywaeth wrth geisio ennill poblogrwydd mewn gwleddoedd mawr. A ble maen nhw nawr? Eu portreadau yn hel llwch mewn hen gastell nad yw'n gartre i neb ond corynnod. Nid dyna yw gwir anfarwoldeb.'

Edrychodd Enoch ar y cerflun yn nwylo'r Arglwydd. 'A dyma'r ateb?' gofynnodd.

'Efallai. Mae'r ateb i'r hen gyfrinachau yn rhywle, ac roedd y gwareiddiadau cynnar yn gwybod lle. Ond dros y canrifoedd aeth yn angof, a dim ond atsain o'r hen wirioneddau a geir yn ein crefydd ni heddiw. Hyd yn oed yn y Beibl, dywedir bod y bobol gynnar wedi byw am gannoedd o flynyddoedd. Beth yw'r gyfrinach? Mae gan fy nghasglwr i rwydwaith o bobol yn gweithio ledled y byd, yn chwilio drwy hynafolion ac yn sicrhau 'mod i'n cael y dewis cynta ar unrhyw beth o werth.'

Edrychodd yn wawdlyd ar Enoch.

'Efallai eich bod chi'n meddwl 'mod i'n wallgo. Ond rydyn ni'n byw yng nghyfnos y byd. Dim ond rhagarweiniad oedd y Rhyfel Mawr i rywbeth mwy o lawer. Ryden ni'n gwybod erbyn hyn fod gan y ddynoliaeth y gallu i ddinistrio ei hun ar raddfa erchyll. Cyn hir bydd gwyddoniaeth yn rhoi'r teclynnau i ni orffen y gwaith!' Poerodd, a disgynnodd y dafnau i'r soseri arian ar yr allor o'i flaen. 'Mae e wedi digwydd o'r blaen, chi'n gwybod. Edrychwch ar y creiriau hyn… yr Eifftiaid… y Groegiaid… y Rhufeiniaid… ble maen nhw'n awr? Ymerodraeth Prydain? Beth fyddwn ni mewn miloedd o flynyddoedd ond crair arall mewn amgueddfa…'

Daliodd y cerflun o'i flaen. Edrychai fel creadur bach yn ei gwrcwd, â choron o aur ar ei ben.

'Hwn ddaeth o'r Ariannin?' gofynnodd Enoch.

'Ie, fe gyrhaeddodd ddoe. Mae'n un o ddau gerflun yn union yr un fath. Dywedodd y dyn a ddaeth â hwn i mi bod y brodorion yn credu ei fod yn dod â bywyd tragwyddol i'w berchennog. Mae'r aur wedi'i doddi o groesau'r goresgynwyr Catholig cynta a deithiodd yno o Sbaen.'

Edrychai'n debyg i gannoedd o drugareddau tebyg a welsai Enoch yn mynd a dod o borthladd Porth Madryn dros y blynyddoedd.

'Yn wir, mae o'n gerflun hynod,' meddai Enoch. 'Roeddwn i wedi clywed bod y fath gerflun yn bodoli, mewn chwedl wrth gwrs, ond doeddwn i erioed yn disgwyl ei weld â'm llygaid fy hun.'

Estynnodd ei law i gyffwrdd ag ef, ond cyn iddo gael cyfle gosododd yr Arglwydd ef yn ôl ymysg y trugareddau eraill.

'Mae'n grair gwych,' meddai'r Arglwydd. 'Fe fydd yn ychwanegiad campus i'r Amgueddfa Genedlaethol sy'n agor yfory.'

'Rydych chi am roi'r cerflun i'r amgueddfa?'

'Bydda i'n cadw un o'r ddau yma, yn y gobaith y bydd e'n dod â lwc dda i'r busnes. Gan nad ydw i'n treulio cymaint o amser ag y byddwn i yn yr hen gastell, mynd i Gaerdydd fydd hanes hwn, ond does dim lle i 'nghasgliad cyflawn yno. Mae'r curadur wedi addo y bydd modd i fi ymweld ag ef unrhyw adeg.'

Anwesodd ben y cerflun â'i law.

'Sut ddaethoch chi â'r cerfluniau yma i mewn i'r wlad, felly?'

'Y casglwr ddaeth â hwn i fi drefnodd y cyfan. Am ffi, wrth gwrs, fi gaiff y dewis cynta ganddo. Mae'n amlwg ei fod yn ddyn a chanddo gysylltiadau ym mhobman – fe drefnodd y cytundeb gyda'r amgueddfa hefyd. Daw â'r creiriau i mewn i'r wlad yn ddistaw a diffwdan, wedi'u cuddio ymysg eiddo'r teithwyr.'

'Ydi hynny'n gyfreithlon?'

Edrychodd yr Arglwydd yn rhyfedd arno. 'Pe bai amgueddfeydd Prydain yn cael eu gwagio o bopeth gafodd ei gludo i'r wlad hon heb ganiatâd brodorion y gwledydd lle y darganfuwyd hwy, yr unig beth fyddai ar ôl fyddai dau ddarn o gallestr. Beth bynnag, mae yna gyfrifoldeb arnon ni i warchod treftadaeth gwledydd eraill rhagddyn nhw eu hunain.'

'Pwy oedd y dyn ddaeth â hwn o'r Ariannin i chi, felly?'

Gwenodd yr Arglwydd yn gyfrwys arno. 'Ydych chi'n disgwyl i mi rannu'r fath wybodaeth â chasglwr arall? Beth bynnag, dim ond gyda rhai cwsmeriaid dethol y bydd yn gwneud busnes.' Edrychodd yn amheus ar Enoch. 'Nawr, os nad oes ots gennych, credaf fod ein cyfarfod ar ben. Fe fydd fy ngwarchodwr, Elias, yma unrhyw funud i'ch tywys oddi yma.'

XX

TEITHIODD DANIEL A Stella yn ôl ar y tram o Dre Biwt i Mill Lane mewn mudandod llwyr. Roedd hi'n chwarter wedi wyth ac yn bwrw glaw eto erbyn hyn, ac roedd y tram yn llawn merched mewn hetiau *cloche* â rubanau lliwgar yn teithio'n llawn chwerthin i fwynhau noson ynghanol y ddinas.

Gadawodd y ddau y tram ar waelod Mill Lane a cherdded y canllath ola yn y glaw yn ôl ar hyd y gamlas tuag at siop y cigydd, heb dorri gair. Roedd y siop wedi cau bellach ac felly fe aethon nhw drwy'r drws cefn ac i fyny'r grisiau cul i'r fflat.

Tynnodd Daniel ei het a'i got a'u rhoi nhw ar y bachyn. Anadlodd yn drwm â'i gynddaredd yn mudlosgi. Beth allai e ddweud wrth Stella nawr? Sut roedd hi wedi gallu mynd y tu ôl i'w gefen yn y fath ffordd?

Hi siaradodd gynta. 'Er 'mod i'n deall pam dy fod ti'n grac, Daniel, cofia taw 'nghorff i yw e yn y pen draw.'

'Ond 'y mabi i yw e cymaint â dy fabi di.'

'Mae 'da ni Jac yn barod.'

'Mae 'da ti Jac yn barod, yn do's? Pam na wnest ti gael gwared arno fe os nad o't ti moyn babi?' Eisteddodd Daniel i lawr ar y soffa gan gladdu ei wyneb yn ei ddwylo. ''Na gyd ti'n neud yw aros gatre yn edrych ar ei ôl e. Fydde hi ddim yn anodd gofalu am grwt bach arall.'

'Sai 'di penderfynu dim byd 'to, Daniel. Do'n i ddim hyd yn oed yn siŵr a o'n i'n feichiog ai peidio cyn iddi hi gadarnhau'r peth. Trafod o'n ni, na'r oll. Beth fyddai'r driniaeth. I fi gael gweld os gallwn i fynd drwyddo fe.'

'Ro't ti am gal gwared ar 'y mabi i heb weud gair wrtha i. Tu ôl i 'nghefn i…'

'Efalle 'se hi'n well petaet ti ddim yn gwbod.'

Edrychodd arni. 'A gadael i fi feddwl 'mod i ffili cal plant? A beth wedyn? Beth fydde'n digwydd y tro nesa 'se ti'n mynd yn feichiog? Smo ti 'di neud hyn o'r bla'n, wyt ti?'

'Na! Ro'n i'n gwbod y byddet ti'n ypseto.' Eisteddodd wrth ei ymyl a rhoi ei breichiau o'i amgylch. 'Do'n i ddim moyn i ti boeni am y peth fel fi.'

'Ond do's dim rhaid i ti o gwbwl, Stella. Does dim rhaid i ti gal gwared ar y babi.' Clywodd ei lais yn torri.

'O, Daniel. Ti'n meddwl y byddwn i hyd yn oed yn ystyried hyn heb feddwl a meddwl am y peth? 'Sen i'n galler marw wrth gal yr erthyliad 'ma. Gallen i fynd i'r carchar.'

'Ie, yn gwmws.' Cododd Daniel ar ei draed. 'Gallet ti farw, a gallet ti ladd y babi yr un pryd. Lle bydden i wedyn? Lle bydde Jac?'

'Sai moyn plentyn arall, Daniel. Beichiogi ddechreuodd y cawdel 'ma yn y lle cynta. Beth ddwede 'nhad? Sai moyn mynd drwy hynna 'to.'

'Ond Stella, ma dy deulu wedi troi cefn arnat ti'n barod. Fydd dim mwy o warth arnat ti na sy nawr.'

Distawodd ei llais. 'Ro'n i'n meddwl, falle 'sen i ddim yn cal plentyn arall, falle bydden nhw'n 'y nghymryd i nôl, ryw ddydd.' Erbyn hyn roedd dagrau ar ei gruddiau

'Dy gymryd di nôl?' gwaeddodd Daniel. 'Dy'n nhw ddim hyd yn oed yn ateb dy lythyron di, Stella. Merch gweinidog mor llac ei moese. Yn gwneud yn gwmws beth ma'r gweinidog parchus 'di bod yn pregethu yn 'i erbyn e.' Ysgydwodd ei ben. 'Na, Stella, wyneba'r ffeithie, dyw e ddim am dy gymryd di'n ôl.'

'Clywes i fe'n dweud mewn pregeth bod amser yn iacháu unrhyw glwyfe. Bod Duw yn maddau popeth.'

'Wel, mae hwn yn glwyf eitha dwfn, on'd yw e? Dim ond dwy flynedd sy ers y digwyddodd e. Pam wnes ti ddim meddwl am hyn cyn cysgu 'da dyn arall?'

'Paid ti â dechre 'to.'

'Rhywun mwy parchus. Falle 'se dy dad wedi'ch priodi chi, a 'se'r peth wedi'i anghofio. Fi, hyd yn oed. Bob tro bydda i'n edrych i wyneb Jac bydda i'n gweld wyneb y cythrel 'na'n edrych nôl arna i.'

Tawodd Daniel. Gwyddai nad oedd pwynt ffraeo gyda hi. Roedd e'n brwydro i sicrhau bywyd i'w fabi – roedd rhaid iddo ei hargyhoeddi hi.

''Drych 'ma, ti'n caru Jac, on'd wyt ti, Stella? Pe baet ti wedi cal gwared arno fe, fe fyddet ti'n difaru nawr. Blwyddyn ar ôl geni'r babi 'ma fe fyddi di'n casáu dy hunan am hyd yn oed feddwl cal 'i wared e.'

'Wy'n gwbod y byddwn i'n 'i garu fe. Fydde 'da fi ddim dewis bryd 'ny. Dyna pam wy am neud y penderfyniad nawr.'

'Plîs, Stella, addo i fi nawr na wnei di ddim cal gwared ar y babi 'ma. Wy'n erfyn arnat ti. Plîs. 'Drycha i fyw'n llyged i a gaddo i fi.'

'Sai'n galler addo dim byd, Daniel. Wy wedi mynd sbel yn barod. Wnes i drio gwadu'r peth i'n hunan, ei gwato fe fel petai e ddim 'na. Wy angen dod i benderfyniad yn gloi…'

Ysgydwodd Daniel ei ben. Allai e ddim deall y peth. Aeth draw at y bachyn a gwisgo'i het a'i got.

'Lle ti'n mynd?' gofynnodd Stella.

'Awyr iach,' meddai, gan deimlo'r dagrau yn cronni yn ei lygaid.

Caeodd ddrws y fflat ar ei ôl a sefyll yno am eiliad, â'i wefus yn crynu. Gwyddai y dylai aros i geisio cysuro Stella, a dal i geisio'i darbwyllo. Ond allai e mo'i hwynebu. Roedd rhaid iddo gael amser i feddwl. Cerddodd i lawr y grisiau ac allan i'r nos.

★　★　★

Tynnodd John ei got yn dynnach amdano wrth sefyllian yn y llwyni wrth ymyl y tŷ. Chwythai gwynt oer drwy'r cwm gan dreiddio drwy ei got drwchus a phrocio'i groen â miloedd o gyllyll bach. Mae'n rhaid bod Enoch wedi'i adael ers bron i awr, er na allai fod yn siŵr o'r amser, ond roedd hi wedi nosi yn y cyfamser. Ei unig gysur allan yn yr oerfel oedd na chlywodd unrhyw weiddi na drylliau'n cael eu tanio. Roedd hynny, o leia, yn arwydd da.

Gallai weld y lleuad yn gwbwl glir, yn hongian dros geg y cwm fel pelen llygad yn arnofio ar lyn du. Oddi tano tywynnai goleuadau tai'r glowyr, gan roi siâp i lethrau'r tir. Gwelai nawr, wrth edrych i lawr, sut y gallai'r Arglwydd fod mor ddi-hid ynglŷn â bywydau'r bobol. Dim ond brychau o olau oedden nhw, yn y tywyllwch pell. Pe bai ambell frycheuyn o olau yn diffodd am byth, beth fyddai'r ots?

Yna daliodd rhywbeth arall ei sylw. Cysgod dyn yn ymestyn yng ngolau'r lleuad. Clywodd John sŵn ei gamau ar raean y llwybr, ag un droed yn gloff. Doedd dim dwywaith pwy oedd yno.

Roedd John rhwng dau feddwl a ddylai ei ddilyn ynteu aros i Enoch ddychwelyd, ond chwilfrydedd enillodd y dydd a sleifiodd o'i guddfan ac ar draws wyneb y bryn, wysg ei ochor. Yng ngolau'r lloer gwelodd y dyn yn cyrraedd gwaelod llwybr y tŷ cyn troi i gyfeiriad y ffordd i'r pwll glo. Roedd yn cario rhywbeth. Dilynodd John ef, gan gadw at y cysgodion ac osgoi cerrig mân y llwybr. Yn sydyn baglodd a llithrodd ei droed i'r ffos gan dasgu dŵr brwnt ar hyd ei drowser. Ond roedd y gwynt main yn chwibanu yn y clegyr uwch eu pennau a chlywodd y dyn â'r goes bren mohono.

Ychydig yn ddiweddarach daeth hwnnw at ymraniad yn y ffordd a chyn i John gael cyfle i weld ble'r aeth, gorchuddiodd cwmwl y lleuad gan daflu cysgodion ar y ffordd. Arhosodd John yn ei unfan am ychydig funudau tan i wyneb y lleuad ailymddangos a llenwi'r cwm â'i olau.

Ond doedd dim golwg o'r dyn yn y byd du a gwyn o'i amgylch. Roedd fel petai wedi toddi i mewn i'r graig. Yna, o gil ei lygad, gwelodd John ryw symudiad yn y gwyll, o ben y clogwyn o'i flaen. Roedd y dyn yn sefyll yno fel cerflun yn gwylio'r ffordd y daeth. Cyrcydodd John yn y llwyni.

Wedi i'r dyn argyhoeddi ei hun nad oedd neb yn ei ddilyn, diflannodd ei amlinell dros ymyl y clogwyn. Sleifiodd John o'i guddfan a'i ddilyn yn araf bach i fyny'r llethr. Roedd y cerrig yn llithrig o dan draed, a rhowliai ambell un i lawr i'r llwybr oddi tano. Rhewai John bob yn ail gam, gan hanner disgwyl i'r wyneb lloerwyn ailymddangos uwch ei ben.

Cyrhaeddodd y copa. O'i flaen, ar frig y clogwyn, roedd twll du yn treiddio i mewn i'r graig, a hen drac rhydlyd yn diflannu i mewn iddo. Edrychodd John o amgylch bob ochor i'r graig. Doedd nunlle arall y gallasai'r dyn fod wedi mynd.

Dilynodd John, gan deimlo'r düwch llethol yn ei sugno i mewn a chau amdano. O fewn eiliadau roedd golau'r lloer wedi'i lyncu gan gaddug yr ogof. Cerddodd â'i freichiau wedi'u hymestyn o'i flaen, fel pe bai ar fin taro wal, â'i synhwyrau wedi'u pylu'n gyfan gwbwl gan y tywyllwch o'i gwmpas. Doedd John erioed wedi profi tywyllwch fel hyn yn y ddinas. Y cyfan y gallai ei synhwyro oedd aroglau'r awyr sych a llychlyd o'i amgylch a siâp y trac o dan ei esgidiau.

Roedd hynny'n rhoi rhyw gysur iddo, gan y gallai ddilyn y trac yn ôl pe bai rhaid. Edrychodd dros ei ysgwydd ond roedd ceg yr ogof eisoes wedi diflannu o'i olwg. Dim ond nawr y sylwodd fod y twnnel yn dal i ddisgyn, yn ddyfnach i mewn i'r ddaear.

Ar ôl cyfnod o ymlwybro'n ddall drwy'r gwagle, gwelodd rywbeth. Golau gwan fel cil drws yn agor o'i flaen. Safodd yn stond, ond pylodd y golau unwaith eto. Mae'n rhaid bod y dyn yn cario ryw fath o dortsh neu ffagl gydag ef, meddyliodd. Sleifiodd ymlaen yn fwy gofalus, gan ddilyn y golau a arnofiai yn y tywyllwch, fel jac y lantarn yn ei hudo yn ddyfnach i fyd tanddaearol.

Baglodd yn sydyn a disgyn ar ei liniau. Ymestynnodd ei freichiau o'i amgylch a sylweddoli bod y trac y bu'n cerdded arno wedi dod i ben. Roedd arogl mwy llaith fan hyn. Cododd a phrysuro'i gamau. Y golau gwan yn y pellter oedd ei unig dywysydd nawr, fel goleudy ar noson dywyll.

Heblaw am sŵn ei draed a'i anadl ei hun ni allai glywed dim. Ond yna atseiniodd sŵn cyfarwydd drwy'r llonyddwch myglyd. Clywodd dincial dŵr, a rhyw ruo yn y pellter. I ddechrau nid oedd yn siŵr a oedd yn ei glywed o gwbwl, ond yn raddol daeth y bwrlwm yn fwy swnllyd. Roedd yna afon yn llifo rhywle, yn ddwfn yn y graig. Ond doedd gan John ddim syniad o ba gyfeiriad y deuai. Yn sydyn teimlai'r ias ryfedda, wrth i awel danddaearol oglais cefn ei wddf. Sylweddolodd nad oedd e'n cerdded drwy dwnnel bychan mwyach, a'i fod mewn ceudwll anferth. Estynnodd ei freichiau ac ymbalfalu am y wal bob ochor iddo ond ni allai deimlo dim byd, na throi'n ôl nawr, meddyliodd, gan nad oedd twnnel i'w ddilyn. Roedd yn hollol ddibynnol ar y golau o'i flaen rhag cael ei adael fan hyn am byth.

Pylodd sŵn y dŵr a nawr dim ond sŵn ei draed blinedig

yn llusgo ar y cerrig oedd yn gwmni iddo. Yn araf bach newidiodd y tir o dan ei draed yn gerrig anwastad a llithrig. Roedd rhaid iddo gropian a dringo dros glogfeini er mwyn cadw'r golau o fewn golwg.

Cydiodd ofn yn ei galon wrth iddo weld y golau'n pellhau. Ar beth roedd e'n edrych bellach? Ai'r un golau oedd hwn ynteu oedd e wedi bod yn dilyn ryw rith, ryw frycheuyn yn ei ddychymyg? Caeodd ei lygaid a gweld sawl golau tebyg yn dawnsio o dan ei amrannau. Oedd unrhyw beth lawr yma o gwbwl?

Ymbalfalodd ar ei bedwar, a gallai ddychmygu ei ddwylo'n cael eu creithio gan y cerrig ac yn troi'n gymysgedd aflan o faw a gwaed. Gwasgodd ddagrau o'i lygaid. Beth petai'n marw lawr fan hyn? Fyddai neb yn darganfod ei esgyrn o dan y llwch du.

Ond yna agosaodd at y golau. Roedd siâp pendant iddo – siâp llusern. Gallai weld amlinell y dyn a'i ddaliai. Teimlai John fel rhedeg draw ato a'i gofleidio. Ond ymataliodd. Cofiodd ble roedd.

Roedd y dyn fel petai'n cyflawni rhyw fath o ddefod. Wrth iddo weithio taflai golau'r llusern ei gysgod i bob cyfeiriad. Tynnodd rywbeth o'i boced a'i osod ar lawr cyn rhofio'r llwch o'i amgylch i'w guddio.

Clywodd John y dyn yn mwmial ychydig eiriau o dan ei wynt, fel pe bai'n adrodd gweddi. Yna cyffyrddodd â'i dalcen, cyn troi ar ei sawdl a cherdded yn ôl i'w gyfeiriad, gan ddal y llusern o'i flaen.

Roedd John yn siŵr na allai ddianc bellach. Ond wrth iddo agosáu goleuodd y llusern bentwr o gerrig wrth ochor y twnnel. Disgynnodd John ar ei gwrcwd wrth eu hymyl a gweddïo ar Dduw na fyddai'r dyn yn ei weld. Clywodd sŵn ei draed yn crensian ar y cerrig, ac aeth heibio'n frysiog ac yn ddiamynedd, gan regi a mwmial o dan ei wynt. Yn yr ennyd honno, wrth iddo basio'r pentwr o gerrig, sylwodd John yng ngolau llachar y llusern fod ei ddillad a'i ddwylo wedi'u gorchuddio gan fudreddi'r ogof. Teimlai'r dŵr yn sugno drwy ei ddillad a gwlychu ei gnawd.

Gwelodd y golau'n diflannu yn y pellter, ond cyn ei ddilyn brysiodd draw i weld beth roedd y dyn wedi'i gladdu. Defnyddiodd ei ddwylo i chwilio amdano a cheisio ei dynnu oddi yno. Symudodd e ddim. Â'i ewinedd cloddiodd o'i amgylch a llwyddo yn y diwedd i'w lusgo o'r llysnafedd gludiog.

Cofleidiodd John y cerflun fel baban. Teimlodd ennyd o orfoledd cyn sylweddoli ei fod ymhell o dan y ddaear a bod y golau bellach wedi diflannu.

XXI

TIC... TIC... TIC...

Ymbalfalodd John yn ddall yn y tywyllwch am wal yr ogof a rhedeg ei law ar ei hyd, heb wybod pa ffordd i droi. Roedd ei got fawr yn wlyb diferol bellach a'r oerfel tanddaearol wedi treiddio hyd fêr ei esgyrn.

Roedd y tywyllwch yn affwysol. Hyd yn oed yn nyfnderoedd nos y ddinas byddai yno bob amser olau'n disgleirio'n rhywle, yn goglais wal frics tu allan i'w ffenestr neu'n gannwyll ar long ar orwel y bae. Roedd y tywyllwch fan hyn fel plisgyn am ei lygaid.

Wrth i un o'i synhwyrau bylu amlygwyd y lleill. Aroglau llaith waliau gwlyb y twnnel. Sŵn y gwynt yn chwibanu'n feddal fel ffliwt. Rhyw ochenaid ddofn ymhell oddi tano, fel pe bai'r graig ei hun yn ymestyn a dylyfu gên. A'i galon ei hun, yn carlamu yn ei frest.

Ac un sŵn bach arall. Sŵn cyfarwydd rywsut. Ni allai ddirnad am ychydig eiliadau o ble'r oedd yn dod. Yna cododd y cerflun oedd yn ei ddwylo at ei glust. Deuai'r sŵn o'i berfedd, mor ysgafn fel na allai fod yn siŵr ei fod yn ei glywed o gwbwl.

Tic... tic... tic...

Ai rhyw fath o gloc oedd e? Pam oedd y dyn wedi'i adael lawr fan hyn? Beth oedd pwrpas y ddefod a welsai? Ond doedd hynny ddim o bwys nawr – yr unig beth ddylai fod ar ei feddwl oedd dianc o'r twll yma. Gwthiodd y cerflun i boced ei got.

Camodd ymlaen ag un llaw ar wal yr ogof. Gallai deimlo'r bawiach o dan ei ewinedd a'r lleithder yn llifo i lawr ei fraich. Pe bai'n dilyn y wal fel hyn, cysurodd ei hun, fe fyddai'n cyrraedd yr wyneb yn y pen draw. Dim ond un twnnel oedd yno, wedi'r cwbwl, yr holl ffordd i lawr.

Wedi cyfnod o gerdded yn ddall gyda'i law ar y wal clywodd ddwndwr yr afon o dan y graig. Roedd e'n cofio iddo ei glywed cynt, a gadawodd y wal a cherdded i'w gyfeiriad. Yn sydyn tasgodd rhywbeth arno a theimlodd ddŵr iasol yn cau amdano. Bu bron iddo lithro ar y cerrig slic felly trodd ac ymbalfalu at ochor arall y twnnel. Wedi cyfnod hirfaith o gerdded mewn gofod gwag, heb unrhyw synnwyr o beth oedd o'i boptu ond y cerrig o dan ei draed, tarodd y wal gyferbyn.

Bu bron iddo weiddi mewn llawenydd pan deimlodd siâp cyfarwydd trac y trên o dan ei draed. Roedd yn tynnu at y terfyn. Gyda'i ddannedd yn sgrytian lapiodd ei got yn bêl amdano a chropian ymlaen drwy'r düwch, gan bwyso ymlaen bob hyn a hyn a maldodi'r trac fel hen ffrind. Dychmygai ei fod yn teimlo'r llawr yn dechrau codi oddi tano. Am faint bu'n cerdded? Fe ddylai weld ceg yr ogof unrhyw funud.

Ond roedd rhywbeth o'i le. Roedd siâp y trac yn gwbwl wahanol fan hyn. Roedd yna gyffordd, a'r cledrau yn mynd i ddau gyfeiriad gwahanol. Doedd e ddim yn cofio hynny ar y ffordd i lawr. Plymiodd ei galon i bwll oer o ofid unwaith eto. Allai e ddim diodde cerdded yn ddiddiwedd heb wybod a oedd yn mynd i'r cyfeiriad cywir ai peidio. Efallai ei fod eisoes mewn rhyw gornel unig o'r pwll nas defnyddiwyd ers blynyddoedd. Roedd wedi ymlâdd, ac eisiau cysgu. Efallai y dylai orwedd lawr a rhoi'r gorau iddi a chrafu'i enw ar y wal fel y gallen nhw adnabod ei gorff o leia.

Ond pa enw? Ei enw gwreiddiol, ynteu'r enw roedd e wedi'i greu iddo fe ei hunan? Beth fyddai arwyr y ffilmiau a'r nofelau antur yn ei wneud yn y sefyllfa yma? Dal ati, wrth gwrs.

Cododd ar ei draed yn simsan a dechrau cerdded, gan ddewis un o'r llwybrau ar hap. Teimlodd fod y llwybr yn sicr yn codi, a'r ffordd yn troi'n llethr o dan ei draed. Dechreuodd weld siapiau llwydaidd ac yna gysgodion y waliau bob ochor iddo wrth iddo ddilyn y trac o'i flaen â'i ddwylo budron. Teimlodd ddagrau o ryddhad yn golchi ei ruddiau wrth weld y golau.

Ond roedd y golau yn rhy lachar, rywsut. Doedd bosib ei bod hi'n fore eto? Am faint y bu'n crwydro'r twnnel? Roedd y golau'n rhoi dolur i'w lygaid, a dynesodd ato gyda'i freichiau dros ei lygaid fel tarian i'w hamddiffyn. Yna teimlodd oerfel ar ei wyneb ac awyr iach yn ei ysgyfaint, a sylweddolodd mewn gorfoledd ei fod wedi llwyddo. Disgynnodd ar lawr mewn rhyddhad.

'Paid symud neu fe wna i dy saethu di.'

Agorodd John ei lygaid. Wrth iddynt ddod i arfer â'r golau newydd, gwelodd amlinell dyn yn sefyll uwch ei ben, gan ddal llusern llachar mewn un llaw. Yn y llaw arall roedd dryll.

'Mae'r pwll glo yn eiddo preifat, wyddost ti,' meddai'r dyn. 'Mae gen i'r hawl i saethu tresbaswyr.' Anelodd y gwn at ei ben. 'Pam roeddet ti'n fy nilyn i?'

Atebodd John ddim. Doedd ganddo mo'r egni.

'Does neb yn mynd i dy achub di. Fydd sŵn y gwn ddim yn cyrraedd y dyffryn beth bynnag. Ac fe fyddet ti'n un o'r cannoedd o ffyliaid sy wedi crwydro i mewn i'r pwll a diflannu am byth.' Edrychodd Elias heibio'r gwn i lygaid John. 'Sgen ti unrhyw beth i'w ddeud, boi?'

Mwmiodd John rywbeth o dan ei het.

'Be?'

'Merch ydw i,' meddai dan ei wynt eto. Tynnodd ei het oddi ar ei ben ac edrychodd i fyny at Elias, â'i lygaid yn llawn dagrau.

Oedodd hwnnw. 'Merch?' Gostyngodd y gwn.

Sychodd John ei wyneb â'i lawes, gan ddiosg y baw a datgelu'r wyneb gwelw oddi tano. 'Peidiwch â'm lladd i,' meddai'n druenus.

Rhythodd Elias arni'n ddwl. 'Pam ddiawl wyt ti wedi gwisgo fel dyn 'te? Beth ydi dy enw di?'

'Elliw,' meddai. 'Peidiwch â'm lladd i, plîs.'

Ochneidiodd Elias. 'Reit 'te,' meddai. 'Dwi'n mynd â ti at yr Arglwydd. Geith o benderfynu beth i'w wneud â ti. Ond dwi ddim yn addo dim byd. Orders ydi orders, wedi'r cwbwl.'

Cododd gorff ysgafn Elliw dros ei ysgwydd yn ddidrafferth a dilyn llwybr y clogwyn serth tuag at y plasty ar y bryn. Teimlodd hithau boced ei chot er mwyn gwneud yn siŵr bod y cerflun yn dal yno.

XXII

' 'DRYCHWCH BE DDES i o hyd iddo yn y...'
Trodd Enoch a gweld y dyn â'r goes bren yn
sefyll yn y drws. Roedd golwg syn ar ei wyneb, ac roedd hi'n
amlwg ei fod e wedi'i adnabod o'r ale yn Nhre Biwt. O dan
ei gesail roedd John, yn edrych fel pe bai wedi'i lusgo drwy
uffern.

Cafwyd ychydig eiliadau o dawelwch wrth i ddau
ymennydd droi fel chwyrligwgan ar noson tân gwyllt, â'r
ddau'n dod i'r un casgliad.

Chwipiodd Enoch y gwn o'i boced a chydio yng nghorff
main yr Arglwydd Tremaen, gan wthio'r dryll i'w ên.

O fewn fflach, roedd y dyn â'r goes bren hefyd wedi tynnu
ei wn ac yn ei ddal wrth ben John.

'Fe wna i saethu,' meddai'r dyn.

'Fe wna inna hefyd,' atebodd Enoch.

'Dwi wedi lladd sawl gwaith.'

'Wnes ti ddim fy lladd i pan gest ti'r cyfle.'

'Doeddet ti ddim gwerth y drafferth. Petawn i'n gwybod
dy fod ti gymaint o ewach fyddwn i ddim hyd yn oed wedi
trafferthu rhoi cweir i ti.'

'Wel, dyna ble rydan ni'n dau'n wahanol. Dwi'n ddigon
hapus i saethu hen ddynion.' Gwthiodd faril ei wn yn galetach
yn erbyn gwddf yr Arglwydd Tremaen. 'Mae'r Arglwydd fan
hyn eisiau bywyd tragwyddol. Sgwn i a oedd hyn yn rhan o'r
cynllun?'

'Gad iddo fynd, Elias,' sibrydodd yr Arglwydd. 'Paid â
gwneud dim byd dwl.'

'Gad i'r Arglwydd fynd gynta,' meddai Elias. 'Peidiwch
poeni, syr, dwi'n gwybod sut rai yw'r rhain. Mae llofrudd

yn·nabod llofrudd arall pan fydd yn ei gyfarfod. A dyw hwn erioed wedi lladd neb.'

'Yn anffodus dyw hynny ddim yn wir,' meddai Enoch, gan lacio ei afael ar yr Arglwydd. 'Ond erbyn hyn rydw i'n rhy hen a chlyfar i hynny.'

Yn araf, tynnodd y gwn o ben yr Arglwydd a gollyngodd Elias ei afael ar John. Disgynnodd hwnnw'n swp truenus ar lawr a gwenodd Elias yn ddirmygus arno. Ond cyn pen dim roedd y wên wedi rhewi wrth i Enoch droi'r gwn arno a thanio. Ffrwydrodd y goes bren yn ddarnau mân a disgynnodd Elias yn glewt ar ei wyneb.

Brasgamodd Enoch drosto, cicio gwn Elias o'r neilltu, llusgo John o'r llawr gerfydd ei goler, ei got a'i felt, ei daflu dros ei ysgwydd a rhedeg am y drws. Roedd wedi disgwyl i'r crwt fod yn drwm ond roedd fel doli glwt. Gwyddai na allai ffoi am y drws blaen. Hyd yn oed gydag un hen ddyn ac un dyn heb goes ar eu holau fyddai ganddyn nhw ddim digon o amser i dynnu'r holl folltau a chadwyni'n ôl er mwyn ei agor.

Rhuthrodd ar hyd y neuadd fawr a throi'r gornel, gan daro i mewn i'r wraig fach dew. Sgrechiodd hi a gollwng hambwrdd o lestri tsieina ar lawr.

'Mae'n ddrwg gen i!' galwodd Enoch a chamu heibio i'r drws agored y tu ôl iddi. Arweiniai hwnnw i'r iard tu allan. Edrychodd Enoch o'i gwmpas a gweld bod car Chevrolet yr Arglwydd Tremaen wedi'i barcio yn y pen pella, mewn hen feudy.

'Wyt ti'n gwybod sut mae gyrru car?' gofynnodd, yn fyr ei wynt.

'Na, dim llawer o glem,' meddai John. 'Ydych chi?'

'Dim syniad.'

Agorodd Enoch ddrws y teithiwr a gollwng John yn swp ar y sedd ledr cyn dringo drosto i ochor y gyrrwr.

'Trowch y cranc,' cynghorodd John wrth i Enoch chwilio'n ofer ymysg yr olwynion a'r liferi ar y dashfwrdd o'i flaen am ffordd o ddechrau'r car. Fe wnaeth hynny a thaniodd yr injan. 'Nawr, newidiwch y gêr i fynd am yn ôl.'

'Roeddet ti'n dweud dy fod ti methu gyrru un o'r rhain!' bloeddiodd Enoch.

'Sai'n gallu, ond wy wedi gweld pobol erill yn gwneud.'

'Reit,' meddai Enoch gan ddringo drosto'n afrosgo a gwthio John i sedd y gyrrwr. Yr eiliad honno gwelodd amlinell ungoes yn ymddangos yn y drws cefn, gyda reiffl yn ei law. 'Brysia!'

Wedi ychydig o arbrofi llwyddodd John i lywio'r car am yn ôl allan o'r hen feudy, wrth i'r injan ruo'n swnllyd. Daeth clec fyddarol o gyfeiriad y tŷ a hedfanodd bwled dros eu pennau. Agorodd Enoch gil y drws a thanio, gan orfodi'r amlinell i swatio y tu mewn i'r drws.

Gwasgodd John ar y sbardun a llamodd y car ymlaen am giât agored yr iard. Cyn pen dim roedden nhw allan ar y lôn ac yn dilyn ochor serth y cwm tuag at bentref Tremaen. Ond yn y tywyllwch ni allai John weld y ffordd gul yn glir o'i flaen.

'Brêc! Brêc!' gwaeddodd Enoch wrth eu gweld yn cyflymu tuag at y dibyn.

Gwasgodd John ar hwnnw a bownsiodd Enoch wrth ei ochor.

'Sori! Wy'n meddwl bod yr hewl 'ma wedi'i hadeiladu ar gyfer cart, nid car.'

'Does 'na ddim goleuadau ar y peth yma 'te?' gofynnodd Enoch, gan ddal yn dynn yn y drws.

'Dim syniad,' meddai'r llanc. Clywodd sgrech injan o'r tu ôl iddyn nhw, a gweld dwy soser danllyd yn eu dilyn i lawr y cwm. 'Ond mae goleuadau ar eu car nhw!'

Tynnodd John rai o'r liferi o'i flaen, ond heb unrhyw lwc. Roedden nhw wedi arafu'n gythreulig wrth iddo droi'r olwyn yn ôl a blaen er mwyn aros ar y ffordd, ac roedd y ddau olau llachar yn y ffenestr gefn yn agosáu.

'Allet ti ddim mynd yn gynt?' gofynnodd Enoch.

'Wy'n mynd dri deg milltir yr awr. Mae hwn yn hen gar – mae Morris Cowley 'da nhw!'

'Pam na allen ni fod wedi bachu ceffyl?' gofynnodd Enoch, gan bwyso dros y sedd gefn ac anelu ei wn tuag at y car oedd yn eu dilyn. Roedd y car erbyn hyn yn ddigon agos iddo weld siâp rhywun yn sedd y gyrrwr, ond roedd y goleuadau blaen yn rhy llachar iddo allu gweld pwy oedd yno, er y gallai ddyfalu.

Yn sydyn pwysodd John yn galed ar y brêc wrth droi'r tro a hyrddiwyd Enoch ymlaen yn ei sedd.

'Beth wyt ti'n ei wneud?'

'Shhh…'

Llywiodd John y car oddi ar y ffordd i mewn i gilfach wrth ochr hen dwnnel yn y graig oedd bellach wedi'i orchuddio ag estyll a briciau. Diffoddodd yr injan.

Eiliadau yn ddiweddarach gwibiodd y car arall heibio tuag at y pentre, gan wyro'n beryglus o agos at ymyl y dibyn.

'Da iawn was, clyfar iawn,' meddai Enoch, gan daro ysgwydd John â'i law. 'Dwi ddim yn cofio bod mor glyfar pan oeddwn i dy oed di. Ond os ydan ni am ddianc bydd yn rhaid gwneud hynny'n awr, ar droed.'

Dringodd y ddau o'r car. 'Roedd well gen i'r trên a dweud y gwir,' meddai Enoch. 'O leia roedd hwnnw'n sownd i'r cledrau.'

Gadawodd y ddau'r ffordd a bwrw'n syth i ganol y gwair oedd yn gorchuddio'r llethr i lawr at y pentre.

'Bydd yn rhaid i ni ddal un o'r trenau sy'n mynd heibio,' meddai John.

'Dwi ddim yn credu y cei di fynd ar unrhyw drên yn edrych fel bwgan brain.'

Gwenodd John. Rhaid bod golwg ofnadwy arno, meddyliodd, wrth iddo sylweddoli nad oedd Enoch yn dal wedi deall mai merch oedd e.

Cyrhaeddon nhw Dremaen a sleifio heibio i gyrion mud tai'r pentre tan iddynt ddod at ben y twnnel uwch platfform y trên. Roedd trên eisoes yn sefyll yno a gallai Enoch weld dyn arall oedd gydag Elias yn trafod gyda'r dyn gwerthu tocynnau. Roedd gyrrwr y trên yn pwyso drwy ei ffenestr â golwg ddiamynedd ar ei wyneb wrth iddo glustfeinio ar y drafodaeth.

'Ma'n nhw'n chwilio drwy'r trên,' sibrydodd John wrth Enoch.

'Mae o wedi cael coes newydd o rywle.'

'Gawn ni fynd nawr?' gofynnodd y gwerthwr tocynnau yn ddiamynedd. 'Sneb wedi mynd ar y trên na bant oddi arno fe yn y stop 'ma. Dim ond tynnu'r cerbyde yma lawr i Gaerdydd gogyfer â bore fory y'n ni.'

'Llai o'r cega 'na,' meddai Elias. 'Fe geith y trên fynd ar ôl i ni chwilio drwyddo fo'n drylwyr. Yr Arglwydd pia hanner y cerbydau glo ar gefn y trên 'ma, a dwi'n siŵr na fydda'r rheolwr yn gwerthfawrogi llythyr ganddo am agwedd y staff.'

'Sai eisie bod yn hwyr,' meddai'r gwerthwr tocynnau yn ddigon swta. 'Ma'r Arglwydd wedi cwyno digon am nwydde'n cyrraedd yn hwyr fel pawb arall.'

Gyda hynny camodd dyn arall oddi ar y trên. Roedd ganddo wyneb milain a chraith hir o ymyl ei geg i'w glust, fel pe bai wedi'i dorri â rasel. 'Rwy wedi chwilio'r cerbyde,' meddai. 'Dim byd ond ambell i fag.'

'Maen nhw yma o hyd,' meddai Elias. 'Gan na fydd dim trên arall tan y bore, bydd gynnon ni amser i chwilio drwy'r

pentre. Dwed wrth y bobol y bydd unrhyw un sy'n cael ei
ddal yn eu cuddio nhw yn colli ei waith yn y pwll. A cha'n
nhw na'u teuluoedd fyth weithio yno eto.'

'Wyt ti'n 'u nabod nhw?'

'Dwi wedi dod ar draws yr un hyna o'r blaen. Wn i ddim
beth yw 'i gêm o ond roedd o'n fy nilyn i o gwmpas Tre
Biwt echdoe. Fe ddysgais i wers iddo fo ond ma'n amlwg nad
ydi o wedi'i dysgu hi. Dwi'n siŵr 'mod i wedi gweld yr un
arall o gwmpas y lle hefyd. Aelod o'r Women's Lib sy'n hoffi
chwarae *cowboys* ac *indians*.'

Crwydrodd y dynion yn ôl tuag at y car. Ysgydwodd y
gwerthwr tocynnau ei ben wrth iddyn nhw adael a throi i
ddweud rhywbeth cas wrth y gyrrwr.

'Dyma'n cyfle ni,' meddai Enoch.

'Allwn ni ddim mynd lawr 'na. Byddan nhw'n siŵr o'n
gweld ni,' sibrydodd John.

Pwyntiodd Enoch at do un o'r cerbydau oddi tanynt ac
amneidiodd ar John. 'Wna i dy ollwng di lawr.'

Edrychodd John yn bur ansicr arno ond llithrodd ei goesau
dros yr ymyl a daliodd Enoch ynddo gerfydd ei ddwylo yn
barod i'w ollwng. Yna chwibanodd y trên i ddangos ei fod
ar fin cychwyn a gollyngodd Enoch ei afael a gwylio John yn
disgyn rhyw fetr a hanner i lawr i do'r cerbyd.

'Damia,' meddai Enoch wrth i'r trên ddechrau llithro i
ffwrdd gyda John yn eistedd arno. Cymerodd gam yn ôl a
neidio dros yr ymyl. Roedd wedi disgwyl glanio'n galed, ond
wrth ddisgyn rhwygodd ryw ddefnydd oddi tano a disgynnodd
yn bendramwnwgl i lawr drwyddo. Meddyliodd am eiliad
na lwyddodd i ddisgyn ar y trên a'i fod wedi taro'r cledrau.
Cododd ar ei eistedd a sylweddoli iddo ddisgyn drwy ddarn o
gynfas a glanio mewn cerbyd glo hanner gwag.

Cododd ar ei draed ac edrych dros ymyl y cerbyd i'r ddau

gyfeiriad am John. Y cyfan a welai oedd cefn ei ben wrth i John swatio ar ben y cerbyd glo nesaf ato.

'John!' gwaeddodd, a'i lais yn cael ei golli yn y gwynt. Estynnodd ei fraich dros ymyl y cerbyd glo a thynnu cefn ei got. Clywodd waedd o ofn gan John.

'Fi sy 'ma, tyrd i mewn!' meddai. Dringodd John i lawr i ddwylo Enoch a thynnodd hwnnw ef i mewn i'r cerbyd glo a llusgo'r cynfas dros eu pennau.

'Bydd hi'n gynhesach mewn fan hyn,' meddai Enoch wrth weld bod ei ffrind yn crynu drosto. Rhwygai'r gwynt main y cynfas uwch eu pennau wrth i'r trên garlamu yn ei flaen.

Roedd golwg wedi ymlâdd yn llwyr ar John. Pwysodd ei ben i lawr yn erbyn ochor y cerbyd a chau ei lygaid.

'Do'dd e ddim beth ro'n i'n 'i ddisgwl,' meddai.

'Beth oedd?'

'Yr antur.' Gwenodd John. 'Falle 'mod i wedi bod yn gwylio gormod o bictiwrs.'

'Dyna pam rwyt ti'n gwisgo fel dyn? Fel esgus i gael cyfle i fod mewn trwbwl?'

Agorodd John ei lygaid ac edrych arno'n anesmwyth. 'A finne'n meddwl nad o'ch chi 'di sylwi.'

'Mae 'na arwyddion, os wyt ti'n barod i'w gweld nhw. Alla i ofyn pam wyt ti'n gwneud hyn?'

Cododd John gnepyn o lo a'i rwbio'n gylchoedd bach i mewn i gledr ei law.

'Sdim lot o gyfle i neb gal gwaith yn y ddinas ar hyn o bryd. Llai byth i ferch. Pan o'n i'n groten fach yn tyfu lan yn y bae ro'n i'n cael gwneud fel ro'n i moyn, cal chwarae 'da'r bechgyn erill, mynd ar antur 'da nhw.' Taflodd y cnepyn glo i waelod y cerbyd. 'Ond wrth i fi dyfu lan des i ddeall bod mwy a mwy o ddryse ar gau i fi.'

'Mae merched yn cael gweithio erbyn hyn.'

·'Mewn rhai swyddi. Ro'n i'n gwybod mai newyddiadurwr o'n i moyn bod, fel Dad. Pan es i weld golygydd y *Cronicl* fis yn ôl, fe ddwedodd mai gyrfa gyda chylchgrawn merched fel *Good Housekeeping* neu *Peg's Paper* oedd y gore allwn i obeithio amdano. Felly fe dorres i 'ngwallt a gwisgo hat a chot Dad, ac fe ges i'r swydd.'

'Beth yw dy enw di?'

'John.'

'Na, dy enw mer...'

'Elliw. Ond dim ond Dad-cu sy'n galw fi'n hynny nawr.'

'Beth os gwnaiff pobol ddarganfod pwy wyt ti go iawn?'

Chwibanodd y trên yn y nos. 'Dyw pobol ddim yn gweld beth sy o flaen eu trwyne nhw. Mae pâr o drowser yn ddigon i dwyllo'r rhan fwya.' Dylyfodd ên. 'Ac mae gan bobol eu probleme eu hunen heb fynd i drafod fy rhai i.' Teimlodd boced ei chot a sylweddoli bod y cerflun yn dal yno.

'Wnaeth hi'm cymryd yn hir i fi sylwi.'

'Dyna eich gwaith chi,' meddai John. 'Does dim lot o... nodweddion merch 'da fi beth bynnag. Peidiwch â dweud wrth neb, plîs.'

Gwenodd Enoch. 'Mae 'ngheg i ar gau. Dwi ddim yn nabod neb ffordd hyn, beth bynnag.'

Gosododd John ei ben yn ôl ar ymyl y cerbyd. 'Diolch.'

'Nos da, John.'

Ar ôl ychydig funudau yn pendwmpian ar y gwely anghyfforddus o fetel oer a glo, roedd John yn cysgu'n anesmwyth. Gwyliodd Enoch ef am funud, cyn chwerthin yn dawel. Pam ddim? Tynnodd ei het i lawr dros ei wyneb a chau ei lygaid.

Cafodd Enoch ei ddeffro gan sŵn corn yn canu. Corn car. Neu ai'r ffaith bod y trên wedi dod i stop oedd wedi'i ddeffro? Ble'r oedden nhw?

'Dim chi 'to…'

'Ca dy ben.'

'Chi ddim am chwilio'r trên unwaith 'to y'ch chi? Achos do's neb wedi dod 'mla'n nac wedi mynd bant ers i ni adael Tremaen. Wy wedi gwneud yn siŵr o 'ny…'

'Dau docyn i Gaerdydd, os gwelwch yn dda.'

XXIII

ROEDD HI WEDI bod yn bwrw'n drwm yng Nghaerdydd. Erbyn iddi nosi roedd y glaw wedi gostegu rhywfaint, ond roedd y dŵr yn dal i lifo mewn ffrydiau oddi ar doeau'r adeiladau ynghanol y ddinas.

Cysgodai Daniel yn yr archifdy ar y llawr o dan ystafell y newyddiadurwyr, yn pori drwy'r hen bapurau newydd oedd wedi melynu wrth iddynt deithio yn ôl drwy amser ar hyd y silff. Roedd e wedi gadael y fflat ers tair awr ond doedd e ddim yn barod i fynd adre i wynebu Stella. Eto i gyd allai e ddim aros allan yn y gwynt a'r glaw am byth.

Er mai gwaith ymchwil oedd prif bwrpas yr archifdy, câi ei ddefnyddio'n benna gan newyddiadurwyr oedd yn chwilio am esgus i aros yn y swyddfa ac osgoi socad pan fyddai hi'n bwrw tu allan.

Roedd hefyd yn lle da i guddio rhag Cynog pan oedd hwnnw mewn hwyliau cas ac yn patrolio'r ystafell newyddion uwchben fel teigr diamynedd, yn brathu unrhyw un fyddai'n ddigon anlwcus i groesi ei lwybr.

Gobeithiai Daniel y câi lonydd ganddo yno ond ar ôl ryw ugain munud yn yr archifdy roedd y golygydd wedi gwthio'i ben heibio'r drws.

'Dwyt ti heb weld dy ffrind John heno 'ma wyt ti, Daniel?' gofynnodd.

'Nagw. Ro'dd e lan yn y Cymoedd heddiw, on'd o'dd e?'

'O'dd, ond dyle fe 'di galw yn y swyddfa cyn troi am gartre. Ro'dd 'da fe stori dda ac ro'n i 'di gobeithio dal y dedlein.'

Teimlodd Daniel fod rhywbeth wedi cynhyrfu Cynog.

'Beth wyt ti'n neud 'ma beth bynnag?' gofynnodd y golygydd. 'Rwy dy angen di'n ffres fel rhosyn ar gyfer agoriad yr amgueddfa fory.'

'Probleme gatre.'

Amneidiodd Cynog. 'Cer â hi i'r pictiwrs, neu am benwythnos i Ynys y Barri, neu dros yr Hafren i Weston-super-Mare. Mae dŵr y môr a lliw haul yn neud lles medden nhw. Ond gwell peido cal gwraig o gwbwl, fel fi. Odi hi'n un bert?'

'Odi.'

'Wel 'na dy broblem di. Sai erioed 'di bod yn un am gal merch bert, dim ond merch dew â thipyn o ddychymyg. Ta beth, alla i ddim caniatáu i dy fywyd gartre effeithio ar dy waith di. Mae 'na hen wely yn y storfa. Rwy wedi treulio sawl noson arno.'

'Diolch, Cynog. Bydd popeth yn iawn, wy'n siŵr...' Teimlodd Daniel belen yn ei wddf. Ceisiodd ei rheoli, ond roedd hi'n rhy hwyr. Sylwodd Cynog ei fod e wedi ypsetio, a rhoddodd law gysurlon ar ei ysgwydd.

'Dyna ni, mae hi 'di bod yn wythnos hir.'

'Sai'n siŵr am y newyddiadura 'ma,' meddai Daniel. 'Mae'r holl farwolaethe 'ma... mae'n ormod i fi.'

'Ti'n newyddiadurwr da, Daniel. Ddim yn un wrth reddf efalle, ond rwyt ti wedi tyfu yn dy swydd. Dere nawr. Beth arall fyddet ti'n galler 'i neud? Beth arall fydde'n rhoi'r un wefr i ti? Mae fel sigaréts – heb weld dy enw yn y papur am sawl diwrnod fe fyddet ti'n crynu drostat ti, achan.'

'Ond 'dyn ni'n treulio ein holl amser yn edrych i weld beth sy yn y gwter. Yn edrych ar y gwaetha o bethe o hyd. Wy eisie codi uwchlaw y bryntni a'r baw. Mae mwy i fywyd.'

'Daniel, gwranda arna i, os yw dyn yn hapus mae pob

dim yn iawn. Os nad yw e, yna do's dim y gallwn ni neud i newid hynny,' meddai Cynog.

Chwythodd Daniel ei drwyn â'i facyn poced.

'Ti'n cofio George, y gwerthwr papure newydd – heb geiniog i'w enw ond â gwên fawr ar 'i wyneb o hyd,' meddai Cynog. 'A beth am y Brenin George? Bastad truenus. Dyw e ddim yn fwy rhydd na Billy the Seal yn y sw. Rhaid i ti benderfynu bod yn hapus gyda beth sy 'da ti, ac anghofio am bopeth arall.'

Sychodd Daniel ei ddagrau gyda'i lawes. 'Diolch,' meddai.

'Paid poeni am y peth. Nawr cer i ffeindio'r gwely 'na. Os wyt ti'n gneud cawlach o bethe o flaen y Brenin a pherchennog y papur fory, fydd dim dewis 'da ti wyt ti moyn bod yn newyddiadurwr neu beidio. Fyddi di mas ar dy ben, ac fe wna i'n siŵr o hynny.'

★   ★   ★

Tynnodd John y cynfas oddi ar y cerbyd a dringo i fyny ei ochr i gael gweld lle roedden nhw wedi stopio. Roedd wedi disgwyl i'w daith ddod i'w therfyn mewn gorsaf drenau brysur, gyda phobol yn mynd a dod hyd yn oed gyda'r nos. Ond roedd hi'n rhyfeddol o ddistaw. Sbeciodd yn betrus dros ymyl y cerbyd, fel milwr dros y ffos.

I bob cyfeiriad, hyd y gallai weld, doedd dim ond cerbydau. Cannoedd, os nad miloedd, ohonyn nhw'n sefyll ochr yn ochr ar res o draciau, a phob un yn llawn neu'n hanner llawn o lo a briciau. Taflodd ei goes dros ochr y cerbyd a sefyll ar y bachyn oedd yn ei ddal yn sownd wrth y cerbyd o'i flaen. I'r gogledd, y tu hwnt i orwel agos y mynyddoedd o lo, gallai weld amlinell canol y ddinas yn sbecian arno drwy dywyllwch y nos. I'r dwyrain roedd fflamau ffwrnais chwyth gwaith dur Dowlais wedi'u hadlewyrchu yn nŵr llonydd Doc Dwyreiniol Biwt.

'Lle'r ydan ni?' gofynnodd Enoch gan frwsio'r llwch du oddi ar ei drowser wrth godi.

'Yn yr iard trefnu glo, rhwng Dociau Gorllewinol a Dwyreiniol Biwt,' atebodd John. 'Fan hyn bydd yr holl gerbydau glo sy'n dod i lawr o'r Cymoedd yn aros cyn cael eu llwytho ar y cychod.'

'Wel, rydan ni'n saff rŵan o leiaf. Byddai dod o hyd i'n cerbyd ni ynghanol y rhain i gyd fel ffeindio nodwydd mewn tas wellt,' meddai Enoch.

'Sai mor siŵr,' meddai John, gan bwyso dros yr ymyl i gael golwg ar ochor y cerbyd. Roedd enw cwmni'r Arglwydd, Morgan & Davies, wedi'i baentio'n glir ar yr ochor. 'Well i ni 'i baglu hi o 'ma ta beth.'

Wrth iddyn nhw siarad teimlai John fod y cerbyd yn symud yn araf bach oddi tanynt. Roedd y traciau a redai ar hyd y penrhyn yn arwain at ramp a godai'r cerbydau i'r llongau oedd wedi'u hangori yn y dociau. Gallai John weld goleuadau'r gweithwyr yn defnyddio craeniau anferth i lwytho'r glo i'r llongau.

'Dewch, neu fe fyddwn ni wedi'n llwytho ar ryw long ac wedi ein cario i ben draw'r byd,' meddai.

'Wyt ti'n meddwl bod yna un sy'n mynd yn ôl i'r Ariannin?' gofynnodd Enoch.

'Rwy'n siŵr bod 'na – os nad o's ots 'da chi dreulio'r siwrne yn y ffwrnes.'

Neidiodd John o'r cerbyd, ac wrth iddo wneud syrthiodd rhywbeth allan o boced ei got a glanio ar ei esgid. Cododd y cerflun oddi ar y llawr llychlyd. Rhwbiodd faw'r pwll glo oddi arno a daeth wyneb a chorff y cerflun i'r golwg.

Roedd wedi anghofio popeth am ei fodolaeth.

'O ble daeth hwnna?' gofynnodd Enoch yn syn, gan ddringo allan o'r cerbyd ar ei ôl. 'Roedd gan yr Arglwydd Tremaen un yn union yr un fath yn ei gartre.'

'Y dyn yna â'r goes bren adawodd e yn y pwll glo. Gwrandewch.'

Daliodd y cerflun wrth glust Enoch.

Tic... tic... tic...

'Y'ch chi'n meddwl bod yna gloc ynddo?' gofynnodd John.

'Soniodd yr Arglwydd ddim am hynny. Roedd o'n meddwl ei fod o'n dod â bywyd tragwyddol neu rywbeth.'

'Digon posib. Ma'r cwmni 'i angen e. Do's dim cyment o gerbyde glo gan gwmni'r Arglwydd fan hyn ag o'dd yn arfer bod,' meddai John wrth edrych ar y cerbydau.

Cerddon nhw rhwng y rhes hir at fan ble'r oedd modd croesi'r loc i Ddoc Gorllewinol Biwt, a heibio adeilad y Pierhead. Darllenodd Enoch yr arwyddair dros y brif fynedfa wrth basio. 'Wrth ddŵr a thân.'

''Na beth sy wedi creu Caerdydd,' meddai John. 'Y porthladd a'r glo.'

'A be fydd yn digwydd unwaith fydd 'na ddim glo?'

'Wneith e ddim gorffen. Clywes i fod 'na ddigon o lo ar ôl i bara am gannoedd o flynyddoedd lan yn y Cymoedd. Ond pan ddechreuodd y rhyfel fe wnaeth lot o gwmnïau newid i gael eu glo o wledydd eraill. Ac ers y rhyfel mae lot o longe'n rhedeg ar olew, ta beth, felly does dim cymaint o alw.'

'Does 'na ddim olew yng Nghymru?'

'Wel, ddarllenes i rywbeth yn y *Times* ei bod hi'n bosib troi'r glo yn olew. Fel arall bydd hi wedi canu arnon ni. Dy'ch chi am aros yn y Cairo heno?'

'Dwi ddim yn meddwl y bydd hi'n saff. Mae'r dyn â'r goes bren yn gwybod mai yno ydw i'n aros.'

'Wel, dewch nôl i'r fflat 'da fi. Rwy'n byw 'da Dad-cu ond fydd dim ots 'da fe, wy'n gwbod.'

Fe groeson nhw'r bont i waelod Stryd Biwt a'i throi hi am yr adeilad lle'r oedd fflat John. Wrth gerdded yno fe basion nhw Sgwâr Mount Stuart, a synnodd Enoch wrth weld crandrwydd yr adeilad yn ei ganol, yn enwedig o'i gymharu â blerwch gweddill adeiladau Tre Biwt.

'Dyna'r Gyfnewidfa Lo,' meddai John yn falch. 'Cafodd y siec gynta erioed am filiwn o bunnoedd yn yr holl fyd ei sgrifennu fan 'na.'

Cyrhaeddon nhw'r adeilad ble'r oedd John yn byw a dringo'r grisiau anwastad i'r llawr cynta. Doedd y bloc fflatiau ddim yn edrych fe pe bai siec am ddeg punt wedi'i gwario ar y lle heb sôn am filiwn o bunnoedd, meddyliodd Enoch. Roedd y drewdod yn llethol, yn gyfoglyd ac yn atgoffa Enoch o'r adeg y daeth o hyd i geffyl wedi marw mewn twll dyfrio.

Wrth agosáu at ddrws y fflat safodd John yn stond. Roedd yn llydan agored. Edrychodd Enoch dros ei ysgwydd a gweld tyllau bwled yn y wal ac yn y drws. Rhedodd John yn wyllt am y drws a bu'n rhaid i Enoch afael ynddo a cheisio ei dynnu'n ôl.

Ond wnaeth e ddim ceisio brwydro o'i afael, dim ond syllu i gornel yr ystafell. Yno roedd ei dad-cu'n eistedd, fel arfer. Ei benglog brau fel wy wedi hollti, a darnau o'r plisgyn ar y wal y tu ôl iddo.

'Tri chynnig i Gymro.'

Clywodd Enoch yr ergyd, heb ddirnad am eiliad mai at ei ben ef roedd hi wedi ei hanelu. Llifodd y poen drosto a dechreuodd y düwch gau amdano. Llithrodd John o'i afael, a theimlodd ei hun yn taro'r llawr pren.

XXIV

P AN DDEFFRODD JOHN clywodd sŵn y môr. Sgrechiai
gwylan yn rhywle. Roedd yn gorwedd ar ei wyneb ar
lawr, a'i ben yn brifo, wir yn brifo – am ychydig funudau ni
wyddai ble roedd e, fel rhywun yn deffro a chanddo ben tost
erchyll. Allai e ddim anadlu'n iawn, ac ar ôl dod ato'i hun
ryw fymryn sylweddolodd ei fod wedi'i rwymo mewn rhaffau
tyn. Llifodd ton o alar drosto wrth iddo gofio'n sydyn am ei
dad-cu, ond ceisiodd wthio'r ddelwedd erchyll o'i feddwl am
y tro. Os na fyddai'n canolbwyntio ar ddianc, byddai'r un
dynged yn ei ddisgwyl ef cyn hir.

Gwingodd yn yr unfan am ychydig eiliadau ac yna, wedi
un ymdrech fawr, llwyddodd i droi ar ei gefn. Roedd mewn
hen warws na chawsai ei defnyddio ers amser hir. Gallai
weld iorwg yn tyfu ar y waliau a thyllau yn y to. Doedd
dim i'w weld drwy'r bylchau ond awyr y nos, ac ambell i
siâp gwyn gwylan yn croesi'r düwch fel seren wib. Clywodd
leisiau gerllaw, y tu allan i'r warws.

'Ydi hi'n saff 'i gadael hi fan hyn?'

'Ydi. Mae'r adeilade 'ma'n wag i bob cyfeiriad. Fe geith
hi sgrechian nes ei bod hi'n gryg a fydd neb yn 'i chlywed
hi. Ond fe wneith hi roi'r gorau i hynny'n ddigon cloi.
Mae'n anodd gweiddi pan wyt ti wedi dy glymu'n dynn fel
'na.'

Roedd y ddau lais yn anadlu'n drwm, fel petaen nhw'n
gwneud rhyw waith corfforol.

'Ddylat ti ddim fod wedi lladd yr hen ddyn 'na yn ôl fan
acw.'

'Iesu Grist, Elias. Wyddwn i ddim 'i fod e'n fyw. Fe
gododd e o'i sedd fel pyped sgerbwd...'

'Dylat ti 'di cadw dy bwyll.'

'Beth wyt ti'n poeni amdano ta beth? Dwyt ti heb boeni am ladd neb erio'd.'

'Allwn ni ddim gadael cyrff ymhobman, hyd yn oed lawr fan hyn. Dyna pam rydan ni'n mynd â hwn allan i'w gladdu o yn y fflatiau mwd.'

'O'n i'n meddwl bod yr heddlu ym mhoced yr Arglwydd…'

'Rhai ohonyn nhw. Ti methu breibio pawb, nag wyt? Ac ar ryw bwynt ma 'na bobol o'r tu allan yn dechrau holi cwestiyna. Allai'r corff gael ei gario lawr i'r Barri gyda'r lli'n ddigon hawdd ac wedyn mi fydden nhw'n dechra busnesu yno. Rhaid i ni neud iddi hi edrych fel damwain.'

'Sut?'

'Y dyn cynta laddais i, wnes i ei wthio fo o dop y chwaral yn Llanberis. Doedd neb callach, pobol yn disgyn o dop y chwaral byth a hefyd. Dyna lle collais i 'nghoes.'

'O'n i'n meddwl bo ti 'di cholli hi yn yr armi?'

'Do'n i'n dda i ddim i'r armi wedyn, nag o'n? Trio gosod *charge* o'n i wrth hongian i lawr ochor y graig uffar 'na yn y chwaral. Meddwl bo fi'n iawn tan i'r rhaff 'y nhynnu i fyny a sylweddoli nad oedd gen i ddim byd i sefyll arno.'

'Oedd e'n boenus?'

'Ddim ar y pryd. Llifio'r gweddill i ffwrdd wedyn oedd y lladdfa. Un deg saith o'n i.'

'Awtsh. Sori i glywed.'

'Diolch am dy gydymdeimlad,' meddai Elias yn ddihiwmor. 'Tyd 'ta, un… dau… tri… hwb.'

Dyfalodd John eu bod nhw'n codi rhywbeth trwm ac yn ei gario oddi wrth y warws.

'Ond, Elias, pam ddim lladd hwn gynta ac wedyn claddu 'i gorff e?'

'Dydan ni ddim isio gadael 'i ôl o. Ti'n saethu rhywun, mae'n gwneud sŵn, ti'n malu'i ben o'n ddarna ac mae'n gadal llanast. Wrth gladdu 'i gorff o yn y fflatiau mwd yn y bae 'cw, fydd dim o'i ôl o byth bythoedd. Bydd y llanw'n dod i mewn ac mi fydd unrhyw beth sy ar ôl yn cael 'i fwyta gan y pysgod.'

'Wel, dere 'mla'n 'te, neu bydd y llanw wedi dod miwn cyn i ni ddechre.'

Clywodd John y peth trwm yn cael ei ollwng i mewn i gwch. Rhegodd un o'r dynion. Yna clywodd sŵn y rhwyfau'n taro'r dŵr.

Sgrechiai mwy o wylanod uwch ei ben a synhwyrodd John fod ganddo gynulleidfa. Roedd wedi gweld gwylanod yn bwyta cig anifeiliaid a'r rheiny'n dal yn fyw. Dychmygodd nhw'n plycio ei lygaid allan, fel cigfrain, ac yntau'n brwydro'n ofer yn erbyn y rhaffau oedd wedi'u clymu'n dynn amdano. Gwingodd, ond ni allai lacio dim arnynt.

Yr unig ffordd y gallai symud oedd drwy rowlio, felly fe drodd drosodd a throsodd nes cyrraedd ymyl y warws. Roedd digon o hen jync yno a sylwodd ar hen lif rydlyd. Dechreuodd rwbio'r rhaff oedd am ei arddyrnau yn ei herbyn. Roedd hi'n broses hir a rhwystredig ond llwyddodd i lacio'r rhaffau a'u tynnu nhw oddi ar ei arddyrnau.

Gorweddodd yn y fan a'r lle am ychydig funudau, wedi ymlâdd. Yna dechreuodd archwilio'r rhaffau o amgylch ei frest a'i goesau. Roedd ei ddillad yn rhy fawr a'r dynion heb werthfawrogi bod hynny o gymorth iddo. Llwyddodd i lusgo'i got a'i grys allan o'r rhaffau a thros ei ben. Yna roedd y rhaff yn ddigon llac i'w datod a chododd y llif â'i freichiau rhydd er mwyn llifio'r rhaff am ei figyrnau.

Safodd i fyny. Doedd dim syndod ei fod yn oer, ac

yntau'n sefyll mewn hen warws dyllog yn hanner noeth, a gwynt y môr yn codi croen gŵydd drosto. Teimlai'n ddiamddiffyn, ac ailwisgodd ddillad ei dad yn frysiog cyn i unrhyw un ei weld. Wrth dynnu ei got amdano teimlodd lwmpyn yn ei ochr a sylweddoli nad oedden nhw wedi dod o hyd i'r cerflun a guddiai yno.

Aeth i sbecian drwy ddrws yr hen ystorfa. Roedd glanfa goncrid y tu cefn i'r warws ac roedd honno'n arwain at risiau bach i lawr i'r dŵr lle roedd y cwch bach gynnau mae'n rhaid. Syllodd allan dros y dŵr a gweld y cwch yn symud yn y pellter, ar hyd un o'r afonydd a lifai rhwng y fflatiau mwd tuag at y môr pan fyddai'r llanw allan. Roedd ei dad-cu wedi dysgu iddo beth oedd enwau'r fflatiau hyn ryw dro. Roedd y West Mud, neu fflatiau Penarth, i'r gorllewin. Rhwng ceg y Taf a'r gamlas a'r fynedfa i Ddociau Gorllewinol a Dwyreiniol Biwt roedd yr East Mud. O fan 'na i'r dwyrain roedd y Cardiff Flats. Wrth Fôr Hafren, yn y pellter, roedd ynys fach o fwd o'r enw Cefn y Wrach.

Pan ddeuai'r llanw i mewn byddai'r cyfan o dan y dŵr. Ond heb unrhyw ffordd arall o ddilyn y cwch wrth i hwnnw ddiflannu yn y pellter, croesi'r fflatiau ar droed oedd ei unig opsiwn. Doedd ganddo ddim gobaith o atal y dynion, gwyddai hynny. Ond fe allai achub ei ffrind. Ei gloddio o'r mwd ar ôl iddyn nhw ei adael a gobeithio wedyn y byddai ganddyn nhw amser i ddianc am y lan.

Neidiodd i lawr oddi ar y lanfa i'r mwd. Wrth sefyll yn llonydd am eiliad teimlodd ei sgidiau'n cael eu sugno o dan yr wyneb. Rhedodd yn ei flaen yn ddigon cyflym fel nad oedd gan ei sgidiau amser i'w lynu yn yr unfan.

Doedd y cwch bychan ddim yn mynd mor gyflym â hynny. Gallai weld un o'r dynion yn rhwyfo tra bod y llall yn sefyll ar y blaen yn dal llusern i arwain eu ffordd ar hyd y gamlas gul oedd yn naddu drwy'r glannau mwd. Rhwng y ddau roedd bwndel du'n gorwedd ar waelod y cwch. Doedd John ddim yn gwybod a oedd Enoch yn dal yn anymwybodol ynteu oedd e hefyd wedi'i glymu. Beth bynnag, os oedd e'n effro, fyddai dim pwynt iddo wingo rhag ofn iddo droi'r cwch drosodd a suddo i waelod y bae.

Gallai John glywed lleisiau'r ddau yn y pellter ar y cwch ond roeddent yn rhy bell iddo allu deall eu geiriau. Ond fe allai ddyfalu beth roedden nhw'n ei drafod. Edrychodd o'i ôl a gweld bod pyllau bach o ddŵr y môr yn casglu yn olion ei draed. Roedd y llanw wedi dechrau dod i mewn yn araf bach.

Gwelodd un o'r dynion yn codi rhaw uwch ei ben a daeth y cwch i stop. Arhosodd John yn ddigon pell fel nad oedd yn cael ei ddal gan olau'r llusern ar y cwch. Ond allai e ddim aros yn yr unfan yn rhy hir rhag ofn iddo suddo i mewn i'r sugndraeth.

'Mae'r twll 'ma'n ail-lenwi,' clywodd un o'r dynion yn cwyno wrth iddo dyllu.

'Tylla'n gyflymach,' gorchmynnodd y llall o'r cwch.

'Ro'n i'n meddwl dy fod ti 'di neud hyn o'r bla'n.'

'Byddwn i'n fodlon gneud ond bydda 'nghoes bren i'n siŵr o fynd yn sownd yn y tywod 'na.'

'Esgus cyfleus...' meddai'r llall, gan dyllu i mewn i'r mwd.

'Hei, paid taflu hwnna ffor hyn. Dwi'n fwd a dŵr drosta i.'

Tyllodd y llall am ryw funud fach eto, tan bod yna rywfaint o dwll yn y mwd.

'Reit, mewn â fe,' meddai, yn fyr ei wynt.

'Dydy hwnna ddim yn dwll dwfn iawn.'

'Wel, os yw e unrhyw beth tebyg i fi fe wneith e suddo gweddill y ffordd i'r gwaelod,' meddai'r tyllwr, gan dynnu ei draed o'r mwd oedd yn sugno'i sgidiau.

Cododd Elias a dadlwytho corff Enoch o'r cwch i'r lan. Llusgodd y llall ef ar draws y mwd ac i mewn i'r twll wrth i hwnnw lenwi'n gyflym â dŵr. Gollyngodd ef a thasgodd y dŵr yn uchel.

'Ydyn ni am 'i adel e fan hyn neu ddisgwyl iddo fe suddo?' gofynnodd y dyn a fu'n rhawio.

'Well i ni aros i neud yn siŵr. Bydd y bòs yn colli'i dempar os bydd hwn yn codi nôl i'r wyneb. Wedyn dy gorff di fyddwn ni'n 'i gladdu allan fan hyn.'

'Hoi,' meddai'r llall, ac ias yn mynd i lawr ei gefn. 'Sawl corff wyt ti 'di'i gladdu fan hyn ta beth?'

'Sawl un. Cefn y Wrach yw'r lle ola y byddai unrhyw un yn meddwl chwilio am gorff.'

Sylweddolodd John nad oedd ei gynllun yn mynd i weithio. Doedd y ddau ddim yn mynd i adael tan bod Enoch yn diflannu o'r golwg, wedi'i lyncu gan y fflatiau, a fyddai yna ddim gobaith ei dyllu allan wedyn. Byddai'n rhaid iddo wneud rhywbeth nawr.

Plannodd yr ail ddyn ei raw yn y mwd gerllaw a mynd i sefyll wrth y pwll gan ddisgwyl iddo lenwi. 'Bydd y llanw i mewn whap,' meddai, bron wrtho'i hun. 'Gobeithio na ddaw ryw blydi stemar ar ein pennau ni wrth i ni rwyfo nôl.'

'Cau dy geg,' meddai Elias.

'Beth ni'n mynd i neud 'da'r ferch 'na?'

'Fyny i'r Arglwydd. Mae o'n eitha hen ffasiwn am y petha 'ma. Dwi'n siŵr gall yr heddlu ei chloi hi fyny am rywbeth. Ma hi'n un ryfedd, honna.'

'Hen ddiawl surbwch yw'r Arglwydd yna, yntyfe?'

'Mae o'n foi iawn yn y bôn, sti. Aeth petha lawr allt iddo

ar ôl i'w wraig farw. Mae ganddo fab sy'n byw yn Ewrop yn rhywle, yn gwario'i arian o i gyd.'

'Dim rhyfedd 'i fod e'n gas 'te.'

Clywodd Elias sŵn yn y tywyllwch, fel clec fetelaidd.

'Ow!'

'Be ddigwyddodd?' gofynnodd. Cododd y lamp uwch ei ben i gael gwell golwg ar y fflatiau. Roedd corff y dyn croen tywyll yn dal yno, yn gorwedd yn y pwll, â'i wyneb bron o dan y dŵr. Ond wrth ei ochor roedd corff arall, corff ei gydymaith, yn fflat ar ei gefn. Doedd dim golwg o'r rhaw.

'Beth uffar ddigwydd…?'

Dallwyd ef am eiliad wrth i rywbeth trwm lanio ar ei ben. Teimlodd ei hun yn cael ei fygu a'r cwch yn ysgwyd oddi tano wrth i rywun arall neidio i mewn iddo. Brwydrodd am ei anadl am funud ac yna teimlodd glec drom arall ar ei ben, a disgynnodd ar ei ben-ôl. Doedd hynny ddim yn ddigon i'w daro'n ddiymadferth, ond teimlai'r poen yn lledu ar hyd ei dalcen.

Caeodd ei lygaid gan ddisgwyl ergyd arall i'w wyneb, ond doedd y cwch ddim yn ysgwyd bellach. Roedd pwy bynnag – beth bynnag – oedd wedi ymosod arno wedi gadael y cwch. Cododd ar ei liniau yn simsan a thynnu'r defnydd oddi ar ei ben. Hen got fawr frown oedd hi. Roedd y lamp wedi disgyn ac roedd hi'n hollol dywyll o'i amgylch. Aeth i chwilio yn y düwch ar waelod y llong a dod o hyd i'r llusern yno. Taniodd fatsien i'w chynnau.

Gwelodd fod y corff yn dal i fod yno yn y twll yn y fflatiau. Yna, er syndod iddo, sylwodd mai corff ei gydymaith ydoedd – roedd y llall wedi diflannu. Wedi ei lyncu gan y mwd yn barod?

Roedd dŵr y môr yn dechrau tasgu dros wyneb y fflatiau

erbyn hyn. Rhwyfodd y cwch tuag at y man lle roedd ei gydymaith yn gorwedd a'i lusgo i mewn i'r cwch.

'Beth ddigwyddodd?' gofynnodd hwnnw fel petai'n feddw.

'Does gen i ddim diawl o syniad. Be wnaeth dy daro di?'

'Y rhaw,' ebychodd yntau.

Rhyw hanner can troedfedd i ffwrdd, roedd John yn hanner llusgo corff Enoch yn araf bach ar hyd y fflatiau, a'i sodlau yn tyllu i mewn i'r mwd. Roedd ei freichiau tenau'n llosgi yn dilyn yr ymdrech i'w lusgo allan o'r twll ac ar draws y tywod gwlyb. Gwyddai na allai ei lusgo'n llawer pellach pe na bai'n dihuno. Gallai deimlo'r dŵr yn dechrau casglu o amgylch ei sgidiau, ond doedd ganddo ddim syniad i ba gyfeiriad roedd e'n mynd. Y cyfan y gallai weld oedd goleuadau yn y pellter. Wyddai e ddim pa mor bell i ffwrdd oedden nhw chwaith.

Cyn bo hir roedd corff Enoch yn arnofio ar ei ôl ac mewn peryg o ddiflannu o dan y dŵr yn gyfan gwbwl. Gallai John nofio, ar ôl sawl antur yn y môr a'r hen gamlas. Ond roedd y dŵr yma'n ei dynnu i lawr, ac roedd corff Enoch yn rhy drwm iddo'i gadw uwchlaw'r dŵr.

'John…' clywodd lais Enoch.

'Y'ch chi'n gallu nofio?'

Cododd Enoch ar ei liniau gyda golwg wedi drysu ar ei wyneb. Yna trodd i ddilyn John gan hanner nofio, hanner cerdded drwy'r llanw.

O'r diwedd teimlai John dywod a cherrig sychach o dan ei draed a theimlai ei bod hi'n saff iddyn nhw orffwys. Yn lluddedig, gorffwysodd ar y tywod a disgynnodd Enoch wrth ei ochr. Wrth edrych dros ei ysgwydd gwelodd res o dai mawr cyfoethog yr olwg ar y bryn y tu ôl iddo.

·Griddfanodd Enoch wrth ei ymyl a thagu llond ysgyfaint o ddŵr y môr allan dros y tywod sych.

'Y'ch chi'n iawn?' gofynnodd John.

'Ydw. Dwi ddim eisiau mynd ar gyfyl y môr eto am sbelen dda. Be ddigwyddodd?'

'Ro'n nhw am 'ych claddu chi mas ar y fflatiau.'

'Dwi'n socian. Lle'r ydan ni?'

'Penarth, wy'n meddwl,' meddai John wrth edrych o'i amgylch.

Wrth iddynt syllu allan ar y môr gallai John weld cwch y ddau ddyn yn hwylio yn ôl tuag at Gaerdydd. Y llusern bach ar y cwch oedd yr unig smotyn o olau ynghanol amlinell ddu'r bae a ymestynnai hyd y gorwel.

'Damo!' meddai John yn sydyn.

'Be? Be sy'n bod?'

'Fe wnes i anghofio…'

'Anghofio be?'

'Y cerflun 'na. Fe wnes i 'i anghofio fe ar y cwch. Roedd e ym mhoced 'y nghot ac fe dafles i honno dros ben y dyn.'

Anadlodd Enoch yn ddwfn. 'Damia.'

'A finne 'di bod yn gofalu amdano…'

Cyn iddo yngan gair arall goleuwyd y gwastadoedd mwdlyd o'u blaen rhwng Penarth a dociau Caerdydd gan olau tanllyd. Ffrwydrodd cwch y ddau ddihiryn gyda chlec fyddarol. Taflwyd ei weddillion i'r awyr cyn i'r cyfan ddiflannu i'r tywyllwch. Gwyliodd Enoch a John yn syn. O fewn eiliadau, plufyn o fwg llwyd yn unig oedd yn weddill a hwnnw'n esgyn o'r man lle câi'r cwch ei rwyfo ychydig eiliadau ynghynt.

'Beth ar y ddaear…?' meddai John.

Anadlodd Enoch yn drwm. 'Y sŵn tician yna. Ffrwydryn oedd o.'

'Pam fydden nhw moyn gosod bom yn y twnnel?'

'I ffrwydro'r pwll glo? Alla i'm meddwl am reswm arall,' meddai Enoch. 'Ond dywedodd yr Arglwydd bod y cerflun yn dod â lwc…'

'Lwc iddo fe o bosib. Esgus i gau'r pwll gan nad oedd yn gwneud digon o arian?'

'Bydd yn rhaid i ni siarad â'r heddlu. Ond o leia doedd ein taith ddim yn un ofer. Mae'n bosib dy fod ti wedi achub cannoedd o fywydau. A byddi'n siŵr o sicrhau y bydd yr Arglwydd Tremaen dan glo cyn hir.'

Ochneidiodd John. 'Enoch, wy'n gwbod eich bod chi'n siryf, ond sai'n credu y byddai'r heddlu ffordd hyn yn lot o help i ni…'

'Dwi'n nabod un ditectif da allai ein helpu ni,' meddai Enoch.

Edrychodd y ddau allan o Benarth dros Gaerdydd. Roedd yr awyr yn dechrau goleuo ond roedd yn rhy gynnar eto i weld yr haul.

Clywodd Enoch ryw sŵn igian yn gymysg â llepian y llanw, a sylweddolodd fod John yn wylo. Gosododd fraich dadol ar ei ysgwydd.

'Fy mai i oedd e,' meddai John gan bwyso tuag ato.

'Be oedd dy fai di?'

'Dad-cu. Pe bawn i wedi aros gartre i edrych ar 'i ôl e yn lle ceisio gwisgo fel bachgen a mynd ar antur, bydde fe'n dala'n fyw.' Rhwbiodd ei lygaid. 'Cafodd Dad ei saethu hefyd, adeg y reiots yn 1919. Ceisio stopio'r terfysg oedd e, medden nhw. Trio bod yn arwr. Nawr 'wy wedi colli Dad-cu yn yr un ffordd.' Ochneidiodd. 'Roedd e wedi bod yn sâl ers blynydde, a wyddwn i ddim a o'dd e'n gwbod pwy o'n i hanner yr amser. Ond o leia ro'dd e 'na. Nawr do's neb 'da fi ar ôl. Sai'n credu 'mod i mor tyff ag o'n i'n meddwl 'mod i.'

Gwyliodd Enoch wrth i rimyn yr haul ymwthio dros

y gorwel tywyll, gan liwio'r awyr yn aur llachar a phefrio ar draws y môr llwydlas. Ymgrymai ambell aderyn hirgoes ymysg y corsydd ger y lan, gan gyfarch y bore.

'Wel, fe wnes di achub bywyd hen ddyn arall,' meddai. 'Mae'n rhaid bod hynny werth rhywbeth yn y byd yma.'

Cododd John ei ben a gwenu arno, ac yna edrych allan dros yr olygfa.

'Fe wedes i bod fan hyn yn gallu bod yn brydferth, on'd do fe?'

'Rwy'n dechrau dysgu gwerthfawrogi'r ardal!'

XXV

ROEDD HI'N DAL yn gynnar yn y bore pan gyrhaeddodd Enoch Temperance Town. Yn wahanol i'w ymweliad diwethaf roedd y strydoedd bron â bod yn gwbwl fud a dim mwg yn codi o'r simneiau. Yr unig sŵn oedd ceffyl yn clopian ar hyd y strydoedd, yn tynnu cert llawn poteli llaeth.

Roedd wedi cymryd awr a hanner dda i Enoch gyrraedd yno o Benarth, ar hyd amryw o strydoedd mor debyg i'w gilydd nes iddo hanner meddwl ei fod e'n cerdded mewn cylchoedd ar brydiau. Roedd Caerdydd yn lle llawer mwy o faint nag roedd e wedi'i feddwl, yn ymledu am filltiroedd y tu hwnt i ganol y ddinas a'r dociau. Wrth deimlo'i goesau'n diffygio oddi tano, sylweddolai apêl y trên a'r car.

Cnociodd y drws.

'Bore da?' meddai llais wrth i'r drws agor. Roedd Enoch yn ymwybodol nad oedd e'n edrych ar ei orau, wedi'i orchuddio â mwd a thywod, yn wlyb o'i gorun i'w sawdl, a gyda sawl briw poenus yr olwg ar ei wyneb. Edrychodd gwraig Owen Owens yn chwyrn arno.

'Enoch Jones. Ydych chi 'di bod yn ymladd 'to?'

'Fe allech chi ddweud hynny. Ydi Owen adre?' gofynnodd yn ei lais addfwynaf.

'Nag yw, mae e 'di bod mas yn gwitho drwy'r nos.' Daliai'r drws fel tarian o'i blaen.

'Lle galla i gael gafael arno?' gofynnodd Enoch.

'Prif orsaf yr heddlu,' meddai'n ddig. Yna, yn fwy trugarog, 'Y'ch chi'n gwbod y ffordd?'

'Ydw, dwi'n credu. Diolch yn fawr i chi, ac mae'n ddrwg gen i am greu trafferth.'

Ffarweliodd Enoch â hi a gweld yn ei llygaid ei bod hi'n

falch. Ond doedd e ddim yn ei beio hi. Fyddai yntau ddim yn ei groesawu ei hun i mewn chwaith, yn fwd i gyd.

Roedd Enoch yn un da am ffeindio'i ffordd. Blynyddoedd o grwydro'r paith oedd wedi rhoi'r gallu hwnnw iddo. Ar y paith byddai'n rhaid dilyn cwmpawd, ond fan hyn roedd rhaid dilyn map. Ar y paith roedd rhaid adnabod tirnodau fel cerrig a pherthi, gwahaniaethu rhwng copaon mynyddoedd a dilyn y sêr. Yn y ddinas roedd e'n debycach i lygoden mewn drysfa, ond rhywsut llwyddodd i olrhain ei gamau yn ôl i'r orsaf heb fynd ar goll.

Aeth drwy'r fynedfa swyddogol a'r cyntedd llydan i'r dderbynfa. Roedd e'n adeilad mawr trwm yr olwg, monolithig, wedi'i adeiladu i rybuddio a bygwth yn hytrach nag i dawelu'r meddwl. Digon gwag oedd y dderbynfa heblaw am ambell drempyn barfog yn hepian cysgu.

Dywedodd wrth y swyddog yno ei fod eisiau gweld y Ditectif Arolygydd Owen Owens. Edrychodd hwnnw'n bur amheus arno. Llygadodd y reiffl yn y cesyn gwydr ar y wal wrth ei ymyl. Efallai nad oedd erioed wedi'i agor ond roedd y neges yn glir. Roedd teleffon yn hongian ar y wal a chymerodd yr heddwas e yn ei law a throi'r deial â'i fys.

'Ma rhyw ddyn du 'ma i'ch gweld chi.' Gwrandawodd. 'Iawn. Dy'ch chi ddim yn meddwl y byddai'n syniad gwell i chi ddod draw i'w nôl e? Reit, diolch.' Gosododd y ffôn yn ôl yn ei grud. 'Eisteddwch, fe fydd y Ditectif Arolygydd draw nawr.'

Aeth Enoch i eistedd wrth ymyl un o'r crwydriaid ac roedd yn dechrau pendwmpian cysgu yn y gadair erbyn i Owen gyrraedd y dderbynfa.

'Enoch, chi'n edrych fel 'se trên wedi bod drostoch chi,' meddai.

'Dy'ch chi ddim yn bell ohoni.'

Cododd Enoch ar ei draed a chynnig ei law.

Cymerodd Owen hi'n ochelgar. 'Dewch draw i'r swyddfa. Cawn ni siarad yn iawn fan 'ny,' meddai gan fwrw golwg dros drigolion y seti o'i amgylch.

Dilynodd Enoch ef ar hyd y coridorau hir. Roedden nhw'n debyg iawn i'r rhai yn y carchar, a doedd dim golwg o ffenestr yn unman. Yr unig wahaniaeth oedd ambell i garped ar lawr a phaneli derw ar y waliau.

'Ydych chi'n brysur?' gofynnodd Enoch.

'Yn ofnadw o brysur. Mae'r Brenin yn galw draw bore 'ma ac ma tri chwarter y ffôrs draw yn yr amgueddfa neu'n gwarchod y ffordd o'r orsaf drenau. Milwyr hefyd.'

'Ydach chi'n rhan o hynny?'

'Na, mae angen rhywun i edrych ar ôl y siop. Yn anffodus dyw troseddwyr Caerdydd ddim yn rhoi'r gorau iddi er parch i'r Brenin. Newydd gael galwad ffôn gan rywun o gwmni Royston & Thomas. Chi'n gyfarwydd â nhw? Nag y'ch siŵr. Gwneud *bathroom appliances* maen nhw. Wel, ffoniodd un o'u staff nhw heddiw yn dweud bod rhywun o'r Unol Daleithiau wedi rhoi archeb i mewn am ddau gant o faddone. Allwch chi gredu 'ny?'

'Rhywun eisiau cadw'n lân?'

'Neu am wneud arian budr. Mae'r hen *prohibition*, y gwaharddiad ar alcohol, draw fan 'ny 'yn do's. Eisie'r baddone er mwyn gwneud eu diod eu hunain maen nhw. Ac yn gwybod y bydde archebu sawl bath fel 'na yn America yn tynnu gormod o sylw. Ond ma'r heddlu wedi gofyn i ni fod yn wyliadrus am y math yna o beth, gan ein bod ni'n un o borthladdoedd mwya'r byd yntyfe.'

Agorodd y drws i'w swyddfa. Roedd ychydig yn fwy moethus na'r ystafell y cawsai Enoch ei gyfweld ynddi ddeuddydd ynghynt, ond dipyn yn llai. Safai llun du a gwyn o deulu Owen Owens, yn eu dillad dydd Sul gorau, ar y ddesg.

Eisteddodd y ditectif i lawr a byseddu drwy bentwr o bapurau ar ei ddesg. 'Fel arall, rwy'n treulio hanner fy amser dyddie 'ma'n delio â throsedde'n ymwneud â'r modur,' meddai. 'Do's 'da nhw ddim parch at y gyfreth. Ma 'da ni blismyn sy'n treulio'u dyddie yn gwneud dim byd ond cuddio mewn llwyni a gwrychoedd ar hyd yr hewlydd gwledig y tu fas i ganol y ddinas yn trio dal y rheiny sy wrthi.' Cododd y pentwr papur a'i stwffio mewn dror yn ei ddesg. 'Nawr dwedwch wrtha i, Enoch, pam y'ch chi 'di dod i 'ngweld i?'

Esboniodd Enoch yn union beth oedd wedi digwydd ers iddo ffarwelio ag Owen ar Barc yr Arfau tan iddo gyrraedd Penarth y bore hwnnw. Soniodd e ddim am un peth, cyfrinach John, ond aeth drwy'r gweddill fel y digwyddodd. Cododd aeliau sinsir yr heddwas yn uwch ac yn uwch wrth iddo adrodd yr hanes.

'A finne wedi dweud wrthych chi am fynd i'r Great Western Hotel ac aros mas o drwbwl am weddill 'ych gwylie,' meddai. 'Efallai y dylwn i fod wedi'ch rhoi chi nôl ar long i'r Ariannin.'

'Alla i ddim anghofio greddf a phrofiad blynyddoedd o weithio yn y maes.'

'Wel, pam ddim? Y'ch chi ar eich gwyliau, wedi'r cwbwl. Neu y'ch chi? Pam dod draw fan hyn a mynd ynghlwm wrth bethe fel hyn? Pam llusgo'r crwt 'na i mewn i hyn i gyd?'

'Roeddwn i eisiau gweld Cymru. Nid ei gweld hi'n arwynebol, fel rhyw dwrist. Ond gweld ei henaid hi. Rydw i wedi teimlo fel dieithryn erioed, Owen. Des i draw i weld a fyddwn i'n dod o hyd i fy ngwreiddiau, a falle teimlo'n fwy cartrefol fan hyn nag adre.'

'Y'ch chi?'

'Roedd fy mam yn disgrifio cymuned Gristnogol. Gwlad werdd fel Eden. Nid dyna ydw i wedi'i ddarganfod. Rydw i'n teimlo'r cyfrifoldeb i geisio rhoi rhai pethe o leia'n iawn.'

'Drwy hyrddio o gwmpas fel iâr heb ben, heb unrhyw syniad am gyfraith a threfn y wlad? Caerdydd yw'r fan hon, Siryf, nid Cymru. Mae'r ddinas wedi tyfu i fod yn fwystfil sy'n creu ei brobleme ei hun. Nid y paith yw hwn, cofiwch. Dy'n ni ddim yn rhydd i draddodi rhyw gyfiawnder moesol yn ôl ein greddfau, a marchogaeth i'r machlud ar ddiwedd y dydd heb orfod wynebu'r canlyniadau. Rhaid gweithio o fewn y system. Mae fel blingo hwch 'da chyllell bren weithie, ond mae'n gweithio yn y pen draw.'

'Felly dy'ch chi ddim am wneud dim, er bod Arglwydd Tremaen wedi cynllwynio i ffrwydro ei chwarel ei hun a rhoi bywydau'r bobol mewn peryg?'

'Rwy ar 'ych ochor chi, Enoch. Ond mae 'da fi wraig a dau o blant. Alla i aberthu fy hun ar allor gwneud yr hyn sy'n iawn, a diflannu mewn pwff o fwg heb fod o unrhyw ddefnydd i neb,' meddai. 'Neu fe alla i gadw fy swydd a pharhau i'w gwneud hi ore galla i. Byddwn i'n tyngu ar y Beibl bod yr Arglwydd Tremaen wedi gwneud mwy o ddrwg nag o dda yn ei fywyd. Ond mae angen tystiolaeth i ddod â dyn fel fe o flaen llys barn, a'r cyfan ydw i'n ei glywed yw lot o os a falle. Pan fydd 'da chi dystiolaeth sydd heb gal 'i chwythu'n rhacs ym mae Caerdydd, rhowch wbod i fi.'

'Mae'n rhaid bod rhywfaint o dystiolaeth gennyn ni,' meddai Enoch.

Eisteddodd Owen Owens yno am funud yn ystyried ei ddymuniad. 'Iawn 'te, dewch 'da fi.'

Arweiniodd ef Enoch allan o'r swyddfa i lawr i'r neuadd

ac yna drwy ystafell yn llawn o hen ddesgiau derw yn berwi o heddlu wrth eu gwaith, drwy neuadd arall i gyfeiriad y carchar. Tynnodd y gadwyn drom o allweddi o'i boced a datgloi un o'r drysau metel oedd yn agor o'r wal gerrig.

'Lawr â ni,' meddai.

Tu mewn roedd yna lifft metel, un digon mawr i ffitio troli o faint dyn arno. Roedd aroglau diheintydd cryf yn ffrwtian i fyny o rywle yn y siafft oddi tano, ac wrth iddyn nhw blymio i lawr fe aeth yr arogl yn llethol. Ysgydwodd y lifft mor ffyrnig wrth ddisgyn fel bod yn rhaid i Enoch gydio yn un o'r rheiliau er mwyn ei sadio'i hun.

'Beth ydych chi'n 'i gadw lawr fan hyn?' gofynnodd Enoch dros y sŵn.

'Cyrff,' gwaeddodd Owen. 'Ry'n ni'n eu cadw nhw o dan ddaear fel na fyddan nhw'n drewi yn y gwres.'

Daeth y lifft i stop mewn coridor hir wedi'i oleuo'n ysbeidiol gan lampau trydan, gyda deg troedfedd dda o dywyllwch rhwng bob un. Dilynodd Enoch ôl traed Owen tuag at y pen draw, gan grychu ei drwyn wrth i'r aroglau diheintydd annifyr gryfhau gyda phob cam. Heblaw am atsain eu traed yr unig sŵn oedd grwnian y lampau trydan. Roedd rhywbeth sinistr o dawel, a rhyw bresenoldeb a gosai'r blew ar gefn gwddf Enoch.

'Dyw pobol ddim yn hoff o ddod lawr fan hyn gyda'r nos,' meddai Owen. 'Dim bod yna wahaniaeth amlwg yma rhwng dydd a nos, wrth gwrs.'

Tynnodd Enoch ei got yn dynnach amdano. Roedd hi'n oer fan hyn, yn oerach nag oedd hi yn yr awyr agored.

'Rwy'n tueddu i yrru pobol i lawr mewn parau. Mae'n anodd canolbwyntio ar gwblhau post-mortem pan fyddwch chi'n edrych dros eich ysgwydd o hyd,' meddai Owen.

Daethant at res o ddrysau agored ar bob ochr i'r coridor

hir, a gwelodd Enoch fod byrddau haearn ym mhob ystafell – ambell un yn wag, rhai eraill â chorff yn gorwedd yn gelain arnynt.

'Fe fyddwch chi'n adnabod un o'r cyrff yma,' meddai Owen gan gerdded drwy un o'r drysau. Gorweddai dau gorff ochor yn ochor yno.

'Y dyn wnaethon ni ei dynnu o'r afon ar y maes criced,' meddai Enoch.

'Ie wir. Wedi 'i ladd â choes bren, chi'n cofio? Fel y goes bren oedd gan eich lleidr chi. Dyna, yn anffodus, yw'r unig dystiolaeth sydd 'da ni hyd yn hyn i gysylltu'r ddau beth.'

'A phwy yw'r dyn arall?'

'Diweddar olygydd y *Cronicl*. Y ddau wedi'u lladd o fewn diwrnod i'w gilydd, y ddau'n gweithio i'r un cwmni. Wedi'u lladd gan yr un person? Cyd-ddigwyddiad? Pwy a ŵyr.'

'Do, fe glywais i'r hanes gan y newyddiadurwyr yn y Blue Bell y noson o'r blaen. Beth yw'r smotiau du ar 'i groen o? Rhyw fath o datŵs?'

'Inc. Fe gafodd y corff ei dynnu allan o'r peiriant argraffu.'

'Ydych chi'n bendant mai cael 'i ladd gafodd o?'

Cododd Owen ei ysgwyddau. 'A dweud y gwir ro'n i'n ddigon parod i gredu mai damwain oedd hi. Ond yn ôl y post-mortem roedd y golygydd wedi'i ladd cyn cael ei roi yn y wasg. Wedi'i daro dros 'i ben, mae'n debyg, a rhywun wedi'i wthio fe i mewn wedyn. Ond oherwydd yr anafiade mae'n anodd dod i unrhyw gasgliad pendant.'

'Ffordd amlwg o wneud iddi edrych fel damwain.'

'Ie. Ond fe alle rhwbeth sy'n edrych fel damwain fod yn ddamwain. Rwy wedi edrych yn y cofnodion ac mae sawl hanesyn am ddamweinie mewn gweisg print.'

'Dywedodd yr Arglwydd Tremaen fod ganddo ddiddordeb yn y busnes cyhoeddi hefyd.'

'Yr Arglwydd Tremaen yw perchennog y *Mail*, papur newydd arall sy'n gwerthu yng Nghaerdydd a'r de-ddwyrain.'

'Wel, fe fyddai hynny'n gymhelliad 'yn byddai?'

'Sai'n siŵr. Mae cylchrediad y *Cronicl* yn bitw o'i gymharu â'r *Mail*. Dyw hi ddim yn gystadleuaeth mewn gwirionedd. Ac un busnes ymysg nifer mae'r Arglwydd yn berchen arnynt yw'r *Mail*, ac un o'r lleia ohonyn nhw.'

'Dim gwerth llofruddio drosto, felly?'

'Heblaw bod yr Arglwydd yn ddyn llawer mwy creulon nag y byddwn i'n ei dybio. Ond hyd y gwela i mae'r peryglon yn fwy na'r wobr. Yn enwedig yn achos y gwerthwr papure newydd druan.'

'Efallai ei fod o am godi ofn ar staff y *Cronicl* a gwneud yn siŵr nad oedd y papur yn rhedeg o gwbwl?'

Cododd Owen ei ysgwyddau. 'Fel dywedais i, os a falle. Bydd angen rhywbeth llawer mwy cadarn na hynny i ddod â'r Arglwydd o flaen llys barn. Gorchymyn i ladd y ddau 'ma wedi'i arwyddo ddwywaith ganddo, a'r copi carbon, wedwn i. A hyd yn oed wedyn, hap a damwain fyddai cael barnwr sy ddim yn fodlon cael ei lwgrwobrwyo.'

Roedd Enoch yn dal i archwilio'r corff.

'Beth sy'n anodd yw gwybod am faint fuodd y corff yn y wasg cyn iddyn nhw ddod o hyd iddo,' meddai Owen. 'Doedd yn amlwg ddim yno pan gafodd y wasg ei throi i ffwrdd y diwrnod cynt, felly mae hynny'n gadael bwlch o ryw ugain awr. Ond byddai'r swyddfa'n rhy fishi yn ystod y dydd i unrhyw un beidio â sylwi ar hynny – byddai'n rhaid ei fod e wedi digwydd rhywbryd gyda'r nos.'

'Pwy yw Cynog Price?' gofynnodd Enoch yn sydyn.

'Golygydd dros dro y *Cronicl* – ers i Tynoro gael ei ladd.'

'O ie, fe wnes i ei gyfarfod yn y dafarn pwy ddiwrnod. Roeddwn i'n siŵr bod yr enw'n canu cloch.'

'Pam?'

'Ydych chi wedi gweld yr ysgrifen fan hyn?' Cododd Enoch fraich anystwyth y corff ryw fymryn fel bod Owen yn gallu gweld yr inc du oedd wedi'i wasgnodi ar yr arddwrn.

Amneidiodd y ditectif arolygydd ei ben. 'Do, fe aeth ei fraich e'n sownd rhwng y ddau rolyn inc.'

'Darllenwch hi.'

Syllodd Owen ar yr ysgrifen, gan ddarllen y geiriau drosodd a throsodd yn syn.

'Bydd rhaid i ni gael gafael ar gopi o'r *Cronicl* dydd Mawrth,' meddai. 'Yr argraffiad cynta.'

XXVI

ROEDD HI TOC cyn deuddeg o'r gloch, yn yr egwyl dawel cyn i'r newyddiadurwyr gyrraedd er mwyn teipio eu straeon a'u rhoi nhw yn y papur. Yr adeg yma o'r diwrnod roedd swyddfa'r *Cronicl* yn weddol wag, heb si parhaol y teipiaduron, fel tywod awrwydr yn cyfri'r eiliadau tan y dedlein nesa.

Daeth John drwy'r drws cefn. Roedd synau morthwylio o'r islawr yn awgrymu bod rhywun, o leia, wrth ei waith. Dringodd y grisiau troellog o'r dderbynfa i swyddfa'r newyddiadurwyr. Wrth basio'r ystafell archifau gwelodd Daniel, â'i ben yn gorffwys ar glustog o hen bapurau newydd rhacsiog.

'Bore da,' galwodd.

Cododd hwnnw'i ben a syllu'n aneglur arno am eiliad.

'John,' meddai, wrth edrych yn ddryslyd ar y papurau newydd o'i amgylch.

'Ti'n edrych yn brysur.'

'Wedi gaddo neud tamed bach o waith ymchwil i'r dyn 'na oedd yn y dafarn pwy nosweth. Yr un croen tywyll o'r Ariannin.'

'Ti'n edrych ymlaen at gwrdd â'r Brenin heddi?'

Lledodd llygaid Daniel fel dwy soser wrth iddo gofio beth oedd o'i flaen.

'Well i ti fynd adre i newid, o leia.'

'Dylwn, ti'n iawn.'

Aeth John yn ei flaen i'r swyddfa. Dim ond ambell i newyddiadurwr arall oedd yno, yn gweithio'n ddiwyd â'u pennau i lawr. Roedd rhyw ryddid wrth gael mynd a dod fel y mynnai rhwng y desgiau heb bresenoldeb gormesol yr holl newyddiadurwyr eraill.

Pipodd John drwy'r gwydr yn nrws Cynog. Doedd neb y tu mewn, felly agorodd y drws. Roedd hi'n ystafell foel, heb ddim ond silff â chwpwl o lyfrau arni, a theipiadur ar y ddesg. Yn hollol groes i'r annibendod yn nhŷ'r golygydd.

Aeth John i chwilio ar y ddesg am ddarn o bapur i ysgrifennu nodyn arno. Roedd eisiau rhoi gwybod beth oedd wedi digwydd yn Nhremaen, a bod angen diwrnod rhydd arno i drefnu symud corff ei dad-cu. Erbyn meddwl fe allai fod wedi dweud wrth Daniel am basio neges, ond efallai y byddai hwnnw wedi mynd i agoriad yr amgueddfa erbyn i Cynog gyrraedd.

Wrth chwilio dalwyd ei sylw gan y teipiadur. Roedd darn o bapur gwyn yn glynu ohono fel tafod, yn frith o lythrennau. Trodd John ei ben a darllen y stori roedd Cynog yn gweithio arni.

Mae pryder bod y Brenin wedi'i anafu'n ddifrifol ar ôl ymosodiad ffrwydrol ar yr Amgueddfa Genedlaethol yng Nghaerdydd.

Credir bod glöwr wedi taflu ffrwydryn i ganol y dyrfa oedd yn dathlu agoriad swyddogol yr amgueddfa ddoe.

Daw hyn wedi damwain ddifrifol ym mhwll glo Tremaen lle y credir bod dros gant o bobol wedi marw ar ôl i siafft gwympo o dan un o brif strydoedd y pentre.

Roedd perchennog y pwll glo hwnnw, yr Arglwydd Morgan o Dremaen, ymysg y rheiny fu farw yn y ffrwydrad yn yr amgueddfa, yn ogystal â 15 o bobol eraill, gan gynnwys Archesgob Cymru a'r Archdderwydd.

Yn ôl y llygad-dystion roedd y glöwr wedi taflu'r

ffrwydryn tuag at yr Arglwydd ac mae'r heddlu'n credu ei fod yn ceisio dial ar ôl y ddamwain yn Nhremaen. Diflannodd y glöwr ar ôl yr ymosodiad a does dim sôn amdano ers hynny.

Roedd ymchwiliad gan bapur newydd y Cronicl ddoe wedi amlygu pryderon ymysg y glowyr ynglŷn â diogelwch isadeiledd y pwll glo.

Crychodd John ei dalcen. Doedd y stori ddim yn gwneud synnwyr. Doedd yr amgueddfa ddim wedi agor eto. Doedd y Brenin heb gyrraedd. Roedd y traffig yn llifo fel arfer yn y stryd y tu allan i'r ffenestr. Oedd Cynog yn dechrau colli ei synhwyrau ynteu'n ysgrifennu ffug benawdau am sbort? Mae'n rhaid bod ganddo bethau gwell i'w gwneud gyda'i ychydig amser rhydd, meddyliodd.

'Wel, bydd rhaid dileu un paragraff o leia,' meddai llais y tu ôl iddo. 'Wnaeth y gohebydd John Smith ddim gorffen ei adroddiad am ddiogelwch pwll glo Tremaen.'

Trodd John ac wynebu'r golygydd oedd yn sefyll yn y drws. 'Ro'n i'n chwilio am ddarn o bapur,' meddai, gan gamu yn ôl a tharo cornel y ddesg.

Ochneidiodd Cynog. Aeth draw at y ddesg a llusgo'r darn o bapur allan o'r teipiadur a'i rowlio'n belen.

'Sai'n deall,' meddai John. 'Sut oeddech chi'n gwybod am y ffrwydryn yn Nhremaen?'

'Eistedd i lawr. Wy eisie dweud stori wrthot ti.'

Disgynnodd John i mewn i'r sedd y tu ôl i'r ddesg. Fe aeth Cynog i edrych drwy'r ffenestr.

'Pan o'n i yn fy arddegau symudodd fy rhieni i fyw i Lundain i chwilio am waith,' meddai. 'Ro'n i'n grwt bach digon tebyg i ti ar y pryd. Braidd yn swil ond yn awyddus i blesio. Mae'n rhyfedd, on'd ydi hi, fod rhywbeth am newyddiaduraeth sy'n denu pobol fel ni? Wy'n meddwl 'mod i'n gwbod pam.'

Trodd ac edrych ar John. Ysgydwodd hwnnw ei ben.

'Masg yw newyddiaduraeth. Ry'n ni fel actorion sy'n cael gwisgo mantell rhywun arall. Nid John Smith wyt ti pan wyt ti mas fan 'na ond John Smith, gohebydd y *Cronicl*. Rwyt ti'n byw bywyd arall, lle mae 'da ti esgus i gwrdd â phobol na fyddet ti wedi mynd ar eu cyfyl nhw gynt. Ma 'da ti bŵer duw i ddehongli a siapio'r realaeth o dy gwmpas fel rwyt ti moyn. Mae'n rhoi rhyw hyder i ti sy ar goll o dy fywyd bob dydd.'

Gwenodd yn drist ac edrych ar ei draed.

'Ro'n i'n gweithio i bapur newydd wythnosol yn Llundain am ychydig flynyddoedd cyn y rhyfel,' meddai. 'Fi oedd yr unig Gymro o'dd yn gweithio yno ac ro'dd y rhan fwyaf o'r lleill wedi cael eu haddysg yn Rhydychen a llefydd fel yna. Ges i amser caled, ond wnes i brofi 'mod i cystal â nhw drwy ddod â'r straeon gorau i'r papur bob wythnos.

'Daeth yn amlwg yn ddigon buan mai un mantais o'dd 'da fi dros y newyddiadurwyr erill oedd nad o'dd marwolaeth byth yn 'y mhoeni i. Bron y byset ti'n galler dweud bod y pwnc yn 'y nenu. Do'dd y gnoc gelain ddim yn 'y mhoeni i, ac ro'n i'n treulio mwy o amser o amgylch cyrff y meirw na threfnwr angladde. Os oedd 'na lofruddieth neu ddamwain car neu unrhywbeth erchyll fel 'na, fi oedd y cynta yno bob tro.

'Ges i fy symud wedyn i fynd i ohebu o'r ffrynt. Roedd 'da fi'r stumog i aller ymdopi â'r lladdfa yno. Ond doedd 'da fi ddim stumog i newid y ffeithie – ro'n i'n gwbod bod yna stori lot mwy yma nag o'dd yn cael ei darlledu ym mhropoganda'r rhyfel gatre. Ond pan geisies i ddatgelu gwir raddfa'r gyflafan yno fe ges i fy symud nôl i Lundain.

'Un dydd glawog ym mis Medi ro'n i'n cerdded yn ôl

gatre pan weles i ddyn yn paratoi i saethu dyn arall. Ro'n i'n ddigon pell ac felly do'dd e ddim wedi sylwi arna i ond roedd ei darged yn amlwg. Ro'dd dyn arall yn cerdded i lawr y stryd a'r dyn â'r dryll yn edrych mas o'i guddfan bob hyn a hyn i weld ble'r oedd y llall. Wrth gwrs fe allwn i fod wedi rhybuddio'r dyn, fe allwn i fod wedi ceisio stopo'r dyn â'r dryll. Ond wnes i ddim byd, dim ond sefyll yno a gwylio wrth i'r llofrudd gamu mas o dan y bont, gwthio'r gwn i fol y dyn, saethu a rhedeg bant. A ti'n gwybod pam wnes i 'ny?'

Ysgydwodd John ei ben yn fud.

'Dim am fod arna i ofn. Ond am 'mod i moyn y stori.'

Edrychodd John i fyw ei lygaid, a gwelodd fod gwallgofrwydd yn amlwg ynddyn nhw.

'Wedi'r cwbwl, ar ôl y gyflafan weles i ar y ffrynt, pwy all ddadle bod gan fywyd y dyn yna unrhyw werth?' Ochneidiodd. 'Ydi hynny'n fy ngwneud i'n ddyn drwg, wyt ti'n meddwl? 'Mod i wedi gwrthod ceisio achub bywyd y dyn 'na?'

'Sai'n siŵr,' meddai John. 'Dim chi nath 'i ladd e.'

'Ond beth fyddai'r gwahaniaeth? Fe allwn i fod wedi'i stopo fe rhag cael 'i ladd. Beth petawn i 'di cymryd y gwn fy hunan a'i saethu, fydde hynny'n 'y ngwneud i'n ddyn drwg ti'n meddwl? Lle mae tynnu'r llinell?'

Llyncodd John ei boer. Roedd yna ryw ymbiliad yn llais Cynog, fel pe bai'n ceisio cyfiawnhau rhywbeth erchyll roedd e wedi'i neud.

'A beth petawn i wedi cymryd y cam hwnnw, a lladd rhywun fy hunan? Beth yw'r gwahaniaeth rhwng hynny a lladd mwy? Rwy eisoes yn llofrudd, wedi'r cwbwl, on'd ydw i?'

Cododd John o'r sedd a cheisio gwthio heibio iddo ond daliodd Cynog ef yn ôl.

'Beth y'ch chi'n 'i neud?'

'Yn anffodus alla i'm gadael i ti fynd,' meddai Cynog, â'i lais yn crynu. 'Rwyt ti'n gwybod gormod, fel ro'dd yr hen Tynoro.'

Llusgodd Cynog ef at y ffenestr a'i gwthio hi ar agor led y pen â'i fraich arall. Deallodd John beth oedd ganddo mewn golwg a chydiodd yn y fframyn bob ochor.

'Mae'n ddrwg 'da fi, John,' meddai Cynog, gan geisio'i wthio drwy'r ffenestr. 'Rhinwedd newyddiadurol peryglus iawn ydi gwthio dy drwyn i mewn i lefydd dwl.'

Gwaeddodd John gan obeithio y byddai un o'r newyddiadurwyr eraill yn clywed ei lais ond ddaeth neb yno i'w achub. Ciciodd am yn ôl a dal un o goesau Cynog. Llaciodd hwnnw ei afael a llwyddodd John i frathu ei law. Sgrechiodd y golygydd.

Y tu ôl iddo clywodd John sŵn drws yr ystafell yn agor a lleisiau'n gweiddi ac yna roedd pwysau newydd y tu ôl i Cynog. Am eiliad roedd John yn poeni y byddai'n mynd drwy'r ffenestr wedi'r cwbwl yn y wasgfa, ond yna syrthiodd y golygydd yn ôl i mewn i'r swyddfa. Disgynnodd John ar lawr a gweld Cynog ar ei gwrcwd ar ben Owen Owens yn ceisio'i dagu. Yna tarodd Enoch ef ar ochor ei wyneb â'i ben-glin a disgynnodd i'r llawr â'i drwyn yn gwaedu. Neidiodd y ddau ddyn arall ar ei ben, gan geisio'i ddal yn llonydd wrth iddo ddal i geisio rhyddhau ei hun. Tynnodd Owen Owens ddryll o'i wain a'i ddal at ben Cynog.

Roedd ambell i newyddiadurwr arall wedi casglu wrth y drws ac yn gwylio'r ymladd yn gegagored.

'Cynog Price, rydych chi wedi'ch arestio am lofruddio Tynoro Davies, am wneud ymgais i lofruddio John Smith, ac am ymosod ar swyddog y gyfraith,' meddai Owen Owens â'i wyneb yn goch. 'Dyna ddigon am nawr.'

Tynnodd ddryll arall o ddyfnderoedd ei glogyn a'i roi i Enoch.

'Os bydd e'n symud modfedd, saethwch e. Rwy am wneud galwad ffôn.'

Camodd Daniel allan o swyddfa'r *Cronicl* i ganol syrcas o sŵn. Yn nhawelwch yr archifdy ni chlywodd y tyrfaoedd mawr yn symud yn un corff i gyfeiriad yr amgueddfa. Dilynodd nhw a gweld bod torf anferth eisoes wedi casglu y tu ôl i'r baricedau o flaen y castell, a fyddai'n rhan o'r daith frenhinol rhwng yr orsaf drenau a'r amgueddfa.

'Jiw, jiw, ma hi fel Llunden ar ddiwrnod mart 'ma,' meddai wrtho'i hun.

Penderfynodd fod ganddo amser i fynd am ginio cyn i'r Brenin gyrraedd. Doedd e ddim yn barod i wynebu Stella eto felly penderfynodd gerdded i lawr i gyfeiriad y farchnad a phrynu torth o fara ac ychydig bach o ham. Gwnaeth frechdan iddo'i hunan cyn cerdded i ganol y dyrfa gan fwynhau'r awyrgylch.

Yn ôl y *Cronicl* y bore hwnnw byddai'r trên brenhinol yn gadael Windsor am tua chwarter i ddeuddeg ac roedd disgwyl iddo gyrraedd Caerdydd erbyn tua chwarter wedi dau. Fe fyddai'r daith o'r orsaf i'r amgueddfa yn cymryd chwarter awr dda, gan symud yn ddigon araf fel y gallai'r Brenin godi llaw ar bawb. Mae'n debyg mai dim ond am ryw ddwyawr y byddai e yn y ddinas cyn gadael am yr orsaf unwaith eto.

Edrychodd Daniel ar gloc siop y barbwr ar gornel Stryd Womanby ger y castell. Roedd hi'n ddau o'r gloch nawr. Aeth i lawr Stryd y Frenhines, yn erbyn y lli o bobol oedd yn dod i'r cyfeiriad arall tuag at y castell, cyn ymuno ag ail ffrwd oedd yn troi i gyfeiriad yr amgueddfa ar hyd stryd Plas y Parc.

Ar ôl ugain munud o wthio'i ffordd drwy'r dorf daeth o'r diwedd at yr amgueddfa. Doedd Daniel erioed wedi gweld cymaint o bobol yn casglu mewn un llu, hyd yn oed ar gyfer un o gêmau clwb pêl-droed Dinas Caerdydd. Roedd miloedd wedi casglu o amgylch y cwrt o flaen yr adeilad claerwyn. Diolch byth ei fod e'n ddigon tal i weld dros bennau'r bobol neu fyddai ganddo ddim gobaith. Gallai weld catrawd o filwyr yn sefyll ar waelod grisiau'r amgueddfa yn disgwyl i'r Brenin eu harolygu. Roedd sawl milwr arall yn sefyll mewn dwy linell i fyny'r grisiau bob ochor i ddrws blaen yr adeilad, ac ambell un ar geffyl gwyn fan hyn a fan draw yn rheoli'r dorf. Ar waelod grisiau'r amgueddfa safai llond llaw o bwysigion mewn hetiau sidan uchel yn paratoi i gyfarch y Brenin pan ddeuai.

Uwch eu pennau roedd Jac yr Undeb yn chwifio ar waliau'r amgueddfa, yng ngwynt gwladgarol y gogledd.

Parhaodd Daniel i gerdded. Fyddai e ddim yn cael ei dderbyn drwy'r drws blaen fel George V. Trwy'r drws cefn y byddai e'n mynd i mewn, a phawb arall fyddai'n chwarae rhan yn y seremoni, tybiai.

Fyddai'r *Cronicl* ddim yn mynd i'r wasg y diwrnod hwnnw. Roedd Owen Owens wedi gyrru pawb yn y swyddfa, heblaw John, adre ac wedi dweud wrth yr ysgrifenyddes i beidio â gadael neb arall i mewn. Yna roedd wedi ffonio am fan yr heddlu i fynd â Cynog i'r orsaf.

'Fe fyddwn ni'n disgwyl am sbel rwy'n credu,' meddai ar ôl dringo'r grisiau yn ôl i swyddfa'r newyddiadurwyr. 'Mae pob cwnstabl, ceffyl a cherbyd draw yn yr amgueddfa heddiw.'

Roedd Cynog yn dal i eistedd yn ei swyddfa ar ei gadair y tu ôl i'r ddesg. Yno hefyd roedd Enoch, yn ei wylio fel barcud, gyda dryll yn ei law.

'Byddai'n well holi Cynog nawr, i weld beth gallwn ni ei

wasgu mas ohono, cyn i bethau fynd yn rhy swyddogol lawr yn y stesion,' meddai Owen.

'Beth ddigwyddodd i weithio o fewn y system?' gofynnodd Enoch.

'Weithiau, mae'n bosib plygu ychydig ar y rheolau!'

Eisteddodd Owen i lawr ar gadair y pen arall i'r bwrdd. Pwysodd Enoch yn erbyn y wal wrth y drws.

'Rwy eisie newyddiadurwr,' meddai Cynog.

'Cyfreithiwr y'ch chi'n ei feddwl?' gofynnodd Owen.

'Na, newyddiadurwr. Mae hon yn dipyn o stori. Ar ôl i chi ei chlywed hi fydd cyfreithiwr o ddim iws i fi. Ond fe wneith hi dudalen flaen dda i'r papur.'

'Iawn, fe wna i roi galwad i'r *Mail*,' meddai'r ditectif gan roi hanner gwên.

'Y *Cronicl*. Neu chewch chi ddim gair mas o 'ngheg i.'

Trodd Owen at Enoch. 'Dewch â John i mewn 'ma 'te. A dwedwch wrtho ddod â'i lyfr nodiadau.'

'John. Dewis da,' meddai Cynog gan wenu.

Daeth Enoch nôl â John, ac yntau â'i bensil a'i lyfr nodiadau yn ei law.

'Ddrwg gen i am hyn, John, ond y cyflyma mae e'n dechrau siarad y cyflyma y dewn ni at y gwir,' meddai Owen.

Tarodd gopi o'r *Cronicl* ar y bwrdd. Hen gopi ydoedd, wedi dechrau melynu'n barod a staen coch tywyll o waed wedi sychu arno. '*Cronicl Caerdydd*, Dydd Mawrth, Ebrill 19, 1927. Yr argraffiad cyntaf. Dim ond hanner dwsin wedi'u printio erioed. Wedi ei dynnu allan o sgip tu cefn i swyddfa'r papur.'

Nodiodd Cynog ei ben. 'Fe wnaethon ni newid y dudalen flaen oherwydd mater bach dod o hyd i gorff y golygydd yn y wasg argraffu, os y'ch chi'n cofio.'

'Ie, ie, cyfleus iawn. Yn enwedig o ystyried beth oedd

wedi'i ysgrifennu ar y dudalen flaen yn wreiddiol. Neges gan y cyn-olygydd, a bod yn fanwl gywir. Mewn cornel fach o'r papur, mewn lle digon hawdd i bawb arall fethu ei gweld hi. Ond byddai un o'ch darllenwyr yn siŵr o weld y neges. Neges yn dweud eich bod chi'n llofrudd, eich bod chi am ei waed e, ac y dylai unrhyw un a fyddai'n darllen y neges gysylltu â'r heddlu er mwyn eich arestio chi.'

'Smo chi'n credu popeth y'ch chi'n ei ddarllen yn y papur, odych chi?'

Rhythodd Owen yn llym arno. 'Nawr, fe allen ni fynd drwy'r moshwns ond yr un fyddai'r canlyniad. Ry'ch chi wedi bod mewn digon o achosion llys i wybod ei bod hi ar ben arnoch chi. Felly fe wna i ofyn unwaith yn unig – y'ch chi'n cyfadde i chi lofruddio diweddar olygydd y *Cronicl*, Tynoro Davies?'

Petrusodd Cynog. 'Ydw.'

'Pam?'

'Am ei fod e'n gwneud smonach o redeg y papur,' atebodd Cynog yn flin. 'Byddwn i'n gwneud llawer gwell golygydd.'

Ysgydwodd Owen ei ben. 'Dyna'r cyfan, ife? Uchelgais personol.'

'A doedd yna ddim byd o werth ar y dudalen flaen y diwrnod hwnnw.'

'Pam y neges yn y papur yn dweud eich bod chi'n llofrudd?' gofynnodd Owen. 'Pa dystiolaeth roedd Tynoro wedi dod o hyd iddi?'

Edrychodd Cynog ar John. 'Roedd Tynoro wedi darganfod 'mod i wedi bod yn creu rhywfaint o fy straeon fy hunan.'

'Creu straeon?' gofynnodd Owen.

'Ie. Doedd dim modd cystadlu â'r *Mail* o ran adnoddau, ac ambell dro yr unig ffordd i fi sicrhau cyflenwad da o'r straeon gorau oedd cyflawni rhai troseddau fy hun.'

Edrychodd y ditectif arno'n syn. 'Fel beth?'

Meddyliodd Cynog yn ddwys am eiliad. 'Dros y dyddiau diwetha? Fi gyneuodd y tân yn y warws pwy noswaith. Fi laddodd Tynoro, wrth gwrs, a George y dyn gwerthu papurau newydd.'

'Ond roedd e'n gweithio i chi!' meddai Owen.

'Roedd e ar fin codi'i bac a mynd i weithio i'r *Mail*. Roedd e'n eicon i'r cwmni, yn weithiwr rhy dda i'w ryddhau i ddwylo papur arall fel 'na. A doedd yna ddim byd o werth yn y *Cronicl* y diwrnod 'ny chwaith. Mae pobol yn cael eu llofruddio bob dydd beth bynnag. Weithie mae'n rhaid llenwi twll.'

'Beth arall?' gofynnodd Owen.

'Y dyn cynta laddes i... oedd tad hwn,' meddai, gan amneidio ar John.

Cododd John ei ben ac edrych yn syn arno. Disgynnodd ei lyfr nodiadau ar lawr.

'Nid dim ond er mwyn y mwrdwr ei hun, wrth gwrs. Roedd y tensiyne wedi bod yn ffrwtian yn braf yn Nhre Biwt ers wythnose. Y cyfan oedd ei angen oedd sbarc i danio'r cwbwl.'

'Chi ddechreuodd reiot Tre Biwt yn 1919?' gofynnodd Owen Owens yn gegagored.

Roedd John wedi gwelwi. Amneidiodd Cynog.

'Roedd popeth yn mynd yn iawn cyn i Tynoro ddechre codi amheuon,' meddai. 'Ro'n i wedi bod yn y lle iawn ar yr amser iawn ychydig yn rhy amal. Daeth y cyfan i'r amlwg yn hwyr nos Sul, ar ôl i bapur dydd Llun gael ei argraffu. Roedd ganddo stori fawr am yr Amgueddfa Genedlaethol ar gyfer tudalen flaen bore dydd Mawrth. Doeddwn i ddim yn cytuno, ac fe aeth hi'n ffrae rhyngddon ni ynglŷn â'r papur, ac fe wnaeth e 'nghyhuddo i o hyn a'r llall. Fe wnes i gadarnhau ei amheuon, a rhoi cyfle iddo weld fy ochor i o bethau.

'Gadawodd e'r ystafell wedi pwdu ac roeddwn i'n meddwl ei fod e ar ei ffordd gartre neu'n boddi ei iselder mewn potel rhywle. Yna fe glywais i sŵn yn yr islawr a chofio ei fod e'n hen law ar osod teip ers y dyddie pan oedd disgwyl i ohebydd allu trin gwasg brint. Roedd e'n gosod y dudalen flaen i'w hargraffu'r diwrnod canlynol, heb i fi wybod, ac wedi cynnwys neges arni'n dweud wrth bawb beth ro'n i wedi'i wneud. Ond fe ddales i fe wrthi.'

'Felly fe wnaethoch chi ei daflu e i mewn i'r peiriant argraffu?'

'Na. Fe wnes i ei daro ar ei ben â charn gwn yn gynta. Roedd hynny'n ddigon i'w ladd e. Dim ond wedyn ces i'r syniad o roi'r corff yn y peiriant argraffu. Roedd hynny'n lladd dau dderyn ag un garreg mewn ffordd. Ro'n i'n gwybod y byddai'n gwneud digon o niwed i'w gorff i guddio unrhyw dystiolaeth, ac roedd e'n rhoi esgus da i fi ofyn i'r peiriannydd osod tudalen flaen newydd. Doedd 'da fi ddim syniad sut i wneud hynny fy hunan.'

'Ond cafodd y neges ei phrintio ar ei groen e.'

Gwnaeth Cynog geg gam. 'Wnes i ddim meddwl am hynny.'

Eisteddodd Owen yn ôl yn ei sedd. 'Wel, sai erioed wedi clywed shwd beth.' Rhedodd ei fysedd yn bryderus drwy ei fwstash. 'I beth mae'r byd 'ma'n dod, dwedwch?'

Disgynnodd tawelwch drostyn nhw i gyd. Roedd Cynog yn cnoi ei ewinedd a John yn edrych ymhell i'r gwagle â dagrau yn ei lygaid.

'Ond beth am y goes bren?' gofynnodd Owen o'r diwedd, â'i feddwl ar ras. 'Cafodd George ei ladd â choes bren.'

Cilwenodd Cynog. 'Sai'n dweud dim. Mae 'da chi tua awr i roi gweddill y stori wrth ei gilydd.'

'Beth y'ch chi'n 'i feddwl?' gofynnodd Owen.

'Dim ond y cefndir diflas ydw i wedi'i roi i chi. Y manylion ar ddiwedd y stori nad oes bron neb byth yn eu darllen. Dyw'r pennawd heb ei ysgrifennu eto.'

'Pa bennawd?' gorchmynnodd Owen. 'Y'ch chi 'di lladd rhywun arall?'

Wnaeth Cynog ddim ateb, dim ond gwenu'n gyfrwys.

Tarodd Owen ei ddwrn ar y ddesg. 'Dwedwch wrtha i!'

'Dydw i ddim am ateb unrhyw gwestiwn arall tan 'mod i'n cal mynd i lawr i'r stesion,' meddai.

'Ma'r fan ar 'i ffordd. Ond os o's yna fywyde yn y fantol mae'n rhaid…'

Teimlodd Owen law yn cydio yn ei ochr a sylweddolodd fod rhywun wedi bachu'r gwn o'i wain. Edrychodd mewn syndod ar John a sylweddoli ei fod e wedi cydio yn y dryll a'i anelu at Cynog. Roedd dagrau ar ei ruddiau ond penderfyniad yn ei wyneb.

Daliai Enoch i anelu ei ddryll ef at Cynog, a'r benbleth yn amlwg ar ei wyneb. Cilwenodd Cynog eto.

'Cer yn dy flaen,' meddai.

'Fe wna i dy ladd di, y bastard,' meddai John, a'r dryll yn crynu yn ei ddwylo.

'Gollynga'r dryll nawr, John,' meddai Owen. 'Dwyt ti ddim tu hwnt i'r gyfraith chwaith. Fydd gan Enoch ddim dewis ond dy saethu di os byddi di'n tanio'r gwn 'na.'

'Na, wna i ddim,' meddai Enoch gan ostwng ei ddryll ef. 'Mae ganddo berffaith hawl i saethu'r dyn. Dwi'n gwybod sut mae o'n teimlo.'

'Ar y paith roedd hynny. Mae cyfiawnder i'w gael fan hyn, John. Does dim rhaid i ti wneud hyn dy hunan.'

Roedd John yn dal i rythu ar Cynog, a hwnnw heb symud modfedd.

Gwgodd Owen. 'John, paid â gwneud hyn nawr! Rhaid i ni gael y stori'n llawn yn gynta. Mae'n bosib bod yna fywyde eraill mewn peryg...'

'Allwch chi addo i fi y bydd y mochyn 'ma'n treulio gweddill 'i oes dan glo?' gofynnodd John.

'Does dim byd sicrach. Fe wna i daflu'r allweddi i waelodion y bae fy hunan. Plîs, John, rwy'n erfyn arnot ti.'

Caeodd John ei lygaid a daeth y dryll i lawr yn araf. Ond yn yr eiliad honno llamodd Cynog ac ymestyn amdano fel neidr. Cododd Enoch ei ddryll a cheisio anelu ond allai e ddim bod yn siŵr na fyddai'n saethu John. Pan gododd Cynog wedyn roedd ei fraich o amgylch gwddf John a'r dryll wedi'i anelu at ei ben.

'Gollyngwch y dryll!' meddai Owen, gan godi ar ei draed. 'Duw a ŵyr, ry'ch chi mewn digon o drafferthion yn barod. Pam gwneud pethe'n waeth?'

Chwarddodd Cynog yn ddistaw. Anelodd y gwn tuag at Owen ac Enoch ac amneidio arnyn nhw i symud i gornel yr ystafell. 'Ma John a fi yn mynd am dro bach,' meddai. 'Ac os bydd heddwas yn dod yn agos ata i fe fydd e'n cael 'i saethu. Do's 'da fi ddim byd i'w golli nawr.'

Fe aeth wysg ei gefn allan drwy'r drws, gan lusgo John ar ei ôl.

Edrychodd Owen drwy ffenest y drws a'u gweld nhw'n symud drwy'r swyddfa wag cyn diflannu i lawr y grisiau.

'Ddylen ni fynd ar eu hôl nhw?' gofynnodd Enoch.

'Na. Damo! Ry'n ni'n mynd i edrych fel ffylied go iawn nawr.' Rhegodd unwaith eto a chodi'r ffôn a deialu'r orsaf. Siaradodd yn frysiog â rhywun ar y pen arall.

'Rwy'n gwybod ein bod ni'n brin o heddweision ond

mae hyn yn bwysig,' meddai. 'Mae llofrudd peryglus ar ffo. Rwy eisie swyddogion draw fan hyn nawr i chwilio ei swyddfa. A bydd angen gyrru rhai draw i'w dŷ.'

XXVII

Dilynodd Daniel weddill yr ymwelwyr i mewn i neuadd fynedfa'r amgueddfa. Er bod yr adeilad wedi bod yn rhannol ar agor ers rhyw ddwy flynedd bellach, doedd e erioed wedi bod y tu mewn iddo. O'r man y safai gallai weld bod dwy arcêd yn arwain i'r gorllewin a'r dwyrain o'r brif neuadd, a chromen anferth yn goron ar y cyfan.

Yn y canol, o dan y gromen, roedd llwyfan wedi'i godi a'i orchuddio â llenni gwyrdd, gwyn ac aur. Roedd carped glas ar lawr a thomen o flodau mewn pentwr o'i flaen. Safai cannoedd o bobol ar y balconi o dan y gromen, uwchben y llwyfan, yn barod i ganu yn un côr.

Dyfalodd fod pob un o'r seddi o amgylch y llwyfan wedi eu cadw ar gyfer pwysigion y ddinas felly aeth i sefyll yn y gornel wrth y drws, â'i gefn at y wal. Dechreuodd y neuadd lenwi'n fuan ac roedd gan bron i bob un ohonyn nhw ryw gadwyn aur yn hongian o amgylch eu gyddfau. Diolch byth nad oedd e wedi mynd i eistedd yn eu canol nhw, yn ei grys chwyslyd a'i hen got frwnt. Er bod y neuadd fawr yn weddol oer, roedd e'n chwysu wrth iddo deimlo allan o le ynghanol yr holl gadwyni.

Tuag at gefn yr ystafell, lle safai Daniel, roedd un o'r gwesteion, yr Arglwydd Tremaen, yn cael dadl gyda churadur yr amgueddfa.

'Ble mae'r cerflun nawr felly?'

'Mae'r cerflun wedi'i gynnwys ymysg y prif arddangosfeydd ar hyn o bryd, fel diolch i chi am eich nawdd hael,' meddai'r curadur.

'Ond fe fydd e'n cael ei symud?'

'Ar ôl yr arddangosfa hon bydd angen i arbenigwr allanol

astudio'r crair ac yna bydd penderfyniad yn cael ei wneud ynglŷn â pha adran fyddai'r fwya addas ar ei gyfer, syr.'

'Arglwydd ydw i, nid syr. Fe dales i arian da i gael fy urddo. Felly, mewn geiriau eraill, fe fydd e mewn rhyw gwpwrdd llychlyd yn y storfa?'

'Fe fydd hwnnw'n benderfyniad ar y cyd i mi a'r arbenigwr annibynnol, Arglwydd.'

Falle fod stori fan 'na yn rhywle, meddyliodd Daniel. Roedd yr Arglwydd Tremaen yn ddyn cyfoethog a'r amgueddfa'n gwybod wrth ba bostyn i rwbo. Ond fyddai e ddim yn mentro ceisio ei gyfweld – roedd tymer y dyn yn chwedlonol.

Cyn bo hir eisteddodd pawb ac ar y llwyfan roedd trafodaethau a mân newidiadau nerfus yn cael eu gwneud gan bobol a fyddai fel arfer yn creu'r fath nerfusrwydd mewn pobol eraill. Clywodd Daniel floeddio a chymeradwyo y tu allan, a throdd rhai o'r pwysigion i edrych dros eu hysgwyddau ar y drysau mawr, gan lyfu eu gweflau. Tawodd y mân siarad am ychydig funudau wrth i'r dyrfa tu allan gyffroi.

Curo. Curo. Curo. Atseiniai'r sŵn drwy'r neuadd a brysiodd y porthorion tuag at ddrws dwbwl anferth yr amgueddfa. Tynnwyd y drws mawr ar agor, gan orfodi i Daniel symud o'r ffordd.

Camodd ffigwr cyfarwydd iawn i mewn a safodd y gynulleidfa ar eu traed. Gwelsai Daniel ei wyneb lawer gwaith, ar geiniogau, ac yn y papur – roedd y mwstash anferth a'r barf pwyntiog yn ddigamsyniol. Y Brenin! Profiad afreal oedd bod o fewn pum troedfedd iddo. Gwisgai het uchel ar ei ben a chot ddu â blodyn ar ei frest, a rhoddai ei bwysau ar ffon wrth gerdded. Ac ar ei fraich, y Frenhines. Gwyliodd Daniel yn gegagored wrth iddyn nhw fynd heibio.

Dechreuodd y gynulleidfa gymeradwyo ac atseiniodd y gromen uwchben gyda nodau cynta anthem genedlaethol Prydain.

★ ★ ★

'Mae'n rhaid i ni feddwl yn gloi,' meddai Owen.

Erbyn hyn roedd swyddfa'r *Cronicl* yn orlawn o heddweision, yn brysur yn chwilio'r adeilad o'r llawr ucha i'r islawr. Ond doedd dim golwg o Cynog na John yn unrhywle.

'Fydd yna ddim gobaith dod o hyd iddyn nhw allan ynghanol yr holl bobol yna,' meddai Owen wrth edrych allan drwy ffenestr swyddfa'r newyddiadurwyr ar y dyrfa yn llawn cyffro yn disgwyl i'r Brenin deithio heibio. Trodd at Enoch. 'Beth y'ch chi'n meddwl oedd ystyr y bygythiad?'

Tynnodd Enoch yn feddylgar ar sigarét. 'Doedd Cynog ddim yn fodlon dweud pam ei fod o wedi lladd George gyda choes bren. Mae cysylltiad fan yna yn rhywle, a'r cyfan yn dod yn ôl at yr Arglwydd Tremaen.'

'Anghofiwch am yr Arglwydd,' meddai Owen yn flin. 'Ro'ch chi'n rhy barod i feio hwnnw am bopeth, gan gynnwys ceisio ffrwydro ei chwarel ei hun! Cynog yw'r drwg yn y caws fan hyn.'

Cododd Enoch o'i sedd a chamu o gwmpas y swyddfa. Roedd golwg feddylgar ar ei wyneb.

'A chi oedd yn iawn,' meddai Enoch. 'Ro'n i wedi disgyn i'r union drap roedd Cynog wedi'i osod.'

'Beth y'ch chi'n 'i feddwl?'

'Fe laddodd Cynog y gwerthwr papurau newydd â choes bren am ei fod eisiau i ni wneud y cysylltiad gyda'r dyn pen moel. Roedd o hefyd yn ddigon parod i roi'r bai am farwolaeth Tynoro ar elynion y papur newydd. Beth os mai cynllun i geisio difrïo enw'r Arglwydd Tremaen oedd y cwbwl?'

'Ond doedd dim cysylltiad digon amlwg rhwng y llofruddiaethau a'r Arglwydd Tremaen i allu gwneud hynny.'

'Na, ond fe wnaeth o yrru John i'r Cymoedd i ymchwilio i bwll glo yr Arglwydd. Mawredd, mae o newydd fy nharo i!'

Canodd y ffôn ar y ddesg. Ochneidiodd Owen Owens a'i ateb. 'Ditectif Arolygydd.' Gwrandawodd ar y llais ar y pen arall. 'Rwy'n gweld. Ie, diddorol iawn. Os y'ch chi'n siŵr.' Gosododd y ffôn yn ôl ar ei fachyn.

'Does dim golwg o Cynog gartre. Ro'n nhw wedi gorfod torri'r drws i lawr. Ond mae'r lle yn llanast, mae'n debyg. Fel labordy ryw anarchydd, gyda gwifrau a ffrwydron ym mhobman.'

Amneidiodd Enoch. 'Yn union. Nid yr Arglwydd Tremaen oedd yn gyfrifol am y ffrwydryn yn y cerflun. Cynog oedd – roedd o eisiau ffrwydro'r chwarel. Dywedodd yr Arglwydd Tremaen fod ganddo gasglwr cudd oedd yn dod â chreiriau i mewn iddo o wledydd eraill. Mae'n rhaid mai tric oedd y cyfan gan Cynog i sicrhau bod y ffrwydron yn ei feddiant.'

'Ond fe ddywedoch chi fod 'na ddau gerflun.'

'Oedd. Roedd yna un arall yn nhŷ'r Arglwydd,' meddai Enoch. 'Roedd y casglwr wedi trefnu ei fod e'n cael ei roi fel rhodd i ddathlu agoriad yr Amgueddfa Genedlaethol heddiw.'

Rhewodd Owen ac edrych yn syn ar Enoch.

'Yr amgueddfa?' gofynnodd, â'i fwstash sinsir yn tasgu gwreichion. 'Mae'r Brenin yno!' Cododd o'i sedd. 'Reit, i'r diawl â'r aros yma. Ry'n ni'n mynd draw 'na nawr.'

Ddeg munud yn ddiweddarach roedden nhw mewn fan llawn heddweision yn gyrru drwy strydoedd Parc Cathays, yn canu corn ac yn ceisio gwthio'u ffordd drwy'r dyrfa o bobol a grwydrai'n aflonydd o amgylch yr adeilad yn disgwyl i'r Brenin ailymddangos. Cawson nhw eu hatal gan filwr ar gefn ceffyl a fynnai gael gwybod ble'r oedden nhw'n mynd, a bu'n rhaid i Owen agor y ffenestr a bygwth gyrru drosto cyn iddo fodloni symud.

Wrth iddyn nhw gerdded i mewn drwy'r drysau cefn roedd y seremoni eisoes i'w chlywed yn mynd rhagddi yng nghrombil yr adeilad.

'Gobeithio bod hyn yn bwysig,' meddai un o swyddogion yr amgueddfa wrth frysio i gwrdd â nhw. 'Ry'ch chi'n tarfu ar ymweliad brenhinol.'

'Fe all pethe fod yn llawer gwaeth arnoch chi os na chawn ni fynd i mewn,' meddai Owen. 'Mae gennym ni reswm dros gredu bod yna ffrwydryn rywle yn yr adeilad yma, wedi'i osod gan anarchydd. Y bwriad rwy'n siŵr yw achosi niwed i'w Fawrhydi.'

Gwelwodd y swyddog. 'Ydych chi'n siŵr? Oes angen rhywbeth arnoch chi?'

'Allwedd i bob drws yn yr adeilad, a rhestr o bob crair a cherflun yn eich casgliad,' meddai Owen.

Arweiniodd y swyddog nhw i mewn i ystorfa lychlyd yng nghrombil yr adeilad. Yno roedd silffoedd uchel yn llawn creiriau, paentiadau a llyfrau wedi'u cadw'n daclus. Aeth i chwilota ynghanol y dogfennau a dychwelyd gyda llyfr clawr caled mawr yn llawn o ysgrifen anniben y curadur.

'Ry'n ni'n chwilio am hen gerflun o'r Ariannin,' meddai Enoch, gan bwyso dros ei ysgwydd. 'Wedi ei roddi i'r amgueddfa gan yr Arglwydd Tremaen.'

Bodiodd y swyddog drwy'r llyfr yn frysiog cyn dod at y dudalen berthnasol.

'Dyma ni! Cerflun bychan, wedi'i roddi gan gwmni Morgan & Davies. Heb ei brisio eto.'

'Fe fyddwch chi'n cyfri'r gost mewn bywyde os na ddown ni o hyd iddo fe'n gloi. Ydi e yn yr arddangosfa?' gofynnodd Owen.

Amneidiodd y dyn. 'Ydi, dros dro, yn yr adran swoleg.'

'Ble mae honno?'

'Ar ochor orllewinol yr adeilad, ar yr ail lawr.'

'Diolch.' Trodd at yr heddweision eraill oedd wedi ymgasglu yn y coridor. 'Nawr 'te, dim ond Enoch Jones fan hyn sy'n gwybod sut olwg sydd ar y cerflun. Ond rydw i eisiau i chi chwilio'r adeilad yma o'r top i'r gwaelod am unrhyw beth drwgdybus. Mae amser yn brin iawn, felly siapwch hi!'

XXVIII

YM MHEN ARALL y neuadd roedd Daniel yn dylyfu gên yn ddiflas. Roedd y canu wedi tewi a'r gynulleidfa yn eistedd unwaith eto, a nawr roedd cyfres o siaradwyr hunanbwysig yn rhygnu ymlaen gan bwysleisio pa mor wych oedd yr amgueddfa ac, fel estyniad o hynny, pa mor wych oedd eu hymdrechion nhw i'w hadeiladu. Roedden nhw'n diolch i'r Brenin am ei ddiddordeb yn yr amgueddfa, yn canmol gwaith caled y bobol oedd wedi arwain at yr agoriad bymtheg mlynedd ers dechrau'r gwaith, ac yn clodfori'r adeilad fel un o gampweithiau pensaernïol mwya Prydain.

Amneidiodd y Brenin drwy'r cwbwl ac unwaith roedd y siaradwyr wedi tewi, ymatebodd. Roedd Daniel wedi disgwyl y byddai'n gwbwl gyfforddus wrth siarad o flaen tyrfa, ond edrychai braidd yn nerfus wrth fodio drwy'r papurau ar y darllenfwrdd.

'I thank you for your loyal and dutiful address and for the feeling terms in which it refers to the Queen and myself,' meddai. Cliriodd ei wddf, ac yna mynd yn ei flaen.

'I recall with pleasure that, nearly fifteen years ago, I laid the foundation stone of the National Museum of Wales. The founders of this institution aspired to a high ideal to teach the world about Wales and the Welsh people about their own Fatherland. To this end your efforts have been successfully directed.

'Having in the past been a Trustee of the British Museum in London, I have followed with lively interest, which the Queen shared with me, the inception and development of the National Museum of Wales. I am glad to know that its influence extends beyond the city in which it has found a home. In these days of material considerations, when a large proportion of the population is congregated in towns and manufacturing districts, your museum can help by cultivating in the Welsh people a sense of beauty and love of natural scenery, and, even more importantly, by fostering healthy pride in their nation's historic past and kindling a spirit of loyal service to its future welfare.

'I now declare the National Museum of Wales open for the use and enjoyment of the public, and the Queen and I are happy to have been associated with so memorable an event in its history.'

Dangosodd y dorf eu cymeradwyaeth i'r Brenin a diolchwyd iddo gan un o'r pwysigion wrth iddo gamu o'r neilltu.

'Ac yn awr bydd Archesgob Cymru a'r Parchedig Elvet Lewis, yr Archdderwydd, yn bendithio'r adeilad, ac yn ein harwain i ganu anthem genedlaethol Cymru,' meddai wrth i'r ddau ddyn ddringo i'r llwyfan.

Wrth i'r gynulleidfa godi ar eu traed gwelodd Daniel wyneb cyfarwydd yn y dyrfa, yn dringo'r grisiau i'r ail lawr. 'Be ddiawl mae Cynog yn ei wneud yma?' holodd ei hun.

Rhuthrodd Enoch heibio arddangosfa arall yn llawn creiriau tramor ac anelu am y drysau dwbwl ym mhen pella'r ystafell. Roedd wedi gweld cymaint ohonyn nhw erbyn hyn, a chymaint oedd yn edrych yr un fath, nes ei fod e'n dechrau amau a fyddai'n nabod y cerflun hyd yn oed pe bai'n dod o hyd iddo. Difarai na chafodd well golwg arno yn nhŷ'r Arglwydd. Fe aeth Owen o'i flaen gan agor y drysau ag allweddi'r porthorion.

'Mae'r adeilad yma'n anferth,' meddai Enoch wrth ddal i fyny ag ef.

'Does dim amser i golli nawr, rhaid i ni ddod o hyd i'r cerflun cyn i'r Brenin ddechrau ar ei daith. Mae enw da Caerdydd yn y fantol.'

'Anghofiwch am enw da Caerdydd, mae yna fywydau eraill yn y fantol heblaw am un y Brenin,' meddai Enoch. 'Ydych chi'n meddwl bod Cynog wedi amseru'r ddyfais i ffrwydro tra bydd y Brenin yma?'

'Roedd golygydd pob papur newydd wedi cael amserlen lawn ar gyfer ymweliad y Brenin tra byddai yng Nghaerdydd. Does dim amheuaeth felly y bydd yn ffrwydro tra bydd y Brenin yn yr adeilad,' meddai Owen.

'Beth wnawn ni ar ôl dod o hyd i'r cerflun?' gofynnodd Enoch wrth ei ddilyn i'r adran nesa.

'Mae yna ardd y tu ôl i'r adeilad, felly ei daflu mas drwy un o'r ffenestri cefn fydde orau,' meddai Owen. 'Efallai y gwnaiff rywfaint o ddifrod ond bydd hynny'n well nag unrhyw ddewis arall. Fe wna i ofyn i'r heddweision glirio'r lle ac i gadw'n ddigon pell.'

Wrth i Owen ddatgloi'r drysau dwbwl nesa atseiniodd sŵn tyrfa o bobol i lawr y coridorau gwag yn y pen arall.

'This is the Zoology Department, Your Highness,' meddai rhywun mewn acen goeth.

Ymestynnodd Owen ei fraich ar hyd y drws gan ddal Enoch yn ôl. 'Y Brenin,' sibrydodd. Rhoddodd ei ben heibio'r drws. 'Ma'n nhw wedi mynd i mewn i'r oriel drws nesa.'

Closiodd y ddau at yr agoriad a chlustfeinio. Roedd y Brenin, a'r dyrfa fach o bwysigion, wedi mynd yn syth heibio drwy ddrws arall ychydig ymhellach i lawr y coridor. Sleifion nhw draw, a thrwy gil y drws gallai Enoch weld bod y dyrfa wedi aros wrth deigr wedi'i stwffio.

'I recognize this poor fellow,' meddai'r Brenin. 'I shot him in Nepal in 1911. He's been very well set up.'

'Dyna'r adran swoleg!' sibrydodd Owen yn daer.

'Dwi ddim yn gallu gweld y cerflun…'

'Damo, beth wnawn ni? Allwn ni ddim rhedeg i mewn a chwilio amdano fe tra bod y Brenin 'na.'

'Bydd rhaid i ni. Beth petai o'n ffrwydro rŵan?' gofynnodd Enoch.

Ochneidiodd Owen a chamu i'r ystafell tuag at y dyrfa oedd yn amgylchynu'r Brenin. Gwelodd Enoch ef yn procio un o swyddogion yr amgueddfa, a hwnnw'n edrych braidd yn grac fod rhywun yn tynnu ei sylw. Sibrydodd rywbeth am 'fater o ddiogelwch' yn ei glust ac amneidiodd y dyn yn anfodlon. Cerddodd Owen yn frysiog yn ôl at y drws lle safai Enoch.

'Gobeithio y byddan nhw'n gadel nawr,' meddai.

O fewn ychydig funudau roedd y dyrfa wedi'i llywio allan o'r arddangosfa ac yn ôl i lawr y grisiau. Unwaith roedd y Brenin â'i gefn tuag atyn nhw brysiodd Owen ac Enoch i mewn a chwilio ym mhobman am y cerflun. Ond doedd dim golwg ohono.

'Dyw e ddim 'ma!' meddai Owen Owens. 'Roedd y dyn 'na wedi drysu mae'n rhaid.'

Gwthiodd Enoch yn erbyn y drysau dwbwl ym mhen arall yr arddangosfa er mwyn gwneud yn siŵr nad oedd yr adran swoleg yn ymestyn drwy'r fan honno. Ond dim ond coridor hir oedd yn y pen arall, gyda grisiau yn arwain i fyny ac i lawr i'r lloriau eraill. Gallai Enoch weld Neuadd y Ddinas, a'r tyrfaoedd yn llenwi'r strydoedd, drwy'r rhes o ffenestri mawrion a redai ar hyd y wal.

'Mae rhywun yn dod,' meddai Owen.

Clywodd Enoch sŵn traed yn gwichian ar hyd y llawr llathredig a daeth tyrfa o heddweision i lawr y grisiau a brysio tuag atynt.

'Unrhyw lwc?' gofynnodd Owen.

'Ry'n ni wedi dod o hyd iddo!' galwodd un ohonyn nhw.

Cynhyrfodd Owen. 'Y bom?'

'Na, Cynog Price – mae e ar do'r adeilad.'

Llusgwyd John am yn ôl, un gris ar y tro. Doedd e ddim yn deall beth oedd ar feddwl Cynog – pam mai am i fyny roedden nhw'n mynd? Onid oedd y Brenin ar y llawr gwaelod? Ond cadwodd ei amheuon iddo fe'i hunan – doedd e ddim eisiau cynnig help llaw i'r gwallgofddyn a laddodd ei dad.

Roedd gan Cynog y cerflun yn ei law, ac roedd John wedi deall beth oedd ei fwriad erbyn hyn – roedd e'n cynllunio ymosod ar y Brenin ac, o bosib, ei ladd. A hynny er mwyn gallu creu sbloets ar y dudalen flaen mae'n siŵr. Gallai glywed y ffrwydryn yn tician am yn ail ag anadlu trwm Cynog wrth iddo'i lusgo'n uwch ar hyd grisiau'r amgueddfa.

'Ti'n gwybod beth?' gofynnodd Cynog. 'Ro'n i wedi gobeithio beio'r ffrwydrad ar ryw löwr dig o Dremaen. Wedi iddo golli popeth yn y streic y llynedd, y chwalfa yn ei bentre oedd yr hoelen ola. Comiwnydd gwyllt yn dial ar y sefydliad.' Stopiodd am eiliad i ddal ei wynt. 'Dychmyga'r ffŷs! Bydde hi 'di bod yn dipyn o stori, on'd bydde hi? Fydde'r *Mail* ddim 'di mentro'i hargraffu hi, a'r *Cronicl* fydde 'di cal y sylw i gyd. Fydde neb yn gwbod bod 'da fi ran yn y digwyddiad. Ond fe wnest ti gawlio popeth. Nawr bydd y stori'n wahanol. Nawr sdim byd 'da fi i'w golli.'

Doedd gan John ddim llawer o amheuaeth ei fod e'n mynd i farw. Roedd e wedi gweld maint y ffrwydrad ym mae Caerdydd yn gynharach. Fe allai ffrwydro unrhyw eiliad a fyddai dim gobaith ganddo ddianc.

Ar waelod y grisiau roedd tyrfa fach o heddweision wedi

ymgasglu, pob un â'u gynnau'n anelu i'w gyfeiriad e a Cynog. Ond gwyddai John nad oedd yna unrhyw beth y gallen nhw ei wneud – gyda Cynog roedd y ffrwydryn, ac felly y pŵer. Roedd golwg ddigon ofnus ar wynebau'r heddweision, fel pe baen nhw hefyd yn amharod i aros i'r cerflun ffrwydro.

'Gollwng y bom, Cynog Price!' bloeddiodd un o'r heddweision. 'Dyma dy gyfle ola di.'

'Cadwch draw neu fe fydda i'n chwythu'r adeilad 'ma'n yfflon!' meddai Cynog. 'Fe allwn i ollwng y bom nawr – mae e'n sensitif iawn!' Gafaelodd yn nolen y drws ar dop y grisiau. 'Ac os bydd unrhyw un yn 'y nilyn i i'r balconi fe wna i daflu'r bom i ganol y dyrfa!'

Llusgwyd John drwy'r drws ac allan i ganol sŵn byddarol y dorf yn cymeradwyo. Trodd ei ben ac edrych i lawr. Gallai weld miloedd ar filoedd o bobol yn un dyrfa anferth o'u blaen ac ar hyd y strydoedd. Sylweddolodd ble'r oedden nhw – ar y balconi uwchben prif fynedfa'r amgueddfa. Ac oddi tanynt, ar lain foel ynghanol y dyrfa, roedd cerbyd y Brenin a'r Frenhines yn disgwyl amdanynt.

'Byddai un hyrddiad yn gwneud y tro…' meddai Cynog. 'Ond lle mae'r Brenin dwed?'

'Gallwch chi adel i fi fynd,' meddai John. 'Do's dim angen i fi fod 'ma rhagor.'

'Gad dy gonan. Dyle ti fod yn hapus i gael bod 'ma, i weld hanes yn cael ei greu.'

Clywodd sŵn gwichian a sylweddolodd fod drws y balconi yn agor. Anelodd Cynog ei ddryll tuag ato. Yno safai Daniel, a'i wyneb yn llwydlas.

'Mae'r heddlu wedi fy hala i lan i drio siarad 'da ti…' meddai.

Gwenodd Cynog. 'Ti'n ddyn lwcus, Daniel.' Edrychodd allan dros y dorf. 'Yn llygad-dyst i'r digwyddiad mwya yn hanes y byd ers llofruddiaeth yr Archddug Fferdinand. Fe fyddi di'n enwog am byth fel y newyddiadurwr gofnododd y cyfan. Byddwn i wedi bod yn ddigon bodlon i ladd am gyfle fel 'na.'

'Cynog, do's dim angen i ti neud hyn. Dere i lawr,' crefodd Daniel.

'Wy wedi bod yn cynllunio hyn ers misoedd,' meddai Cynog. 'Ac er eich bod chi wedi llwyddo i gymhlethu pethau rhywfaint i fi, does dim byd y gallwch chi neud i newid 'y meddwl i nawr. Edrycha arnyn nhw, Daniel.' Anelodd ei ddryll i gyfeiriad y dorf. 'Edrycha mas dros y dyrfa 'na. Miloedd ar filoedd o bobol. Fyddet ti wir yn poeni pe bai un neu ddau ohonyn nhw'n marw? Beth ydi gwerth 'u bywyde nhw i ti – un stori ar y dudalen flaen? Dwy?'

'Dwyt ti ddim yn mynd i'w llofruddio nhw!'

'Ti'n defnyddio'r gair "llofruddieth" fel pe bai'n rhywbeth afiach. Mae pawb yn mwynhau llofruddieth. Dyna sy'n gwerthu papure. Dyna sy'n denu pobol, fel pryfed o amgylch fflam, wedi'u hudo gan 'u chwilfrydedd 'u hunen.' Poerodd. 'Rhyw gyfaredd annaturiol gan bobol sy am gadarnhad 'u bod nhwythe'n dala'n fyw. Neu'r mwynhad o gael rhoi bywyd rhywun arall rhwng dau glawr a'i weld e'n gyflawn am y tro cynta, fel trychfilyn marw y tu ôl i wydr. Mae pobol am weld a darllen am farwolaeth, Daniel. Dim ond rhoi i'r werin beth maen nhw moyn odw i.'

Daeth bloedd o gymeradwyaeth gan y dorf, ac er na allai weld y drysau mawr ar flaen yr amgueddfa'n agor roedd hi'n amlwg i John beth oedd yn digwydd.

'Dyma fe'n dod!' gwaeddodd Cynog.

Gwelodd John ddau ffigwr yn cerdded i lawr y grisiau o'r drws blaen tuag at eu cerbyd, law yn llaw. Y Brenin a'r Frenhines. Safai rhes o filwyr bob ochor yn saliwtio.

Cododd Cynog ei fraich i daflu'r cerflun. Ond neidiodd Daniel amdano a'i fwrw ef a John i'r llawr. Llwyddodd John i gropian oddi yno ar ei bedwar cyn troi a gweld y ddau'n ymbalfalu ar y llawr a'r cerflun yn disgyn o afael Cynog.

Clywodd glec fyddarol a theimlodd ei hun yn hedfan drwy'r awyr, cyn iddo daro rhywbeth caled a diflannu o dan orchudd cynfas du o fwg.

'What the hell was that?' gofynnodd y Brenin, gan edrych o'i amgylch yn syn wrth iddo gamu i mewn i'r cerbyd.

'It'd be fireworks, I suppose,' atebodd ei wraig, oedd yn chwifio'i llaw yn hamddenol ar y dyrfa.

'Fireworks, at four o'clock in the afternoon?' Ysgydwodd y Brenin ei ben wrth ddringo i ochor y cerbyd. 'Every time I hear a bang I think we're being bombed again.'

Dringodd i mewn i'r cerbyd ac ystumio tuag at y gyrrwr. Chwipiodd hwnnw'r ceffylau er mwyn prysuro'n ôl i'r orsaf drenau.

XXIX

' AND WE'RE BACK to square one…'
'Allech chi droi'r radio 'na i lawr os gwelwch yn
dda? Mae'n cadw'r cleifion erill ar ddihun.'

'Dy'n nhw ddim yn gallu clywed 'u hunain, fenyw, heb
sôn am y radio!'

Dim ond tri hen ddyn oedd yn y stafell ac roedd pob
un yn chwyrnu'n llawer uwch na chlebran cyffrous y
sylwebwyr pêl-droed.

'Turn it off!' cyfarthodd y metron.

Ochneidiodd Daniel a throi'r radio i lawr ryw damed
bach, gan wneud yn siŵr ei fod yn dal i allu clustfeinio ar
ffeinal y Cwpan FA yn slei bach. Diflannodd y metron yn
ôl trwy'r drws a thynnodd Daniel ei gopi o'r *Radio Times*
allan o dan ei glustog. Roedd e wedi gofyn i un o'r nyrsys
ei ddwgyd o'r dderbynfa er mwyn dilyn y system sgwariau
newydd a ddyfeisiwyd i ddangos ble yn union ar y cae roedd
y chwarae'n digwydd.

'Mae 'da chi ymwelwyr, Mr Lewis.'

Y blydi metron 'to. Roedd Daniel wedi bod yn disgwyl
yn awchus am y gêm yma ers… wel, ers i Gaerdydd faeddu
Reading bedair wythnos ynghynt. Ers iddo wylio Caerdydd
yn chwarae am y tro cynta flwyddyn a hanner yn ôl a disgyn
mewn cariad â'r gêm. A nawr roedd pawb a phopeth am ei
atal rhag ei mwynhau.

Siriolodd rywfaint wrth weld pwy oedd wrth y drws.
John ac Enoch.

'Sut wyt ti'n cadw?' gofynnodd John, oedd â'i wyneb yn
frith o friwiau.

'Sai'n gwbod shwt fydda i'n teimlo unwaith y gwnan

nhw 'nhynnu i oddi ar y morffin. Shwt wy'n edrych?'
gofynnodd.

'Ofnadwy. Ddaethon ni draw yma ddoe ond roeddet
ti'n cysgu, a doedden ni ddim eisiau dy ddeffro di,' meddai
Enoch.

'Gobeithio bo fi ddim yn chwyrnu fel rhain,' meddai
Daniel gan drio gwenu drwy'r poen. 'Ma'n dal i neud tipyn
bach o ddolur wrth siarad.'

'Wnewn ni ddim dy gadw di. Fyddi di nôl gyda'r *Cronicl*
wythnos nesa ti'n meddwl?' gofynnodd Enoch.

'Sai'n gwbod. Cha i ddim mynd i'r tŷ bach yn y lle 'ma
heb i'r metron roi caniatâd i fi. Ac mae 'na rai pethe wy am
'u sortio mas gynta.'

Oedodd John. 'Ro'n i isie diolch i ti am yr hyn wnest ti,'
meddai. 'Wy'n gwbod dy fod ti 'di achub 'y mywyd i. Ro'n
i'n hollol siŵr y cawn i'n lladd.'

'Mae'n iawn,' meddai Daniel, heb wybod sut i ymateb.
'Doedd 'da fi ddim syniad beth o'dd yn digwydd. Beth gafodd
i ddweud yn y papure newydd yn y diwedd?'

'Dim byd, maen nhw am gadw'r peth yn dawel wy'n
meddwl. Dim ond bois y *Cronicl* sy'n gwbod a fydde fe ddim
yn hysbyseb dda i'r papur, na fydde? Ro'dd yr heddlu a'r
amgueddfa am gadw'r peth yn dawel am resyme amlwg.
Dyw'r Brenin na neb arall ddim callach.'

'Diolch i chi 'fyd, Enoch. Wy'n deall mai chi sylweddolodd
beth o'dd yn digwydd yn y diwedd, yntyfe?'

'Gyda thipyn bach o lwc a lot o help,' meddai Enoch gan
wenu.

'Ges i gyfle'r noson cyn yr helynt yn yr amgueddfa i wneud
tipyn bach o ymchwil i daith eich mam i'r Ariannin, ond alla i
ddim cynnig lot o help i chi, a dweud y gwir.'

Goleuodd llygaid Enoch. 'O ie?'

'Yr unig beth o werth des i o hyd iddo oedd rhestr o enwe'r rhai wnaeth adael am yr Ariannin yn 1865. Roedd enw eich mam, Angharad Jones o Fethesda yn y gogledd, yno. Ond do'dd dim sôn am 'ych tad, Meirion, yn anffodus.'

Edrychodd Enoch drwy'r ffenestr yn feddylgar, i'r tiroedd gwyrdd o amgylch yr ysbyty. 'Wel, dyna ddirgelwch arall i chi.'

Agorodd y drws ym mhen arall y ward a daeth y metron i mewn gyda golwg sur ar ei hwyneb.

'More visitors,' meddai hi. 'Ry'ch chi'n ddyn poblogaidd, Mr Lewis.'

'Fe ga nhw aros am funed,' atebodd Daniel, gan feddwl mai un o'i ffrindiau eraill o'r gwaith oedd yno.

'Ms Stella Rogers eisie 'ych gweld chi,' meddai'r metron yn ddifrifol.

'O! Y wraig...' meddai Daniel.

'Well i ni fynd 'te,' meddai John ac Enoch.

Wrth adael fe basion nhw ferch welw, gwallt du oedd yn cario plentyn blwydd oed yn ei chôl. Edrychodd hi'n syn ar John wrth basio, fel pe bai hi'n gweld ysbryd. Ond ddywedodd hi ddim gair.

Tu allan roedd yr haul wedi llathru gwair y gerddi tan eu bod nhw'n sgleinio'n wyrdd golau. Cerddodd Enoch a John ochor yn ochor ar hyd y llwybr, gan anelu am ganol y ddinas. Roedd hi'n brynhawn cynnes a'r coed bob ochor i'r llwybr yn llawn blodau, ac roedd rhywfaint o ddail wedi dechrau ymddangos ar esgyrn y coed.

'Beth wnewch chi nawr 'te, aros i wneud mwy o waith ymchwil?' gofynnodd John.

'Dwi ddim yn meddwl. Mae fy ymchwilio i ar ben. Yn ôl i Batagonia a' i'r cyfle cynta ga i,' meddai Enoch.

'So chi moyn gweld mwy o'r wlad? Gweld lle roedd 'ych tad a'ch mam yn byw? Fe ddo i 'da chi os y'ch chi moyn.'

Gwenodd Enoch. 'Diolch i ti. Rwyt ti cystal ffrind ag ydw i wedi'i gael erioed. Ond dwi wedi dysgu 'ngwers.'

'Pa wers?'

Gwenodd Enoch drachefn. 'Bodloni efo beth sy gen i, a phwy ydw i, ac yn sicr osgoi mynd i chwilio am hapusrwydd hanner ffordd ar draws y byd. Ella 'mod i a Mam yn debycach nag oeddwn i'n ei feddwl. Yn gwneud yr un camgymeriada.' Anadlodd yr awyr iach. 'Roeddwn i wir yn credu y byddwn i'n dod o hyd i 'ngwreiddiau yn y wlad yma. Yn teimlo'n gartrefol, am nad ydw i erioed wedi bod yn gartrefol ymhlith fy mhobol fy hun. Ond weithia mae angen gadael cartre i'w werthfawrogi fo.'

'Ond byddai'n biti gadael nawr. Smo chi'n gwbod dim byd am 'ych tad o hyd. Falle bod 'da chi deulu 'ma.'

'Na, dwi'n meddwl 'mod i wedi datrys y pos ola. Neu o leia, mae Daniel wedi'i ddatrys o drosta i.'

'Pa bos?' gofynnodd John yn syn.

'Doeddwn i ddim yn synnu nad oedd cofnod o 'nhad ar y llong 'na.' Gwenodd. 'Sbia arna i, John! Da ti. Archentwr ydw i, drwyddi draw. Mae o yn fy ngwaed i. Dwi'n reit sicr rŵan mai dyna pam bod y gymuned wedi ymbellhau oddi wrth fy mam cyhyd. Pan adewais i am Gymru roeddwn i'n credu 'mod i'n gadael am hen wlad fy nhadau. Dim ond rŵan rydw i'n sylweddoli mai dychwelyd yno fydda i.'

Cerddodd y ddau mewn tawelwch am ychydig funudau cyn cyrraedd y llidiart oedd yn arwain at y ffordd fawr.

'A beth amdanat ti, John?'

'Galwch fi'n Elliw.'

'O?' Oedodd Enoch wrth y giât. 'Ti wedi blino anturio'n barod?'

'Na. Ond dw i'n meddwl y bydd hi'n fwy o her anturio fel fi fy hunan o hyn mas.'

'Do'n i ddim yn siŵr a fyddet ti'n dod o gwbwl,' meddai Daniel yn ansicr.

'Wrth gwrs y byddwn i,' meddai Stella. 'Fe ddes i'n syth ar ôl clywed, ond do't ti ddim yn ddigon da i weld neb, medden nhw. Ac mae'n bell i ddod â Jac ar draws y ddinas.'

Edrychodd Stella yn bryderus ar wyneb chwyddedig Daniel, a gwelodd ei lygaid ef yn sleifio i lawr tuag at ei bol.

'Sai am gael gwared ag e, os mai dyna beth sy'n dy boeni di,' meddai. 'Ro'dd arna i ofan, a dim byd arall.'

'Dere 'ma,' meddai Daniel, ac estyn braich i'w chofleidio hi a'r bychan. Roedd dagrau yn ei llygaid. 'Wy i wedi bod yn dwp. Ro'dd arna inne ofan 'fyd. Ofan dy golli di. Am dy gadw di. Ond do's dim ofan arna i nawr.'

Gollyngodd ei afael ynddi.

'Unwaith y bydda i'n ddigon iach i adel y stafell 'ma, ry'n ni am dowlu'n pethe i gefen y cert a gadael am gatre.'

'Beth?' gofynnodd Stella. 'A finne'n cario dy blentyn di? Fydd neb eisie'n nabod ni.'

'Wel, stwffo nhw. Beth maen nhw'n mynd i neud, troi 'u trwyne arnon ni? Wel, gad iddyn nhw. Fe ga nhw fynd draw i'r pentre nesa am 'u lla'th a'u hwye. Smo ti'n hapus fan hyn, Stella, na finne, a'n lle ni yw gatre.'

Gwenodd Stella arno a'i gusanu ar ei foch.

'Aw,' meddai Daniel a gwenu'n ôl arni. 'Wy'n siŵr na cha i wahoddiad gan dy dad i fod yn flaenor byth, ond sai'n becso am 'ny.'

Cariodd Stella Jac drwy'r drws ym mhen draw'r ward,

lle'r oedd y metron wrthi'n brysur yn llenwi silff â hen ffeiliau gorlawn.

'Y'ch chi'n meddwl y daw e drwyddi?' gofynnodd yn betrus.

Agorodd y metron ei cheg i ateb, ond yr eiliad honno daeth bloedd erchyll o'r ward. Brysiodd y metron drwy'r drws a dilynodd Stella hi, gan ofni'r gwaethaf.

Roedd Daniel yn sefyll ar ben y gwely, ei goesau ar led a'i freichiau yn yr awyr. Roedd y sŵn ar y radio wedi'i droi mor uchel â phosib a'r sylwebydd yn gweiddi'n llawn cyffro.

'A terrible mistake from Dan Lewis, the ball slid right underneath his shirt into the open goal. What a score for Cardiff!'

'Gôôl!' bloeddiodd Daniel, gan aflonyddu ar yr hen ddynion a gysgai o'i amgylch.

Trodd y metron at Stella. 'Rwy'n credu y bydd e'n iawn,' meddai hi'n sychlyd.

Hefyd gan yr awdur:

"Go brin fod yng Nghymru heddiw nofelydd mor wreiddiol a dyfeisgar â'r awdur hwn." **Emyr Llywelyn**

Igam Ogam

Enillydd Gwobr Goffa Daniel Owen 2008

Ifan Morgan Jones

yLolfa

£7.95

Am restr gyflawn o lyfrau'r Lolfa, mynnwch
gopi o'n catalog newydd, rhad
neu hwyliwch i mewn i'n gwefan

www.ylolfa.com

lle gallwch archebu llyfrau ar lein.

TALYBONT CEREDIGION CYMRU SY24 5HE
ebost ylolfa@ylolfa.com
gwefan www.ylolfa.com
ffôn 01970 832 304
ffacs 832 782